JOSEPH TRITTO

CINA COVID-19
LA CHIMERA CHE HA CAMBIATO IL MONDO

Joseph Tritto

CINA COVID-19
LA CHIMERA CHE
HA CAMBIATO IL MONDO

Prefazione di James Goldberg

Postfazione di Luigi Frigerio

CANTAGALLI

Parte dei proventi di questo libro saranno devoluti dall'Autore e dall'Editore alla World Academy of Biomedical Sciences and Technologies per la promozione di una normativa internazionale che disciplini la ricerca sugli agenti patogeni per l'uomo e sulle attività svolte nei laboratori di sicurezza sotto l'egida di una commissione di esperti multidisciplinari indipendenti.

Grafica di copertina: Rinaldo Maria Chiesa

ISBN: 978-88-6879-890-1

Questo libro è stampato col sole

Azienda carbon-free
Finito di stampare nell'agosto 2020
da Grafica Veneta S.p.A. di Trebaseleghe (PD)
Printed in Italy

NOTA DELL'EDITORE

La mattina del 10 aprile 2020 ricevo un messaggio da un amico di vecchia data, una di quelle persone che raramente parlano, ma quando lo fanno è bene prestare attenzione a ciò che dicono. Il mio amico mi accennava l'ipotesi che l'origine del virus che ha cambiato la storia del mondo, il SARS-CoV-2, non era naturale, che a suo giudizio si trattava una chimera ricombinante "fabbricata" in laboratorio.

Confesso che inizialmente ho prestato poca attenzione a quel messaggio, vuoi perché in quel momento eravamo tutti subissati da notizie di ogni genere sul Covid-19, che senza troppi complimenti era piombato nella nostra vita; vuoi perché, ormai, come tutti, ero pigramente assuefatto al lockdown, segregato come molti in una casa che improvvisamente era stata eletta a dimora inespugnabile, come la città di Minas Tirith di tolkieniana memoria. La mia naturale propensione alla ribellione, che ha sempre mal digerito regole e imposizioni, mi suggeriva in quel periodo di riconquistare un pizzico di libertà facendo lunghe passeggiate con i miei compagni a quattro zampe nei boschi intorno a casa. Nel silenzio e nella solitudine di quei luoghi, come un mantra le poche parole del mio amico si erano incuneate tra il cuore e la mente, alimentando una curiosità che andava crescendo. *Non è naturale... Chimera ricombinante fabbricata in laboratorio.* Poiché considero il mio interlocutore una persona assolutamente affidabile ed autorevole, decisi quindi di assecondare la mia curiosità, chiedendogli chi mai avesse avanzato questa presunta verità. In modo cortese e deciso mi rispose che non era possibile svelare l'identità della sua fonte, mi disse soltanto che si trattava di una personalità autorevole, un medico e scienziato. La sera stessa però, con grande meraviglia, ricevetti un altro messaggio dal mio amico in cui mi indicava il nome e i recapiti di quella fonte.

È iniziata così una storia incredibile che a raccontarla non sembra vera. In pochi mesi è nato un rapporto con una persona che ho avuto modo di conoscere attraverso il contatto virtuale su skype e lunghe conversazioni su un mondo di cui avevo sentito parlare, ma che mai avrei pensato potesse interessarmi così tanto. Un uomo che non ho mai avuto occasione di guardare negli occhi e al quale non ho mai stretto la mano mi raccontava particolari di un microorganismo sconosciuto che stava causando una marea di guai; notizie che dopo pochi giorni venivano confermate dalle più autorevoli testate internazionali.

Il professor Joseph Tritto raccontava storie scomode e verità indicibili, confermate dai mostri sacri dell'informazione. Confesso che, purtroppo, nel nostro Paese, in altri tempi culla della civiltà occidentale, si è consolidata la tendenza ad un provincialismo, di cui purtroppo mi sento parte, che impone di prestare attenzione solo alle notizie diffuse da oracoli che hanno il potere di ungere i fatti con il crisma della verità assoluta. Il professore parlava di un mondo, quello dei virus e dei batteri, oggetto di attenzioni sempre più morbose da parte delle super potenze, descriveva con dovizia di particolari, pronunciando nomi in cinese, l'origine del Covid-19; parlava di un'emergenza affrontata in modo superficiale, di protocolli e strategie da adottare per affrontare nel modo migliore possibile la pandemia, di cure per prevenire o curare l'infezione. Parlava di un evento che molti purtroppo subiscono, non conoscendo la verità dei fatti, colpiti da una distorsione, a volte palese, che deforma la realtà rendendola irriconoscibile. Quello che mi colpiva delle notizie fornite dal professor Tritto era il fatto che, pur essendo confermate da testate giornalistiche internazionali, raramente venivano diffuse dalle nostre agenzie di stampa o dalle nostre testate.

Da quel rapporto è nata un'amicizia con un uomo sincero e coraggioso, che ama la verità, che ama il suo lavoro, che ha dedicato una vita a curare le persone e a svolgere ricerche scientifiche con un solo obiettivo: quello di tutelare la salute umana e preservare la vita. Un uomo che non ha il timore di denunciare antichi mali che ammorbano l'esistenza umana e che giustificano le peggiori nefandezze, anche in nome di un bene superiore che è annunciato ma non perseguito.

L'esercizio del potere, la ricerca spasmodica del successo personale e la realizzazione di interessi particolari a sacrificio del bene comune cancellano la coscienza di chi, senza conoscerne il significato, annuncia pomposamente che "la verità rende liberi", essendo schiavo di altre circostanze che lo imprigionano.

Caro Giuseppe questa nostra avventura è finita, a giorni sarà dato alle stampe il nostro libro. Chiunque avrà la possibilità di leggere e soppesare quello che scrivi; sicuramente in molti si stracceranno le vesti per il disappunto, mentre altri plaudiranno al tuo coraggio. Nessuno però potrà mai dire che queste pagine non siano il frutto di un'amicizia cresciuta e consolidata nel segno della verità. Sono convinto che il tuo lavoro aiuterà a fare luce sull'evento che ha cambiato la storia del mondo e soprattutto ad evitare che ciò accada di nuovo, perché al di là di ogni interesse o aspirazione umana esiste un bene superiore che pone un argine al male.

Concludo questa breve nota con un avviso ai naviganti: augurandomi che questo libro incontri il favore dei lettori, mi preme sottolineare che questo lavoro è un cantiere aperto, un'opera per così dire dinamica che verrà aggiornata seguendo le evoluzioni e le novità sugli studi e le ricerche relative al SARS-CoV-2.

PREFAZIONE

di James Goldberg[*]

La pandemia causata dal virus SARS-CoV-2 ha richiesto e richiede tutt'ora l'assunzione di una grande responsabilità da parte dei governanti, dei politici e delle autorità sanitarie dei Paesi che sono stati colpiti dalla malattia. Essa, per i terribili effetti che produce sulla popolazione mondiale, pretende decisioni tempestive, che sono molto difficili da assumere in uno stato di incertezza e sotto l'influenza di una esasperante pressione quotidiana. In queste condizioni, informazioni corrette, tempestive e affidabili sono essenziali per una risposta efficace, coordinata e all'altezza della emergenza.

---

[*] James Goldberg, MD PhD, specialista in oncologia, nel corso degli anni ha lavorato in molti Paesi europei e in Nord America come membro e dirigente di importanti organizzazioni accademiche e istituzionali, sia nazionali che internazionali, e per vari governi. Per citarne alcuni, ricordiamo: direttore internazionale della Haute Authorité de Santé; ANDEM e ANAES; Senior Advisor INSERM; Senior/Special Advisor presidenza Clinton, Royal College of Physicians London; Commissione Alto Livello DG V SANCO presso Comunità Europea. Membro International Expert Faculty Harvard e Commissione OMS. Ha pubblicato più di 190 articoli oltre che alcuni libri e singoli capitoli. Come specialista internazionale in oncologia, Health e Life Sciences, istruzione, sicurezza, linee guida per la gestione dei servizi sanitari e ospedalieri, protocolli clinici specie oncologici, sistemi di valutazione degli studi di ricerca scientifica ed esperto in investimenti e innovazione, si è dedicato instancabilmente al miglioramento continuo della qualità e della sicurezza delle scienze della salute.

L'Autore ed il suo team hanno deciso di scrivere questo libro, mettendo a disposizione di tutti una miriade di informazioni sul SARS-CoV-2, fondate su dati oggettivi attentamente analizzati e verificati prima di essere pubblicati nell'edizione in lingua italiana. Per la stesura dei capitoli sono state utilizzate, con il massimo rigore, ricerche e studi internazionali che sono indispensabili per la comprensione dei temi trattati. Lo sforzo dell'Autore e dei suoi colleghi è stato encomiabile, questo libro ha avuto la massima priorità su ogni altro progetto già programmato per il prossimo futuro. Il professor Tritto e colleghi hanno infatti ritenuto assolutamente necessario fare chiarezza su una vicenda che ha ancora troppi lati oscuri, considerando la pandemia causata dal Covid-19 come un evento straordinario che doveva avere la precedenza su tutto il resto. Il professor Tritto e il suo team hanno lavorato al saggio con pazienza certosina, in una situazione in continua evoluzione, verificando con grande rigore tutte le informazioni, gli studi e le ricerche alle quali hanno attinto, ottenendo un risultato che senza ombra di dubbio è sorprendente.

Cina Covid-19 offre una visione completa e inedita della storia del SARS-COV-2 e di quello che è accaduto: le origini del virus, il mondo della ricerca sui virus e i batteri, le caratteristiche del Covid-19, le cure possibili, i sintomi e i farmaci, i suggerimenti e le informazioni utili a medici, operatori sanitari, ricercatori e a tutti coloro che sono impegnati nella battaglia, i suggerimenti a livello normativo per evitare che questa tragedia possa accadere di nuovo, i protocolli e gli strumenti di diagnosi che abbiamo a disposizione, la necessità di una migliore gestione del rischio che dovrebbe coinvolgere a livello internazionale più parti e sfruttare i moderni strumenti di raccolta ed elaborazione dei dati; un'opera globale offerta a tutti come un atto di amore per l'umanità.

L'Autore e i suoi colleghi hanno dedicato i primi cinque capitoli ad un'attenta definizione degli scenari internazionali, ad un'indagine sull'origine scientifica e storica del virus, allo stato della ricerca e delle analisi pandemiche. L'intento di Tritto non è quello di creare un caso politico né tanto meno di accusare un Paese o un'organizzazione in particolare. Ciò che ha ispirato il professore è piuttosto l'amore per la verità che rappresenta la fonte di ogni tentativo concreto di risolvere o prevenire un problema. Nel caso specifico, quanto l'Autore scrive può servire a promuovere domani una maggiore e più efficace collaborazione internazionale attraverso lo scambio di informazioni, dati e conoscenze; a promuovere un apparato di norme internazionali che disciplinino l'uso di alcune tecniche e metodi di manipolazione genetica; può essere utile ad imporre norme di sicurezza necessarie per prevenire incidenti potenzialmente devastanti nei laboratori di tutto il mondo.

L'Autore e il suo team si sono impegnati a tutti i livelli, locale, regionale, nazionale e internazionale, per esplorare i dati che era necessario valutare, alla luce delle esperienze epidemiche del passato, per comprendere l'evoluzione pandemica del Covid-19.

Poiché la Scienza e la Medicina hanno la grande responsabilità di comprendere alcuni fenomeni e, dove possibile, risolvere i problemi che essi causano; di mantenere un'integrità che è avulsa dal perseguimento di interessi e scopi che nulla hanno a che fare con la ricerca e la cura delle persone; poiché hanno l'obbligo di assumere un alto profilo orientato ad un atteggiamento positivo e costruttivo, necessario per assicurare politiche giuste ed eque, garantire la sicurezza sanitaria, la salute dell'umanità e migliorare la qualità della vita, occorre sottolineare come l'Autore, lungi dal cercare le luci della ribalta, esplori approfonditamente quello che è accaduto, specificandone i motivi, senza voler esprime un giudizio politico o denunciare errori che sono stati commessi a livello nazionale ed internazionale.

I secondi cinque capitoli offrono invece informazioni preziose per la prevenzione e la cura dell'infezione causata dal SARS-CoV-2; per la programmazione di strategie di politica sanitaria atte a limitare i danni; per un'analisi scientifica delle principali caratteristiche, specifiche ed uniche, del virus; forniscono inoltre una panoramica sugli strumenti diagnostici, sui farmaci, sui vaccini, sui protocolli che sono stati o andrebbero adottati per controllare o limitare il diffondersi della pandemia; un esame degli scenari internazionali in cui sono coinvolti alcuni Paesi occidentali e la Cina per ciò che concerne il virus madre; le strategie vaccinali e farmaceutiche; la predisposizione di una ormai non più derogabile regolamentazione e revisione della normativa relativa alla ricerca sui virus chimerici ricombinanti.

Il lavoro dell'Autore e del suo team è stato particolarmente difficile e faticoso per i continui aggiornamenti, sulla base dei più recenti studi sul virus, che sono stati apportati ai vari capitoli, dovendo egli considerare una situazione epidemiologica e clinica in continuo divenire.

Tutti i dati, i farmaci e i trattamenti medici presentati in ogni capitolo, nonché tutte le osservazioni e raccomandazioni cliniche sono tratte da fonti ufficiali autorizzate nazionali ed internazionali di organizzazioni riconosciute, tra le più importanti del mondo e sono liberamente consultabili. Ciò permette di farne una valutazione appropriata, assicurando nel tempo il miglioramento progressivo dell'attendibilità e della qualità dei dati e di commisurarli alle circostanze e alle risorse di ogni singolo Paese. Si potrà, infine, fornire le cure indispensabili e le *Life Sciences* più adeguate a ogni paziente sulla base del sesso, dell'età, della condizione medica e psico-sociale, e dello status socio-economico. Poiché questa è, in ultima analisi, la responsabilità fondamentale dei servizi sanitari rispetto alla vita delle persone. Il lavoro del professor Tritto e dei suoi colleghi assicurano quindi una solidità scientifica e un'informazione garantita sul Covid-19.

Per concludere mi preme ringraziare il prof. Joseph Tritto e il suo staff per aver portato a termine questa difficile impresa, donandoci un testo prezioso che contribuirà a fare chiarezza su questo evento che ha cambiato la storia del mondo. Un libro che è il frutto di un grande rispetto e di un grande amore che Tritto ha sempre dimostrato per la salute umana e per le *Life Sciences*.

INTRODUZIONE

La mia storia potrebbe cominciare così, secondo una medievale consuetudine amanuense:

Correva l'Anno del Signore 2020, un anno bisestile, pieno di aspettative, l'anno del Topo nel calendario cinese: il Topo metallo, primo del ciclo di 12 anni che si ripete indefinitamente. Dal 25 gennaio cominceranno i festeggiamenti per il nuovo anno cinese; dopo l'anno del Maiale, appena trascorso, piuttosto movimentato, sarà un anno all'insegna della prosperità economica e finanziaria. Così dicono gli astrologi cinesi e il partito del popolo della Cina – il PCC – ma sarà anche l'anno del Topo metallo, un anno dal lato oscuro, l'anno della guerra, del ferro.

Sarà un anno intenso per il mio segno, il segno del Dragone. È un anno favorevole per i segni Yin, ed il mio è un segno prevalentemente Yang: ci sarà da lottare per trovare l'equilibrio in maniera responsabile.

C'è una notizia che arriva dalla Cina: all'inizio di gennaio sono stati segnalati i primi casi di una sindrome respiratoria acuta grave causata da un nuovo virus, non ancora tracciato o decifrato dagli scienziati, appartenente alla famiglia dei coronavirus.

Le celebrazioni dell'anno del Topo vengono annullate in tutta la Cina. La città di Wuhan, capitale, e l'intera provincia di Hubei sono isolate e messe in quarantena per la diffusione di un virus che potrebbe scatenare una pandemia.

L'anno della Chimera è iniziato.

Inizio a trascrivere la cronaca di un'epidemia annunciata, quella dell'anno della Chimera 2020, attraverso la lente distopica di un medico occidentale.

15

Perché mi accingo a trascrivere la cronaca di questi avvenimenti sorprendenti e dolorosi? Il vociare mediatico è assordante e confuso e la mia vuole essere solo la testimonianza di un cittadino del mondo e di un operatore di scienza e di medicina applicata, in quarantena come tutti e in prima linea come medico e ricercatore.

La mia vuole essere la ricerca della verità dei fatti e dell'evidenza cronologica dell'evolversi dell'epidemia; la testimonianza della sofferenza delle persone colpite dall'infezione virale, la critica ragionata delle verità assunte o presunte della scienza medica, la voce indipendente delle proposte della ricerca scientifica e tecnologica, lo scrutatore delle analisi dei determinanti sociali delle comunità umane coinvolte e sconvolte dalla pandemia.

Scrivo in corso d'opera. Alcuni fatti saranno incompleti, alcune verità rimarranno sotto la cenere, le insufficienze e le carenze dei nostri sistemi di sanità pubblica di fronte ad una pandemia alla quale non eravamo preparati saranno dolorosamente visibili, il sacrificio degli operatori sanitari in prima linea sarà eroico, il prezzo socio-economico da pagare sarà di tipo post-bellico. Ma siamo ancora in guerra, una guerra biologica e insieme sociale.

La mia è solo la testimonianza di un uomo di fede e di etica, di un medico, di un ricercatore, forse in cerca d'Autore che riporti i fatti in una forma letteraria composita e forbita, per me che ho speranza nel futuro dell'umanità e nella giovane generazione che seguirà.

La vita continua parallelamente alle epidemie; non possiamo restare in quarantena indefinitamente, passivamente, ma abbiamo la necessità di assumerci la responsabilità di continuare a prenderci cura dei nostri doveri, delle persone che amiamo, dei nostri impegni sociali e del nostro contributo produttivo alla stabilità delle nostre società. Abbiamo il diritto di lottare per trovare insieme in uno sforzo collettivo le soluzioni, per unire le nostre

conoscenze, condividere informazioni, rompere le barriere ideo-
logiche, politiche e finanziarie. Non possiamo affidare agli altri
le nostre vite, la nostra libertà di scelta, la nostra consapevolezza
di prendere decisioni; ogni individuo può essere un eroe, ma può
anche essere un premuroso donatore di umanità e comprensione per le persone in stato di vulnerabilità, per le minoranze, per
i disabili, per le persone in estrema povertà. Dai la tua voce, il
tuo contributo, perché è il momento, gestisci il tuo futuro attivamente, positivamente, responsabilmente. La libertà di vivere
è nelle mani di ognuno di noi. Nessuna società può essere libera,
nessuna società può esercitare la democrazia, se ognuno di noi
non è un lavoratore autonomo al servizio dei valori dei nostri
antenati e delle visioni delle nostre generazioni future.

CAPITOLO I

L'UOMO E LA BIOSFERA: RICERCA E COOPERAZIONE INTERNAZIONALE

L'attenzione degli scienziati si è sempre focalizzata sullo studio degli estremi: l'infinitamente piccolo e l'infinitamente grande, cercando di rapportare il tutto alla dimensione umana. L'incidenza sempre più alta di infezioni ed epidemie di tipo batteriologico e virale nella storia della umanità – comprese le zoonosi[1] – ha spinto i ricercatori a studiare il mondo batterico e virale *in extenso*, al fine di classificare e catalogare microbi e virus potenzialmente patogeni per la specie umana e di individuare le specifiche soluzioni di cura e trattamento.

Nell'ambito delle bioscienze moderne, oggi i virus stanno diventando la nuova frontiera della ricerca biotecnologica sull'uomo e sulla biosfera, che ne rappresenta l'habitat naturale. Da anni, anche l'esplorazione spaziale sugli esopianeti e sulla stazione orbitale internazionale si è spinta alla ricerca di forme di vita elementari, come batteri e virus, dimostrando l'importanza e l'interesse che scienziati e ricercatori attribuiscono alle più elementari forme di vita.

---

[1] Le zoonosi sono malattie che possono essere trasmesse naturalmente dagli animali vertebrati all'uomo e viceversa. Tra i microrganismi capaci di trasmettere malattie dagli animali all'uomo possiamo citare: *Toxoplasma gondii, Cryptosporidium spp., Salmonella spp., Campylobacter spp., Giardia lamblia, Rhodococcus equi, Bartonella spp., Mycobacterium marinum, Bordetella bronchiseptica, Chlamydia psittaci*.

Negli anni, inoltre, si è alimentato un grande dibattito sulla questione della classificazione dei virus: se considerarli alla stregua di elementari forme di vita o, piuttosto, come strutture inerti capaci di attivarsi solo all'interno di batteri, cellule e organismi viventi. Studi avanzati di bioinformatica e di analisi del funzionamento delle molecole fondamentali della vita – gli acidi nucleici – hanno permesso di stabilire che queste strutture hanno una proprietà intrinseca di autoreplicarsi in condizioni favorevoli, di attivarsi, e quindi di moltiplicarsi, interagendo in maniera dinamica con organismi viventi e integrandosi nelle nicchie biologiche a livello nano e micro, anche in bioambienti di dimensioni scalari macroscopiche, come gli oceani o il corpo umano.

Il programma MDG

Sotto la spinta delle Nazioni Unite, nel settembre del 2000, si tenne a New York la più grande riunione di leader mondiali – il "Vertice del Millennio". 189 capi di Stato e di governo sottoscrissero all'unanimità la United Nations Millennium Declaration (Dichiarazione del Millennio delle Nazioni Unite) attraverso la quale fu avviato il vasto programma MDG (Millennium Development Goals): 8 obiettivi per contrastare la povertà nel mondo e avviare uno sviluppo sostenibile[2].

Alle diverse agenzie delle Nazioni Unite furono assegnate specifiche missioni e programmi per raggiungere e realizzare gli obiettivi del MDGs. In particolare all'Unesco, l'Organizzazio-

---

[2] Gli 8 obiettivi erano: 1. Eliminare la povertà estrema e la fame; 2. Assicurare l'istruzione primaria universale; 3. Promuovere l'uguaglianza di genere e l'autonomia delle donne; 4. Ridurre la mortalità infantile; 5. Migliorare la salute materna; 6. Combattere l'HIV/AIDS, la malaria e altre malattie; 7. Assicurare la sostenibilità ambientale; 8. Sviluppare un partenariato globale per lo sviluppo sostenibile.

ne delle Nazioni Unite specializzata sui tradizionali tre settori – Educazione, Scienza e Cultura – fu assegnata la missione per lo sviluppo e l'implementazione di un quarto settore, detto della Società dell'Informazione e della Comunicazione, dove l'innovazione informatica supporta i tre settori tradizionali nella creazione della Società della Conoscenza.

Nel 2015, a conclusione del programma, le Nazioni Unite hanno pubblicato un report[3] in cui si elencano i risultati conseguiti dal MDGs. L'allora segretario generale delle Nazioni Unite, Ban Ki-moon, nella prefazione ha scritto che il programma MDGs delle Nazioni Unite "ha contribuito a salvare più di un miliardo di persone dalla povertà estrema e dalla fame e ha consentito a molte giovani ragazze, come mai prima, un'educazione scolastica favorendo la protezione del nostro pianeta". In concreto per ciò che concerne il primo obiettivo del MDGs, e cioè l'eliminazione nei Paesi in via di sviluppo della povertà estrema e della fame, si è passati dal 47% di povertà estrema del 1990 al 14% del 2015; il numero di lavoratori della classe media è triplicato, passando dal 18% del 1991 a quasi la metà della forza lavoro; le persone malnutrite sono diminuite di quasi la metà, passando dal 23,3% al 12,9%.

Le politiche di sviluppo sostenibile proseguono oggi con i 17 Obiettivi per lo Sviluppo Sostenibile (SDGs - Sustainable Development Goals), un documento stilato nel 2015 dai governi dei 193 Paesi membri delle Nazioni Unite, nel quale sono stati determinati gli impegni sullo sviluppo sostenibile che dovranno essere realizzati tra il 2016 e il 2030[4].

---

[3] Cfr. UNITED NATION, *The Millennium Development Goals Report 2015* [https://www.un.org/millenniumgoals/2015_MDG_Report/pdf/MDG% 202015%20rev%20(July%201).pdf].

[4] *Transforming our world: the 2030 Agenda for Sustainable Development* [https://sustainabledevelopment.un.org/post2015/transformingourworld].

Il programma MAB-UNESCO

La continua esplorazione della biosfera – in cui l'uomo, Ulisse solitario, vive – ha aperto la strada ad un altro ambizioso progetto delle Nazioni Unite sullo sviluppo sostenibile: il Programma MAB[5] (Man and the Biosphere – L'uomo e la biosfera), assegnato al settore Scienze dell'UNESCO e avviato nel 1971 per lo studio dell'interazione tra l'uomo – nel suo sviluppo sociale, culturale, tecnico e tecnologico – e la biosfera.

Il Programma MAB è un programma scientifico intergovernativo: il suo scopo è quello di proporre soluzioni scientifiche per sostenere un rapporto positivo fra l'uomo ed il suo habitat naturale. La convergenza dei contributi delle scienze naturali e sociali mira a sviluppare processi socio-economici di sostenibilità dello sviluppo e a creare procedure di protezione e di gestione degli ecosistemi naturali, utilizzando e valorizzando i processi di innovazione tecnologica e socio-culturale delle Società della conoscenza attraverso il KTTP (Knowledge Technology Transfer Process) verso le società in via di sviluppo ad accelerata crescita su scala globale per la protezione della biosfera.

Attraverso il MAB è stato poi realizzato il World Network of Biosphere Reserves, che conta oggi ben 701 riserve in 124 Paesi nel mondo, incluse 21 riserve transfrontaliere (*transboundary sites*). Le riserve della biosfera sono aree di ecosistemi terrestri costieri e marini, in cui, attraverso un'appropriata gestione del territorio, si associano la conservazione dell'ecosistema e la sua biodiversità con l'utilizzo sostenibile delle risorse naturali a beneficio delle comunità locali. Tutto ciò comprende attività di ricerca, controllo, educazione e formazione. Queste attività sono necessarie per conseguire gli obiettivi dell'Agenda 21 della Convenzione sulla Diversità Biologica e di altri accordi internaziona-

---

[5] Cfr. [http://www.unesco.it/it/ItaliaNellUnesco/Detail/186].

li[6]. Tutte le aree hanno differenti funzioni. La distribuzione degli spazi prevede la presenza di un nucleo, di un'area di separazione e di un'area esterna di passaggio; il limite esterno è sempre flessibile.

La costituzione di una Rete mondiale di Riserve della Biosfera fu decisa nel corso della Conferenza Internazionale sulle Riserve della Biosfera, tenutasi a Siviglia nel 1995. Essa rappresenta una proposta concreta di come l'uomo dovrebbe convivere con la natura, un tentativo internazionale di tutela degli ecosistemi naturali che caratterizzano l'ecodiversità del pianeta e, allo stesso tempo, di esplorazione scientifica di nicchie selvagge al fine di approfondire le nostre conoscenze sull'estrema biodiversità del bioma terrestre, patrimonio dell'intera umanità.

Dall'implementazione pratica del MAB e del World Network of Biosphere Reserves nascono due questioni fondamentali. Innanzitutto occorre comprendere che non è possibile sfruttare sino ad esaurimento le risorse della Terra, ma è necessario preservare questo Pianeta, che ci appartiene, per sopravvivere, vivere e realizzare un progresso sostenibile, in armonia ed equilibrio con la biosfera terrestre. Dal mistico e yogi indiano Sadhguru – che nel 2017 ha ricevuto l'onorificenza "Padma Vibhushan" dal governo dell'India per il suo impegno nel campo dei servizi sociali – arriva un insegnamento e un monito: l'universo non è stato creato per noi, quindi non tentiamo di modificare e/o trasformare il pianeta, quanto piuttosto di capirlo; ciò significa comprendere noi stessi, la relazione dinamica con il mondo naturale in cui siamo e le ragioni che ci spingono a creare un mondo artificiale – sintetico e virtuale.

---

[6] L'Agenda 21 è un ampio e articolato "programma d'azione" scaturito dalla Conferenza ONU su ambiente e sviluppo di Rio de Janeiro nel 1992, che costituisce una sorta di manuale per lo sviluppo sostenibile del pianeta "da qui al XXI secolo".

La seconda questione è di natura pratica: qual è lo scopo di questa ricerca? L'intento delle scienze moderne è quello di esplorare la biodiversità del pianeta Terra, catalogarla e classificarla in database universali con l'uso di biobanche internazionali messe a disposizione dell'umanità, per lo studio delle nicchie biologiche ancora incontaminate ed inesplorate. Lo scopo del World Newtwork of Biosphere Reserves è proprio questo: offrire alle comunità scientifiche internazionali il modo e la possibilità di studiare la biodiversità di nicchie selvagge, ancora inesplorate del microbioma terrestre e classificare i potenziali patogeni per l'uomo non ancora conosciuti ed il loro ciclo vitale, inclusi i cosiddetti "serbatoi" di specie e gli intermediari di trasmissione nelle trasmissioni interspecie.

Il microbioma terrestre e il microbioma umano

Il grande progresso tecnologico delle scienze informatiche, delle scienze biologiche – inclusa la genetica – e delle biotecnologie di sintesi permette oggi di disegnare un quadro esaustivo del microbioma terrestre e del microbioma umano.

Il microbioma è una comunità di microrganismi che vivono in un habitat particolare. Gli esseri umani, gli animali e le piante hanno i loro microbiomi specifici, ma li hanno anche il suolo, gli oceani e persino gli ambienti abitabili come la Stazione Spaziale Internazionale (ISS). Per comprendere il concetto di microbioma occorre considerare una comunità di microorganismi in relazione ad un ospite e/o ad un ambiente specifico.

Il microbioma terrestre

Si è iniziato a pensare al concetto di microbioma terrestre in occasione di un seminario promosso dal Dipartimento dell'Interno degli Stati Uniti (United States Department of the Interior).

Nel 2010 viene avviato, da alcuni pionieri, l'Earth Microbiome Project (EMP), il cui ambizioso obiettivo è quello di elaborare una mappa microbica del pianeta terra: un enorme sforzo di crowdfunding per analizzare le comunità microbiche in tutto il mondo attraverso l'esame di 200.000 campioni provenienti da ogni parte del globo, messi a disposizione dai ricercatori. Un enorme atlante genico globale che descrive lo spazio proteico e i modelli metabolici ambientali per ciascun bioma[7]. Circa 500.000 genomi microbici ricostruiti, un modello metabolico globale e un portale di analisi per la visualizzazione delle informazioni che sono state elaborate[8].

A partire da questa vasta raccolta preliminare, i ricercatori hanno creato la prima banca dati internazionale dei batteri che colonizzano il pianeta. I dati raccolti sono pubblicati sulla rivista *Nature*[9]. Questa enorme banca dati nasce dalla cooperazione di quattro istituzioni americane: la University of California San Diego, il Pacific Northwest National Laboratory, la University of Chicago e l'Argonne National Laboratory. Ad oggi sono stati raccolti più di 27mila campioni di entità microbiche provenien-

---

[7] Distinte comunità biologiche che si sono formate in risposta ad un comune ambiente climatico.

[8] Cfr. JACK A. GILBERT – FOLKER MEYER – DION ANTONOPOULOS – PAVAN BALAJI – C. TITUS BROWN, et al., *Meeting Report: The Terabase Metagenomics Workshop and the Vision of an Earth Microbiome Project*, in «Standards in Genomic Sciences», vol. 3 (2010), pp. 243-248 [doi.org/10.4056/sigs.1433550].

[9] LUKE R. THOMPSON – JON G. SANDERS, et al., & THE EARTH MICROBIOME PROJECT CONSORTIUM, *A communal catalogue reveals Earth's multiscale microbial diversity*, «Nature», vol. 511 (2017), pp. 457-463 [doi.org/10.1038/nature24621]. Cfr. inoltre JACK A. GILBERT – JANET K. JANSSON – ROB KNIGHT, *The Earth Microbiome Project: successes and aspirations*, «BMC Biology», vol. 12, n. 69 (2014) [doi.org/10.1186/s12915-014-0069-1]; JACK A. GILBERT – FOLKER MEYER – DION ANTONOPOULOS – PAVAN BALAJI – C. TITUS BROWN, et al., *Meeting Report: The Terabase Metagenomics Workshop and the Vision of an Earth Microbiome Project*, cit.

ti dai più disparati ambienti dell'intero globo terrestre, dall'acqua dolce all'acqua salata, sino ad arrivare al suolo della foresta pluviale.

L'obiettivo è quello di identificare il maggior numero possibile di nicchie microbiche terrestri, non solo al fine di promuovere la tassonomia di genere, ma anche per studiare e conoscere il rapporto dei microbi con il loro ambiente vitale, sia piante, che animali ed esseri umani. Ad oggi il progetto ha coinvolto 7 continenti, 43 Paesi dal Mar Artico sino all'Antartico, e più di 500 ricercatori per la raccolta dei campioni e dei dati delle nicchie biologiche di appartenenza. Il fondatore del progetto, il prof. Rob Knight della San Diego School of Medicine, afferma: «I microbi sono dappertutto e le potenziali applicazioni per questo database e le domande a cui ora possiamo rispondere sono praticamente illimitate; ad esempio, ora siamo in grado di identificare da che tipo di ambiente proviene un campione in più del 90% dei casi, solo conoscendo il suo microbioma»[10].

Punti chiave del progetto sono quindi: 1) l'utilizzo di tecniche speciali di sequenziaggio e di analisi metabolica dei batteri; 2) la creazione di un portale di acceso ai dati ed ai metadati delle sequenze genomiche dei batteri.

Il team di ricercatori dell'EMP ha sequenziato il gene 16S rRNA, un marcatore genetico specifico per i batteri e i loro antenati (archeobatteri). Nella sequenza del gene 16S rRNA si riconoscono diverse regioni: regioni "conservate" universali, che hanno la stessa sequenza in tutti i batteri; regioni "semiconservate", che hanno sequenza uguale tra batteri dello stesso taxon; regioni "variabili", che hanno la stessa sequenza tra batteri appartenenti alla stessa specie. Il 16S rRNA funziona inoltre come una sor-

---

[10] Cfr. [https://www.ted.com/talks/rob_knight_how_our_microbes_make_us_who_we_are?].

ta di codice a barre: confrontando la sequenza di questo gene di diversi batteri è possibile non solo determinare a che punto dell'evoluzione due organismi si sono differenziati e quindi determinarne anche la diversità, ma anche identificare un batterio: se due organismi hanno 16S rRNA con più del 97% delle basi omologhe possono appartenere alla stessa specie.

Ad oggi sono state identificate ben 300mila sequenze batteriche uniche di 16S rRNA. Questo è utile anche per comprendere come i cambiamenti delle econicchie biologiche possono influenzare l'espressione genetica microbica, la cosiddetta epigenetica ambientale.

Il microbioma umano

Lo Human Microbiome Project (HMP), avviato nel 2008 e finanziato dal Fondo comune dell'NIH (National Institutes of Health) degli Stati Uniti, è un progetto istituito al fine di studiare e identificare il ruolo dei microrganismi ed il loro rapporto con lo stato di salute e di malattia dell'uomo.

Il progetto sul microbioma umano evidenzia il fatto che nel nostro organismo il numero totale di cellule microbiche può superare di dieci volte il numero di cellule dell'organismo stesso.

Se si presuppone che i prodotti genici di tali entità microbiche possano interagire con le cellule umane, si può dire che i geni di origine microbica possono superare di cento volte il numero di geni presenti nel genoma umano.

Trasformazioni rapide e drastiche degli stili di vita dell'uomo non solo stanno influenzando lo stato di salute della biosfera, ma probabilmente anche la stessa salute umana in seguito ai cambiamenti all'interno dell'ecologia microbica. Il progetto HMP ha lo scopo quindi di caratterizzare tutti questi geni di origine esterna, al fine non solo di studiare le componenti microbiche del nostro paesaggio genetico e metabolico, ma anche come quest'ultime contribuiscono alla nostra normale fisiologia e predisposizione alla malattia[11].

Il progetto ha permesso la creazione di un Centro di analisi e coordinamento dei dati (DACC), di una nuova banca dati, ed è stato diviso in due fasi: HMP1 (dal 2007 al 2014) che ha caratterizzato le comunità microbiche attraverso il gene 16S rRNA. Un intenso lavoro interdisciplinare che ha coinvolto quattro centri di sequenziamento: il Broad Institute, il Baylor College of Medicine, la Washington University School of Medicine, il J. Craig Venter Institute e il DACC, più diversi gruppi di ricerca associati.

Nel 2014 è stata lanciata una seconda fase, l'Integrative Human Microbiome Project (iHMP), con l'obiettivo di produrre risorse al fine di creare una completa caratterizzazione del microbioma umano, con particolare attenzione al rapporto del microbioma con lo stato di salute e malattia dell'uomo. I risultati dell'intero progetto sono stati pubblicati nel 2019[12].

Il progetto HMP mette a disposizione il database, creato con il progetto HMP1 (2008-2013), come un servizio offerto ai ricercatori e ai consorzi di ricerca applicata per mezzo di un accesso codificato. L'HMP2, la fase due del progetto, ha una valenza applicativa il cui scopo è lo studio del ruolo assunto dal microbioma in alcune patologie specifiche, come ad esempio le malattie infiammatorie dell'intestino, il diabete di tipo 2 o le nascite premature.

Nell'Editoriale di *Nature* del 29 maggio 2019 vengono proposte, rispetto al progetto HMP, nuove iniziative da sviluppare,

---

[11] PETER J. TURNBAUG – RUTH E. LEY – MICAH HAMADY – CLAIRE FRASER-LIGGETT – ROB KNIGHT – JEFFREY I. GORDON, *The Human Microbiome Project*, «Nature», vol. 449 (2007), pp. 804-810 [doi.org/10.1038/nature06244].

[12] LITA M. PROCTOR – JONATHAN LOTEMPIO – ARON MARQUITZ – PHIL DASCHNER – DAN XI, et al., *A review of 10 years of human microbiome research activities at the US National Institutes of Health, Fiscal Years 2007-2016*, «Microbiome», vol. 7, n. 31 (2019) [doi.org/10.1186/s40168-019-0620-y].

come la promozione di un processo transnazionale che favorisca lo studio del microbioma in relazione alle applicazioni cliniche, la comprensione ecologica ed evolutiva dell'interazione ospite-microorganismo, la possibilità di incidere sullo stato di salute individuale attraverso il microbioma[13].

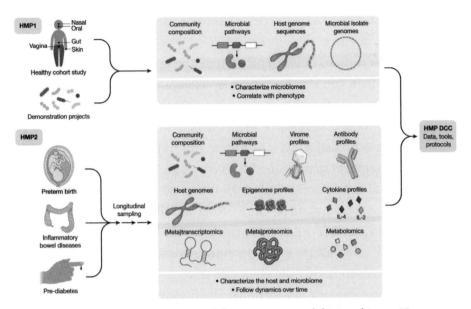

Figura 1: Fasi HMP1 e HMP2 del progetto NIH del Microbioma Umano [fonte: doi.org/10.1038/s41586-019-1238-8].

La virusfera

Negli anni l'uso smodato e massivo di antibiotici – non solo per contrastare malattie infettive e contagiose di tipo batterico,

---

[13] Lita M. Proctor – Heather H. Creasy – Jennifer M. Fettweis – Jason Lloyd-Price – Anup Mahurkar, *et al.*, *The Integrative Human Microbiome Project*, in «Nature», vol. 569 (2019), pp. 641-648 [doi.org/10.1038/s41586-019-1238-8].

ma anche all'interno della catena alimentare umana, sia di derivazione vegetale che animale –, i cambiamenti climatici in corso e le diverse sorgenti di inquinamento del suolo, degli oceani, dell'atmosfera, le tecnologie che utilizzano le differenti frequenze dello spettro elettro-magnetico hanno determinato uno shift, uno spostamento massivo del microbioma terrestre dai microbi, o batteri, ai virus.

Ciò ha causato l'insorgenza di malattie infettive e contagiose di tipo virale con una frequenza accelerata dal primo al secondo dopoguerra, fino alla comparsa sequenziale di malattie virali estremamente contagiose e virulente nell'ultimo ventennio.

Il periodo dell'AIDS (Acquired Immuno Deficiency Syndrome) segna lo spartiacque fra il ventennio HIV-AIDS e le nuove ondate di epidemie virali degli ultimi 20 anni, evidenziando un fallimento ventennale degli sforzi atti a creare un vaccino contro il virus HIV-1 dell'AIDS e orientando la ricerca scientifica applicata verso future strategie innovative (disruptive bio-technologies) di contrasto alle epidemie virali.

La constatazione dell'esistenza di un virusbioma rappresenta quindi un turnover fondamentale nell'ambito delle ricerche delle bioscienze moderne.

I virus, allora, stanno cambiando il microbioma terrestre? Si stanno progressivamente sostituendo ai batteri nel bioma terrestre? Prenderanno il controllo della biosfera?

Confrontando la rappresentatività del microbioma terrestre con il virusbioma terrestre, la discrepanza biologica è impressionante.

Due ricercatori dell'Università dell'Indiana, Kenneth J. Locey e Jay T. Lennon, sono giunti a una stima quantitativa del mondo del microbioma terrestre. In un articolo pubblicato su *Proceedings of the National Academies of Science*[14] stimano che la Terra sia la patria di ben 1 trilione (10^{12}) di specie microbiche, di cui, ad oggi ne conosciamo soltanto 1.400 circa per la loro patogenicità umana. Benché enorme, questo numero appare esiguo di fronte alla stima quantitativa dei virus sulla Terra: si stima, infatti, che sul nostro pianeta esistano 10 nonilioni (10^{30}) di singoli virus – abbastanza per assegnarne uno ad ogni singola stella nell'universo oltre 100 milioni di volte. I virus di interesse umano rappresentano un ordine di grandezza di 3 trilioni, ma ad oggi ne sono stati studiati appena poco più di 200 per la loro patogenicità umana.

La convergenza delle Scienze applicate all'uomo e alla biosfera

Oggi l'innovazione tecnologica e biotecnologica ci consente, da un lato, di affrontare il problema dell'emergenza delle specie virali nella biosfera e della loro interazione con il microbioma terrestre; dall'altro, di studiare la potenziale patogenicità sul microbioma umano.

La convergenza e l'integrazione della Biologia Sintetica (Synthetic Biology) – fondata sulla genomica supportata dalla tecnologia dei supercomputers (IT) e dalle piattaforme di Intelligenza Artificiale (AI) – con le nano e le pico tecnologie applicate alla Medicina consentono ai ricercatori di studiare e approfondire l'interazione dei virus con il genoma umano e, nello stesso tempo, di generare in laboratorio bio-nano organismi in grado di interfacciarsi con le nano-macchine della micro e nano ingegneria.

---

[14] KENNETH J. LOCEY – JAY T. LENNON, *Scaling laws predict global microbial diversity*, in «PNAS», vol. 113, n. 21 (may 24, 2016), pp. 5970-5975; first published: may 2, 2016 [doi.org/10.1073/pnas.1521291113].

Lo stato attuale della ricerca e le conoscenze scientifiche ci confermano che:

1. I batteri comunicano fra di loro. Un gruppo di ricercatori del Physics Department e del Nanoscale Technology and High Rate Manufacturing Research Center della Northeastern University di Boston hanno evidenziato che i batteri sono capaci di emettere segnali elettromagnetici dal loro DNA. Membri di comunità omogenee di batteri sono capaci di comunicare in modalità "nanowires", mentre le comunicazioni fra membri di comunità disomogenee avvengono in modalità "wireless". Questa possibilità che hanno i batteri di comunicare va considerata insieme a un altro meccanismo di comunicazione intercellulare, detto di "quorum sensing" che permette alle cellule batteriche della stessa specie di coordinare le proprie azioni ed incrementare la possibilità di sopravvivenza[15].

2. I batteri sono gli scavengers (spazzini) degli oceani. I batteri sono presenti nella biosfera da quando la vita è apparsa sulla Terra. Si sono adattati e sono in grado di svolgere tutte le funzioni dell'ecosistema terrestre: fissano la CO_2 (come fanno i cianobatteri), mangiano materia organica e riescono a crescere in ambienti estremi privi di ossigeno. Sono "procarioti", organismi unicellulari di circa 1 micron di dimensioni, differenziati dal resto del regno animale e vegetale. Un litro di acqua di mare contiene in media 100.000 batteri e tra 2.000 e 3.000 specie diverse. In effetti, i batteri erano gli organismi più abbondanti nel mare, oggi soppiantati in parte dai virus. Sono ovunque, anche se non li vediamo. Vengono mangiati dai virus, flagellati e ciliati.

---

[15] Cfr. CHRISTOPHER M. WATERS – BONNIE L. BASSLER, *Quorum Sensing: Cell-To-Cell Communication in Bacteria*, in «Annual Review of Cell and Developmental Biology», vol. 21 (2005), pp. 319-346 [doi.org/10.1146/annurev.cellbio.21.012704.131001].

La Tara Ocean Foundation, ad esempio, studia l'impatto dei cambiamenti climatici e della crisi ecologica che invade gli oceani. Jean-François Ghiglione del Laboratoire d'Océanographie MICrobienne (LOMIC), in Francia ha esaminato il ruolo dei batteri nell'equilibrio dinamico degli oceani. Ebbene, i batteri sembrerebbero dei veri e propri "spazzini" dell'oceano perché riescono ad assimilare metà del carbonio organico che proviene da materiale di scarto nella catena alimentare (dal fitoplancton ai pesci). Ciò conferisce loro un ruolo chiave nel bilancio globale del carbonio perché sono gli unici organismi presenti in mare in grado di trasformare questo tipo di rifiuti, inclusa la plastica.

3. I batteri interagiscono con i virus. C'è ampia evidenza scientifica sul fatto che i batteri e i virus occupano fondamentalmente le stesse nicchie negli ecosistemi, in forme cooperative e/o competitive. Recentemente sono stati pubblicati molti studi sul potenziale contributo dell'interazione batteri-virus sullo stato di benessere o di malattia dell'uomo. Abbiamo pochi esempi ben studiati di interazione batteri-virus nelle patologie contagiose ed infettive umane, come nel caso del virus dell'influenza. Fondamentalmente esistono due tipi di interazione batteri-virus che risultano patogene: le interazioni dirette, che favoriscono la patogenicità diretta virale; e le interazioni indirette, che favoriscono la patogenicità batterica. Semplificando, nell'interazione diretta il virus sfrutta un componente batterico per penetrare nella cellula ospite; in quella indiretta il virus provoca un aumento della patogenicità batterica come conseguenza dell'infezione virale. I virus enterici utilizzano prevalentemente la via diretta, mentre i virus respiratori colpiscono in gran parte i batteri.

Quindi di fronte ad un'infezione trasmissibile, contagiosa e dotata di estrema patogenicità, è estremamente importante comprendere l'interazione virus-batteri all'interno della bionic-

chia aggredita per definire gli adeguati trattamenti farmacologici
e non.

4. Il ruolo dei batteri è fondamentale sull'evasione virale. I
virus definiti "patogeni" per l'uomo sono organismi intracellulari obbligati che per replicarsi richiedono il meccanismo di sintesi
proteica delle cellule ospiti. Questi virus hanno sviluppato dei
meccanismi per evitare il rilevamento dalla risposta immunitaria
innata e adattativa dell'ospite; sono definiti meccanismi di evasione virale.

I virus entrano nell'ospite attraverso la pelle e le superfici delle mucose, normalmente colonizzate da comunità di migliaia
di microrganismi, prevalentemente batterici ma anche virali in
minima parte, definiti collettivamente come microbiota commensale, in cui i batteri hanno un ruolo nella modulazione del
sistema immunitario e nel mantenimento dell'omeostasi. Questi
batteri sono necessari per lo sviluppo del sistema immunitario e
per prevenire l'adesione e la colonizzazione di agenti patogeni
batterici e parassiti, creando biofilms permanenti sulle mucose
umane. Le interazioni tra il microbiota commensale e i virus
patogeni sono oggetto di intensi studi sperimentali in vitro e
sul sistema immunologico umano. Il microbiota può conferire
protezione contro l'invasione virale, innescando la risposta immunitaria per evitare l'infezione, reclutando ed attivando alcune
specie batteriche del microbioma necessarie per aumentare la risposta antivirale. D'altra parte, potrebbe suo malgrado favorire
l'evasione virale di virus patogeni attraverso meccanismi diretti
e indiretti, attraverso la cooperazione fra ceppi batterici del microbiota che favoriscono l'infezione e virus patogeni che utilizzano LPS e polisaccaridi di superficie dei batteri per innescare
percorsi immunosoppressivi.

Esistono, quindi, meccanismi di interazione fra il microbiota commensale ed i virus patogeni che impediscono il loro ingresso nelle cellule ospiti, come pure meccanismi favorenti ad eludere l'immunità antivirale ospite. Comprendere il profilo immunologico dell'ospite e la dinamica del microbiota commensale nei biofilms di superficie del corpo umano rappresenta uno step fondamentale per contrastare l'evasione virale.

Come i virus controllano "segretamente" il pianeta

Nel microbioma terrestre e nel microbioma umano sono in atto nuovi processi:

1. I virus stanno riprogrammando il plancton oceanico. Un virus che infetta il plancton oceanico può riprogrammare gli elementi unicellulari del plancton e cambiare il modo in cui assorbono i nutrienti, modificando potenzialmente il modo in cui il carbonio viene immagazzinato nell'oceano, secondo una nuova ricerca dell'Università di Exeter[16]. Gli scienziati dell'Università di Exeter hanno esaminato il DNA del virus OTV6, che infetta il fitoplancton. Il virus "ruba" un gene specifico dagli organismi del fitoplancton, con l'effetto sorprendente di rendere il plancton infetto più efficiente nell'assorbimento di alcuni nutrienti per un certo periodo di tempo, prima che il virus li uccida. Gran parte del carbonio del pianeta viene immagazzinato nel mare da un processo di alghe che finiscono e muoiono nei fondali, e questa ricerca mostra una nuova caratteristica di quel processo. "La disponibilità di vitamine e sostanze nutritive determina il funziona-

---

[16] ADAM MONIER – AURÉLIE CHAMBOUVET – DAVID S. MILNER – VICTORIA ATTAH – RAMÓN TERRADO, *et al.*, *Host-derived viral transporter protein for nitrogen uptake in infected marine phytoplankton*, in «PNAS», vol. 114, n. 36 (september 5, 2017), pp. 7489-7498; first published august 21, 2017 [doi. org/10.1073/pnas.1708097114].

mento di questi fitoplancton", ha affermato il professor Thomas Richards, dell'Università di Exeter. "Il virus OTV6 riprogramma il modo in cui il fitoplancton ottiene nutrienti, influenzando non solo la sua crescita ma anche il modo in cui viene assorbita l'anidride carbonica. Le cellule che hanno il virus sono più competitive a breve termine. Ciò è vantaggioso per il virus in termini di riproduzione propria e quando il virus è pronto uccide la cellula rilasciando così altri virus"[17].

2. I virus del plancton oceanico stanno alterando la formazione delle nuvole e quindi il clima. Secondo un recente studio[18], una varietà di fitoplancton marino che esplode dopo aver contratto un virus può svolgere un ruolo nella regolazione del clima terrestre.

L'Emiliania huxleyi (comunemente indicata come E. huxleyi) è una specie di coccolitofori pressoché presente in tutti gli oceani. Come altri coccolitofori, l'E. huxleyi appartiene al fitoplancton monocellulare. In condizioni favorevoli, si moltiplica rapidamente formando aggregazioni giganti, note come "blooms" (fioriture), che possono arrivare fino a diverse migliaia di chilometri quadrati. Quando queste fioriture vengono attaccate dai virus, scoppiano i coccolitofori. I loro esoscheletri o coccoliti di carbonato di calcio vengono quindi dispersi nella colonna d'acqua. Spinti in superficie da bolle, i frammenti di esoscheletro

---

[17] THOMAS A. RICHARDS – RAMON MASSANA – STEFANO PAGLIARA – NEIL HALL, *Single cell ecology*, in «Philosophical Transactions of the Royal Society B», vol. 374, n. 1786 (25 november 2019) [doi.org/10.1098/rstb.2019.0076].

[18] URI SHEYN – SHILO ROSENWASSER – YOAV LEHAHN – NOA BARAK-GAVISH – RON ROTKOPF, *et al.*, *Expression profiling of host and virus during a coccolithophore bloom provides insights into the role of viral infection in promoting carbon export*, in «The ISME Journal», vol. 12 (2018), pp. 704-713 [doi.org/10.1038/s41396-017-0004-x].

vengono aerosolizzati o trasformati in particelle aerodisperse. Uno studio pubblicato sulla rivista *iScience*[19] da alcuni ricercatori dell'Istituto Weizmann per le Scienze e dell'Università Ebraica di Gerusalemme, in Israele, ha evidenziato come in questo stato le particelle possono aiutare a promuovere la formazione di nuvole e potenzialmente alterare i processi atmosferici.

Questi studi, oltre a dimostrare come e in che grado la formazione di aerosol è influenzata dall'attività microbica marina localizzata, suggeriscono che l'ecologia degli oceani può influenzare fortemente i flussi di particelle biologiche nell'atmosfera. Gli aerosol marini costituiscono quindi una componente chiave nel sistema climatico del pianeta. Le interazioni tra le comunità microbiche – il plancton e i virus – giocano un ruolo strategico nell'influenzare le proprietà fisiche e chimiche degli aerosol che si formano.

3. I virus viaggiano nella stratosfera. L'aerosol della polvere del suolo e degli aggregati organici presenti nell'acqua marina facilita il trasporto a lungo raggio di batteri, e probabilmente di virus, attraverso l'atmosfera libera. Poiché il trasporto avviene a lunga distanza, ci sono molte incertezze associate ai loro tassi di deposito. È possibile misurare e dimostrare che, anche in ambienti incontaminati, sopra lo strato limite atmosferico, il flusso verso il basso dei virus possa variare da $0,26 \times 109$ a $> 7 \times 109$ m-2 al giorno. Questi tassi di deposizione sono 9–461 volte superiori ai tassi di batteri, che variano da $0,3 \times 107$ a $> 8 \times 107$ m-2 al giorno. I tassi più alti di deposizione relativi ai virus sono associati al trasporto atmosferico da fonti marine piuttosto che terrestri.

---

[19] MIRI TRAINIC – ILAN KOREN – SHLOMIT SHARONI – MIGUEL FRADA – LIOR SEGEV, et al., *Infection Dynamics of a Bloom-Forming Alga and Its Virus Determine Airborne Coccolith Emission from Seawater*, in «iScience», vol. 6 (2018), pp. 327-335 [doi.org/10.1016/j.isci.2018.07.017].

I tassi di deposizione dei batteri sono significativamente più alti durante gli eventi di pioggia e le intrusioni di polvere sahariana, mentre le precipitazioni non influenzano significativamente la deposizione di virus. I tassi di deposizione dei virus sono positivamente correlati con aerosol organici 0,7 μm, il che implica che i virus potrebbero avere tempi di permanenza più lunghi nell'atmosfera e, di conseguenza, essere ulteriormente dispersi. Questi dati indicano che virus con un'identità genetica molto elevata possono essere rintracciati in ambienti molto distanti e diversi[20].

4. I virus si avviano progressivamente a controllare il pianeta. I batteri hanno un ruolo chiave nella regolazione dei cicli (bio)chimici e climatici del pianeta. I virus, a loro volta, regolano i batteri, controllando i loro ospiti, come fossero marionette e, durante il processo, possono svolgere un ruolo rilevante nella regolazione del clima terrestre.

Classicamente sono stati i batteri a farla da padrone nei cicli di regolazione della biosfera, non l'uomo e neppure gli animali.

Un corpus sempre più crescente di ricerche rivela come i virus riescano a manipolare ciò che mangiano i batteri e come riescano a regolare e a dirigere le reazioni chimiche che sostengono la vita. Se questi cambiamenti avvenissero su masse di batteri, gli effetti cumulativi potrebbero potenzialmente modellare la composizione e il comportamento degli oceani, del suolo e

---

[20] Ringrazio il mio collega ed amico Predrag Slijepcevic, della School of Health Sciences, Brunel University, Londra, che sull'argomento di recente mi ha suggerito la lettura di un suo contributo: *Microbial Lucy in the Sky, but no Diamonds*, pubblicato nel blog «Epistemology of Nature», 9 luglio 2020 [https://www.biocivilizations.com/microbial-lucy-in-the-sky-but-no-diamonds/] e di N. CHANDRA WICKRAMASINGHE – MAX K. WALLIS – STEPHEN G. COULSON – ALEXANDER KONDAKOV – EDWARD J. STEELE, *et al.*, *Intercontinental Spread of COVID-19 on Global Wind Systems*, in «Virology: Current Research», vol. 4, n. 1 (2020) [DOI: 10.37421/Virol Curr Res.2020.4.113]

dell'aria terrestri. Gary Trubl, ecologista, studioso dei virus del suolo presso il Lawrence Livermore National Laboratory in California, ritiene che i virus abbiano questo enorme impatto sulle cui dinamiche conosciamo ancora poco.

5. I virus infettano i batteri e stanno acquisendo il dominio del microbioma terrestre. Da un punto di vista numerico, possiamo affermare che i virus dominano i nostri oceani. Tuttavia, c'è ancora molta ricerca da fare sulla diversità, sulla gamma degli ospiti e sulle dinamiche di infezione dei virus marini, nonché sui successivi effetti dell'infezione sia sul metabolismo delle cellule ospiti che sulla biogeochimica oceanica.

I batteriofagi (o fagi, virus cioè che infettano i batteri) sono diversi e sono noti per svolgere ruoli critici nella mortalità batterica, nel ciclo biogeochimico e nel trasferimento genico orizzontale. Le attuali conoscenze di ecologia virale marina sottolineano l'importanza delle particelle di fagi nel pool di materia organica disciolta, nonché le complesse interazioni tra i fagi e i loro ospiti batterici. Le ricerche hanno inoltre recentemente definito il ruolo dei fagi: essi agiscono come una sorta padroni fantoccio dei loro ospiti batterici, all'interno dei quali sono in grado di alterare il metabolismo dei batteri infetti attraverso l'espressione di geni metabolici ausiliari e il reindirizzamento dei modelli di espressione genica dell'ospite.

Il cosiddetto modello della Red Queen evolution[21] è emerso come ipotesi per descrivere i modelli che si sono susseguiti nel

---

[21] Proposta per la prima volta nel 1973 da Leigh Van Valen, l'ipotesi della Regina Rossa (chiamata anche la Corsa della Regina Rossa, Effetto della Regina Rossa o semplicemente Regina Rossa) è un'ipotesi evolutiva che spiega due fenomeni: il vantaggio della riproduzione sessuale al livello di individui e le continue dinamiche evolutive che incorrono tra specie in concorrenza (parassita-ospite; preda-predatore).

tempo di batteri e fagi nei sistemi marini, dove nonostante l'alta ricchezza e significative differenze stagionali, solo un piccolo numero di fagi sembra dominare continuamente un dato ecosistema marino. Sulla base di recenti studi sulla bio-ecologia e bio-diversità marine, questo modello fornisce un quadro per la valutazione della specificità e delle conseguenze ecologiche della dinamica fago-ospite[22].

6. I virus comunicano fra di loro e sono in grado di decidere se infettare o se uccidere. I batteri "chattano" (*bacterial chatting*) attraverso un processo chiamato *quorum sensing* che li aiuta a controllare il loro comportamento in base al numero di altri batteri presenti intorno. Questo meccanismo di comunicazione è cruciale per stabile quando un batterio patogeno decide di lanciare un attacco al suo ospite e quindi causare una malattia infettiva. I batteri usano il *quorum sensing* per decidere se dividersi o lanciare un'infezione.

Anche i virus hanno il loro meccanismo di *chattering* che permette loro di comunicare. I virus attaccano i batteri in due modi: nella maggior parte dei casi, entrano nella cellula batterica e prendono il controllo del suo processo di sintesi per moltiplicarsi sino a quando la cellula esplode e muore. Altre volte, invece, i virus iniettano semplicemente il loro genoma nei batteri, aspettando il momento propizio (enviromental cue) per risvegliarsi e successivamente moltiplicarsi.

---

[22] Cfr. ADI STERN – ROTEM SOREK, *The phage-host arms race: Shaping the evolution of microbes*, in «BioEssays», vol. 33, n. 1 (2011), pp. 43-51 [doi.org/10.1002/bies.201000071]; JENNIFER B.H. MARTINY – LASSE RIEMANN – MARCIA F. MARSTON – MATHIAS MIDDELBOE, *Antagonistic Coevolution of Marine Planktonic Viruses and Their Hosts*, in «Annual Review of Marine Science», vol. 6 (january 2014), pp 393-414 [doi.org/10.1146/annurev-marine-010213-135108].

I virus che infettano i batteri hanno meccanismi di sorveglianza che portano loro a capire se rimanere dormienti o attaccare, a seconda della disponibilità di nuove vittime. I ricercatori di biologia molecolare per lungo tempo hanno ritenuto che questi processi fossero passivi: i fagi sembravano semplicemente "in attesa" e "all'ascolto", aspettando che i segnali di pericolo batterico raggiungessero il tono della febbre prima di agire.

Il team di ricercatori guidati dal prof. Rotem Sorek dell'Istituto Weizmann per le Scienze in Israele in un articolo pubblicato su Nature[23] ha individuato per la prima volta la proteina che usano i batteriofagi per comunicare: è la proteina Arbitrium. Quando il batteriofago esaurisce gli ospiti da uccidere per moltiplicarsi, allora si ferma ed aspetta sino a quando l'ospite non si ristabilisce e riprende a crescere. Sorek ha trovato peptidi Arbitrium su tutti i tipi di fagi testati (almeno 15). In particolare, ogni tipo di fago sembra parlare una lingua diversa e comprendere soltanto la propria. La "chat" virale sembra quindi consentire la comunicazione solo tra parenti stretti.

I fagi possono comunicare solo con fagi della stessa specie, ma possono anche ascoltare in altre lingue. Le biologhe molecolari Bonnie Bassler e Justin Silpedella hanno scoperto che i virus possono usare le *quorum-sensing chemicals* rilasciate dai batteri per determinare il momento migliore per iniziare a moltiplicarsi e a uccidere[24]. I fagi origliano e dirottano le informazioni dell'ospite per i propri scopi, in questo caso uccidere l'ospite.

Il prof. Sorek e il suo team hanno inoltre scoperto che i fagi discutono attivamente delle loro scelte: quando un fago infetta

---

[23] ELIE DOLGIN, *The secret social lives of viruses*, «Nature», vol. 570 (2019), pp. 290-292 [doi:10.1038/d41586-019-01880-6].

[24] JUSTIN E. SILPE – BONNIE L. BASSLER, *A Host-Produced Quorum-Sensing Autoinducer Controls a Phage Lysis-Lysogeny Decision*, in «Cell», vol. 176, n.1-2, pp. 268-280 [doi.org/10.1016/j.cell.2018.10.059].

una cellula, rilascia una minuscola proteina – un peptide lungo solo sei aminoacidi – che funge da messaggio di allerta per i suoi fratelli. Man mano che i fagi infettano più cellule, il messaggio diventa più forte, segnalando che gli hosts non infetti stanno diventando scarsi. I fagi quindi bloccano la lisi – il processo di replicazione e rottura dei loro ospiti – rimanendo invece nascosti in uno stato pigro chiamato lisogenia1.

Si è scoperto, quindi, che i virus non dipendono da segnali batterici per agire, ma controllano il loro destino. "Questa è una grande scoperta, importante e rivoluzionaria per la virologia", ha commentato Wei Cheng, microbiologo strutturale della Sichuan University di Chengdu (Cina).

Secondo il prof. Samuel L. Díaz-Muñoz, del dipartimento di microbiologia e genetica molecolare e del Genome Center, Università della California, comprendere il linguaggio delle interazioni virali sarebbe un grande passo in avanti nello studio e nella creazione di nuovi trattamenti per il cancro e le superinfezioni. Le predilezioni sociali dei virus aiutano persino a spiegare come sfuggono al sistema immunitario batterico noto come CRISPR. "Concettualmente, è davvero potente", ha affermato Díaz-Muñoz.

Un altro aspetto significativo e di forte interesse per l'uomo è la capacità che hanno due virus diversi di infettare la stessa cellula. Gli scienziati hanno scoperto per la prima volta questo tipo di intrusione intorno agli anni '40, quando esperimenti separati del biofisico Max Delbrück e del batteriologo Alfred Hershey[25] mostrarono che due particelle virali potevano invadere simultaneamente la stessa cellula e scambiare geni. Queste osservazioni hanno permesso già all'epoca di creare incroci tra due ceppi virali. Nel 1999 i biologi evoluzionisti Paul Turner, ora alla

---

[25] Alfred Hershey, premio Nobel per la Medicina nel 1969, condiviso con Salvador Luria e Max Delbrück per le scoperte sulla replicazione dei virus e sulla loro struttura genetica.

Yale University di New Haven, nel Connecticut, e Lin Chao, ora all'Università della California, a San Diego, mostrarono che i fagi svolgono una propria funzione all'interno del gioco di strategia del Dilemma del prigioniero[26], lavorando in partnership in determinate circostanze o agendo nel proprio interesse in altre.

E nei confronti dell'uomo?

Normalmente i virus hanno infettato l'uomo o tramite batteri, o tramite animali intermediari, le cosiddette zoonosi, batteriche o virali. Oggi osserviamo invece un salto qualitativo: i virus infettano direttamente l'uomo.

Ma da dove arrivano i virus?

L'ipotesi più probabile è che i virus sono arrivati sulla Terra con la comparsa dell'uomo sul pianeta. La loro traiettoria di sviluppo appare parallela a quella dell'uomo, accompagna la storia e l'evoluzione umana. La loro struttura, così specifica, senza alcuna correlazione con altri esseri viventi del microbioma umano, la loro specificità di essere oggi parassiti obbligati[27] di organismi unicellulari e la loro capacità di replicarsi, sfruttando i processi biologici dei loro ospiti, rende i virus una forma di vita

---

[26] Il Dilemma del prigioniero è una situazione in cui le scelte individuali dei giocatori, pur essendo strategie dominanti, determinano un equilibrio inefficiente. Nella Teoria dei giochi (*Game Theory*) il Dilemma del prigioniero dimostra l'inefficienza delle scelte individuali in particolari situazioni di gioco. La Teoria dei giochi può spiegare come i virus evolvono quando competono fra di loro in un test di fitness evolutivo. L'evoluzione virale offre un'opportunità unica per studiare il Dilemma del prigioniero, perché la co-infezione della stessa cellula ospite da parte di più virus crea conflitti simili a quelli assunti nella Teoria dei giochi e spesso i genotipi ancestrali possono essere recuperati per la ricostruzione della matrice pay-off. Cfr. PAUL E. TURNER – LIN CHAO, *Escape from Prisoner's Dilemma in RNA Phage Φ6*, in «The American Naturalist», vol. 161, n. 3 (march 2013), pp. 497-505 [doi.org/10.1086/367880].

[27] Un parassita obbligato (o holoparasite) è un organismo che può vivere solo compiendo il ciclo vitale (o una sua parte) come parassita.

unica e separata dalla linea uomo e dagli altri esseri viventi sulla Terra. Considerare i virus come una differente tipologia di organismo nell'albero della vita non è più un'opzione tanto futuristica. I virus sono definiti Capsid-Encoding Organisms (CEOs) in competizione con i Ribosome-Encoding Organisms (REOs) dei batteri e degli organismi cellulari.

La scoperta che il genoma umano è occupato dal 5 all'8% da Retrovirus Endogeni (ERVs), che sono fortemente equivalenti ai Retrovirus attuali, stretti cugini dei Coronavirus, pone il problema del ruolo dei virus nel destino della specie umana[28].

Le recenti scoperte di virus giganti come Pandora nel 2013 e di HEMO, una proteina di uno shell virale endogeno ancestrale nel sangue di donne in gravidanza ed espressa in cellule staminali pluripotenti, indicano che la relazione fra il genoma umano e i virus è una storia non ancora narrata, con legami profondi dalla notte dei tempi della comparsa dell'uomo sulla Terra.

Inoltre, le recenti esplorazioni alla ricerca di virus ancestrali nei ghiacciai o sotto i ghiacci artici in fase di scioglimento e l'intensificarsi degli studi sulle famiglie virali presenti nei mammiferi esotici e selvaggi indicano che la ricerca sul graal delle origini della vita, mai interrotta, si è notevolmente accelerata non solo sulla terra ma anche verso gli esopianeti.

Ma cosa sono i virus ancestrali?

Con questo termine ci si riferisce ai virus che probabilmente erano coevi o esistevano prima dell'uomo. In questa categoria sono inclusi i cosiddetti Retrovirus Endogeni (ERVs) che fanno parte del genoma umano (HERVs). Fin dalle origini, gli esseri umani sono stati infettati dai virus, il nostro sistema immunitario ha combattuto i virus spesso vincendo e rimuovendo sia i virus

---

[28] Robin A. Weiss, *The discovery of endogenous retroviruses*, in «Retrovirology», 3 (2006) [doi.org/10.1186/1742-4690-3-67].

che le cellule infette. Tuttavia, in epoca ancestrale, alcuni di questi virus sono entrati a far parte del genoma umano. Il 5-8% del genoma umano ha origine da sequenze virali appartenenti ai retrovirus infettivi. Se l'integrazione nel genoma umano del retrovirus si è verificata in una linea germinale, le sequenze virali integrate sono ereditarie. L'accumulo di sequenze virali ha contribuito a creare l'attuale genoma umano. La funzione biologica dei retrovirus endogeni è alla base dell'ipotesi che considera la possibilità che l'evoluzione umana sia stata accelerata grazie ai virus[29].

Molte ricerche sono oggi orientate alla scoperta di nuovi virus, alcuni dei quali risalenti addirittura all'epoca preistorica. Tuttavia il numero di virus che conosciamo è molto basso se confrontato con quello dei virus ipoteticamente esistenti: l'International Committee on Taxonomy of Viruses ha classificato 5.630 specie virali, ma gli scienziati calcolano che esistano ben 320.000 virus sconosciuti capaci di infettare un mammifero. È certamente possibile ipotizzare che altri virus sconosciuti possano essere patogeni per l'uomo, come pure che i virus patogeni per altri mammiferi possano fare il salto di specie e diventare pericolosi per l'uomo.

Per quanto riguarda le epidemie causate da agenti patogeni per l'uomo, l'Organizzazione Mondiale della Sanità nel 2016 ha pubblicato alcune linee guida che riguardano alcuni aspetti di carattere etico che occorre osservare nella gestione delle epidemie[30].

---

[29] Cfr. YUKAKO KATSURA – SATOSHI ASAI, *Evolutionary Medicine of Retroviruses in the Human Genome*, in « The American Journal of the Medical Sciences», vol. 358, n. 6 (december 2019), pp. 384-388 [doi.org/10.1016/j.amjms.2019.09.007].

[30] WORLD HEALTH ORGANIZATION, *Guidance for Managing Ethical Issues in Infectious Disease Outbreaks* (2016) [https://apps.who.int/iris/handle/10665/250580].

Il dibattito, sulla ricerca biomedica relativa agli agenti patogeni o potenzialmente tali per l'uomo, non è di carattere scientifico o tecnico, ma etico. Esso considera il rapporto rischio/beneficio insito in questo tipo di ricerche intrinsecamente pericolose per la salute umana.

Nel 2014 è stato fondato il Cambridge Working Group Consensus Statement on the Creation of Potential Pandemic Pathogens (PPPs)[31], che propone una versione moderna del processo di Asilomar[32], che nel 1975 coinvolse scienziati e altre personalità nel tentativo di stabilire delle regole per la gestione della ricerca sul DNA ricombinante. Il PPPs potrebbe essere un buon punto di partenza per stabilire quali siano gli approcci migliori da adottare nella ricerca sul DNA per tutelare la salute umana, sconfiggere le pandemie e garantire il massimo livello possibile di sicurezza.

L'iniziativa del gruppo di Cambridge rappresenta un tentativo equilibrato e responsabile per la gestione della ricerca nel campo della virologia e degli agenti patogeni umani. Come ebbe modo di affermare David A. Relman, della Stanford University, uno dei firmatari della dichiarazione di consenso del PPPs: "Creare un organismo altamente patogeno, altamente trasmissibile che non esiste in natura è inutilmente rischioso e potenzialmente irresponsabile".

---

[31] Cfr. *Cambridge Working Group Consensus Statement on the Creation of Potential Pandemic Pathogens (PPPs)* [http://www.cambridgeworkinggroup.org/documents/statement.pdf].

[32] La Conferenza Asilomar sul DNA ricombinante si tenne nel 1975 presso l'Asilomar Conference Grounds, nella penisola di Moterey, California, e fu organizzata da Paul Berg, ricercatore leader nel campo della tecnologia di ricombinazione del DNA, che nel 1980 condivise il premio Nobel per la chimica con Walter Gilbert e Frederick Sanger.

CAPITOLO II

GUERRA BIOLOGICA, ARMI BIOLOGICHE
E BIOTERRORISMO

Per affrontare una materia così articolata come quella che ci accingiamo a trattare, che ha per sua natura caratteristiche tecniche e scientifiche particolari, di nicchia e a molti sconosciute, è necessario fare qualche precisazione al fine di inquadrare meglio l'argomento.

Partiamo da alcune definizioni.

Guerra biologica. Nelle forze armate italiane, la guerra biologica s'inquadra nella lettera "B" dell'acronimo NBC (nucleare, biologico/batteriologico, chimico) che indica una situazione di warfare (stato di guerra) che implica:

- la presenza di una minaccia causata da agenti nocivi/mortali di natura biologica, quali ad esempio organismi e/o tossine;

- l'adozione di particolari ed onerose procedure di auto protezione.

Armi biologiche. Le armi biologiche appartengono alla categoria delle armi di distruzione di massa (bandite dalla Convenzione di Ginevra e dalla maggior parte degli Organismi internazionali). La loro letalità è data:

- dalla carica degli agenti biologici/batteriologici;

- dal sistema d'arma usato per "lanciare", "espandere" o "depositare" quello che in un ordigno è la carica esplosiva e che per le armi biologiche è la carica degli agenti patogeni.

Bioterrorismo. A livello internazionale si definisce bioterrorismo un'attività di guerra non convenzionale che può essere combattuta:
- in maniera occulta e dissimulata, da nazioni;
- da gruppi terroristi;

con impiego di agenti patogeni (batteri, virus, insetti, funghi o tossine in forma naturale o modificata dall'uomo) al fine di produrre un effetto lesivo o mortale su cose e persone.

Il bioterrorismo – sia esso condotto in maniera occulta da forze armate di un Paese, oppure da un gruppo terrorista/paramilitare – prevede:
- un'unità di bioterrorismo – singola, sporadica / l'organizzazione bioterroristica / il paese bioterrorista;
- la sorgente dell'arma biologica;
- il suo confezionamento;
- il rilascio sul bersaglio.

Questo costituisce il target prioritario dei Servizi di Intelligence che tentano di intercettare l'unità di combattimento e la catena di preparazione e consegna.

La condotta di un'azione di guerra batteriologica presuppone:
- elevato *know-how*;
- laboratori;
- procedure tecniche;
- procedure tattiche;
- sistemi d'arma.

Tutti elementi difficilmente realizzabili se non in seno ad un'organizzazione statale che:
- ritenga il settore NBC una priorità strategica;
- disponga di necessari e ingenti capitali da destinare a questo tipo di attività bellica.

Si evince, pertanto, che i gruppi terroristi difficilmente potranno disporre di armi di questo tipo, a meno che non siano armati con ordigni o equipaggiati con dispositivi, prevalentemente batteriologici o chimici[1], da un organismo di intelligence interessato ad impiegarli.

È evidente che in un'azione di guerra batteriologica condotta da un gruppo terrorista, questo sarà solo l'elemento tattico finale della catena facente capo ai vertici di un organismo statale, che avrà rifornito quel gruppo terrorista.

Per ciò che concerne il diritto internazionale, si può osservare come fino ad oggi sono state adottate almeno 13 Convenzioni internazionali sul terrorismo, mentre il controllo delle armi biologiche è oggetto della Convenzione internazionale *Biological Weapons Convention* (BWC), firmata da diversi Paesi che sono sotto l'egida dell'ONU.

La nuova dimensione della moderna guerra biologica

Lo sviluppo crescente delle tecnologie di ingegneria genetica apre nuovi scenari nella guerra biologica (*BioWarfare*), nel bioterrorismo e terrorismo biologico (*BioTerrorism*), prospettando una nuova generazione di armi biologiche programmate per causare un'ampia diffusione degli agenti patogeni ed un importante impatto sociale (*BioWeapons*).

È evidente che si sta consolidando una situazione di potenziale e permanente minaccia biologica/batteriologica che vede come principali attori gli Stati "canaglia", ossia quegli Stati disposti ad impiegare, ovviamente in maniera occulta o dissimulata, queste terribili armi.

Nei termini sopra esposti si può quindi parlare di terrorismo biologico o bioterrorismo, organizzato e gestito da quegli Stati

---

[1] I dispositivi «N» per la loro intrinseca difficoltà di maneggio, trasporto e innesco, nonché per essere facilmente rilevabili, sono "trascurati" da chi si occupa di NBC warfare.

in possesso di adeguato *know-how* ed equipaggiamenti batterio-logici, propensi ad impiegare, in maniera occulta o dissimula-ta (ricorrendo anche a gruppi terroristici), tale tipo di warfare. La *"pars leonina"* di tale minaccia bioterroristica la fa lo "Stato canaglia".

Tale tipo di warfare postula lo sviluppo di:
- adeguate armi / sistemi d'arma – *bioweapons*;
- adeguate procedure d'impiego.

Si intuisce che:
- le armi e i sistemi d'arma sono destinati ad una situazione di *biowarfare* palese con impiego di cannoni, bombe d'aereo, razzi, etc., in una situazione di conflitto tra due Stati contrapposti, op-pure tra uno Stato ed una ribellione posta in essere per sovverti-re l'ordine di uno Stato (ad esempio, gli attacchi con gas nervino dell'esercito iracheno contro la ribellione curda che hanno deter-minato una situazione di guerra chimica);
- mentre le procedure d'impiego attengono ad una situazione di warfare occulto o dissimulato in cui vengono compiuti atten-tati di tipo batteriologico o chimico ad opera di elementi occulti riconducibili a una nazione oppure a terroristi.

Occorre sottolineare che l'attacco dissimulato o occulto tra-mite armi biologiche garantisce molti vantaggi rispetto agli attac-chi nucleari e chimici, oppure con armi convenzionali[2]. L'attuale situazione geopolitica internazionale fa sì che i Paesi detentori di

---

[2] Ad esempio, per ciò che concerne il potenziale offensivo delle armi biologiche, si può osservare che 1 grammo di botulino è quasi 3 milioni di volte più efficace del gas nervino Sarin. Un missile caricato con botulino è in grado di colpire un'area di 3.700 chilometri quadrati, cioè un'area 16 volte più grande di quella che può colpire il Sarin. Per quanto riguarda, invece, i costi della guerra biologica si può dire, ad esempio, che colpire 1 chilometro quadrato con armi convenzionali ha un costo di circa 2.000 euro; con armi nucleari 800 euro circa; 600 euro circa con armi chimiche; 1 euro circa con armi biologiche.

know-how e *capability* NBC siano maggiormente orientati all'impiego del fattore batteriologico, sviluppando situazioni controllate di *biowarfare* occulta.

La minaccia batteriologica costituisce il giusto compromesso costo / efficacia perché, pur essendo sicuramente più dispendiosa della chimica, rispetto ad essa presenta numerosi vantaggi:

- chi ha sviluppato quel tipo di minaccia ne detiene l'antidoto o ha sviluppato le adeguate procedure di autoprotezione;

- è difficilmente rilevabile ed assicura quindi la condotta occulta dell'azione di *biowarfare*, garantendo in parte anche l'anonimato di chi ha condotto l'attacco;

- a differenza di un attacco chimico che colpisce un'area localizzata ("puntiforme"), l'attacco batteriologico costituisce una minaccia reale arrivando a infettare più Stati contigui;

- obbliga i target colpiti a un enorme dispendio di energie e mezzi, sia per l'identificazione dell'agente patogeno, sia per la messa in opera di procedure di difesa e la ricerca di una terapia;

- colpisce il morale della popolazione, la quale, poiché l'attacco è condotto in maniera occulta, tende a colpevolizzare chi sta tentando di gestire la crisi e, conseguentemente, crea un disorientamento in seno al "fronte interno" suscettibile di innescarne il collasso.

In ultimo, è praticamente impossibile identificare con certezza se si sia trattato di un attacco, di un evento naturale o di un episodio ascrivibile a una carente *"safety"*[3].

Concludo questa breve sintesi con una curiosità a mio avviso interessante.

Nel 2008 il network australiano contro il bioterrorismo, l'Australian counter Bioterrorism laboratory Network (ABLM), con l'Australian Security Intelligence Organisation (ASIO) ed il

---

[3] Per *"safety"* si intende la mitigazione del rischio di incidente rilevante.

Department of Health include, in riferimento alla SARS, nella lista primaria dei patogeni (livello 1 o "A") anche i coronavirus. Il livello 1 o "A"[4] si riferisce ad agenti di primaria importanza come i microrganismi che rappresentano una minaccia assoluta per la sicurezza nazionale, perché:

- possono essere facilmente diffusi o trasmessi da persona a persona;

- possono causare mortalità, con un potenziale impatto devastante sulla salute pubblica;

- possono causare panico e grave disagio sociali;

- richiedono azioni specifiche per la protezione della salute pubblica.

I coronavirus SARS sono inclusi nell'elenco "A" dal 2008.

La Convenzione internazionale sulle armi biologiche e il pericolo rappresentato dalla Cina

La Convenzione sulle armi biologiche – *Convention on Biological Weapons* (BWC) – o Convenzione sulle armi biologiche e tossiniche – *Biological and Toxin Weapons Convention* (BTWC) – costituisce il primo trattato multilaterale sul disarmo che vieta la produzione di un'intera categoria di armi[5].

La Convenzione è stata il risultato di sforzi prolungati da parte della comunità internazionale al fine di istituire un nuovo strumento che integrasse il protocollo di Ginevra del 1925. Il protocollo di Ginevra vieta l'uso ma non il possesso o lo sviluppo

---

[4] Il livello 2 o "B" si riferisce invece ad agenti di secondaria importanza che: sono moderatamente facili da diffondere; provocano una moderata morbilità e bassa mortalità; richiedono, ai centri per la prevenzione e il controllo delle malattie, dei miglioramenti specifici nella capacità diagnostica e una più attenta sorveglianza della malattia.

[5] [www.unog.ch].

di armi chimiche e biologiche. La firma del progetto preparato dagli inglesi fu aperta il 10 aprile 1972 ed entrò in vigore il 26 marzo 1975, quando 22 governi la ratificarono. La Convenzione si impegna – all'agosto 2019 sono 183 gli Stati che hanno aderito – a vietare lo sviluppo, la produzione e lo stoccaggio di armi biologiche e tossiniche.

Nell'elenco degli Stati che hanno aderito alla Convenzione, la Cina è classificata come Paese che ha aderito ma non ratificato il BWC. La Cina è l'unico grande Paese del mondo che ha aderito ma non ratificato la Convenzione.

Il grande problema della BWC è che la sua efficacia è molto limitata, poiché in essa manca la previsione di strumenti atti alla verifica e al controllo dell'attuazione delle regole ivi previste.

La mancata ratifica della BWC da parte della Cina rappresenta un grave problema internazionale per la sicurezza globale ai fini del controllo e della tutela per ciò che riguarda le armi biologiche e la guerra biologica. Ma questo – come sottolineo qui di seguito citando alcune fonti ed esempi – non è l'unico problema che la Cina e il consesso internazionale devono risolvere, poiché il Paese asiatico, che non nasconde la volontà di diventare una super potenza anche dal punto di vista militare, favorisce un pericoloso sviluppo della ricerca biotecnologica a scopi anche militari, promuove una commistione tra l'utilizzo "civile" e quello "militare" delle biotecnologie, lascia campo libero alla ricerca biotecnologica con una legislazione molto aperta, non dissimula di considerare le armi biologiche come la nuova frontiera per le guerre del futuro.

Dal 2011 gli analisti americani affermano che in Cina esiste un pericolo reale e attuale causato dalle modalità di gestione, da parte del Paese asiatico, dei rischi legati alla biosicurezza. Il professor Yanzhong Huang, americano, autore di un'analisi sulla biosicurezza in Cina[6], accusa la Cina di essere in ritardo rispetto agli Stati Uniti per ciò che concerne la gestione della sicurezza in campo biologico, individuando 3 potenziali fattori di rischio: «*biowarfare, bioterrorism, biocrime*», e sottolineando una marcata discrepanza fra l'ambizione della Cina di voler assumere il ruolo di potenza biotecnologica a livello mondiale e i rischi legati alla biosicurezza. Lostudio del professor Huang, a mio avviso, ha però il difetto di sottovalutare l'aspetto storico e culturale che riguarda la governance della Cina, molto più centralizzata rispetto a quella degli Stati Uniti poiché il governo è sotto il pieno controllo del Partito Comunista Cinese (PCC). Questo controllo centralizzato da parte del governo mette al riparo la Cina dai primi due fattori di rischio citati da Huang, ma non dal terzo, e cioè il "biocrime", legato anche alle tensioni attuali su Hong Kong, alle tensioni storiche con Taiwan e alle politiche interne sulle minoranze etniche non allineate alle strategie del Partito centrale.

Nell'ultimo decennio la Cina ha avviato un articolato programma di sviluppo dei centri strategici (*State Key*) legati alla ricerca biotecnologica – umana e animale – e al "biowarfare" e alle "bioweapons", in linea con le sue ambizioni di grande potenza mondiale in competizione con gli Stati Uniti, per ciò che concerne i settori strategici legati alla globalizzazione, biotecnologie incluse.

Nel 2015, il Manohar Parrikar Institute for Defence Studies and Analyses di Nuova Delhi (India) in un articolo pubblicato

---

[6] Y. HUANG, *Managing Biosecurity Threats in China*, in «Biosecurity and Bioterrorism: Biodefense Strategy, Practice, and Science», vol. 9, n. 1 (march 2011), pp. 31-40 [doi.org/10.1089/bsp.2010.0060]; cfr. anche TH.V. INGLESBY – A. CICERO – D.A. HENDERSON, *The Risk of Engineering a Highly Transmissible H5N1 Virus*, in «Biosecurity and Bioterrorism: Biodefense Strategy, Practice, and Science», vol. 10, n. 1 (march 2012), pp. 151-152 [doi.org/10.1089/bsp.2011.1214].

sul *Journal of Defence Studies*[7] faceva menzione di ben 12 strutture affiliate al Ministero della Difesa cinese e 30 strutture affiliate al PLA (People's Liberation Army), coinvolte nella ricerca, sviluppo, produzione, *testing* e stoccaggio di bioweapons. Esiste un programma cinese di guerra biologica (BWP), che in modo particolare fa riferimento alle armi biologiche (BW), attivo nelle strutture che sono sotto il controllo della difesa e delle forze armate.

Nel 2015, l'allora presidente dell'Accademia Militare Cinese di Scienze Mediche, He Fuchu, in un'articolo[8] sosteneva che la biotecnologia – dai biomateriali, agli strumenti di "controllo del cervello", alle *"biological crossover technologies"* –, diventerà la nuova "leva strategica di comando" della difesa nazionale. Per la cronaca, il generale maggiore He, dopo aver scritto questo articolo, è stato nominato vicepresidente dell'Accademia delle Scienze Militari.

Nel 2017, Zhang Shibo, un generale in pensione ed ex presidente della PLA National Defense University[9], annovera la biologia tra i sette "nuovi cardini delle azioni belliche", concludendo che: "Lo sviluppo della moderna biotecnologia sta gradualmente mettendo in evidenza le note caratteristiche di una potente arma offensiva, che non esclude la possibilità di un impiego per attacchi di tipo genetico ed etnico"[10].

---

[7] D. SHOHAM, *China's Biological Warfare Programme: An Integrative Study with Special Reference to Biological Weapons Capabilities*, in «Journal of Defence Studies», vol. 9, n. 2 (april-june 2015), pp. 131-156.

[8] HE FUCHU, *Biotechnology will become a new strategic commanding height in the future military revolution*, «People's Liberation Army Daily», 6 ottobre 2015.

[9] Università statale per la formazione militare, amministrata dall'Esercito di Liberazione Popolare cinese. L'attuale presidente è il generale Zheng He.

[10] ZHANG SHIBO, *New Highland of War*, PLA National Defense University Press, Pechino 2017.

Ancora, in un libro intitolato *The Science of Military Strategy*, circa l'uso della biologia nel campo delle azioni militari, si fa riferimento alla possibilità di "specifici attacchi etnico genetici"[11]. La strategia nazionale cinese di integrazione tra industria militare e civile ha evidenziato come la biologia debba diventare una priorità. All'interno del vasto programma di ammodernamento approvato con il tredicesimo Piano quinquennale per lo sviluppo economico e sociale (2016-2020), trova spazio anche l'ambizioso progetto di coniugare industria bellica e industria civile, attraverso la creazione di una Commissione per lo sviluppo integrato militare-civile, presieduta da Xi Jinping. Tale commissione ha il compito di mettere in atto le strategie di sviluppo integrato militare-civile nel campo delle scienze e delle tecnologie.

Anche gli Stati Uniti negli ultimi anni hanno investito molto nella ricerca biotecnologica, in modo particolare sul fronte della genetica molecolare, della genomica applica e della biologia sintetica, pilastri strategici per le biotecnologie moderne, notevolmente favorite, da un lato, dalla potenza della tecnologia informatica *mainframe*[12] e dalle banche dati; dall'altro, dall'impiego sempre più vasto dell'Intelligenza artificiale (AI), ottenendo risultati sorprendenti. Ricerche che hanno sollevato non pochi e importanti dibattiti nella società civile e nelle più importanti istituzioni accademiche e governative.

---

[11] XIAO TIANLIANG (ed.), *The Science of Military Strategy*, PLA National Defense University Press, Pechino 2017.

[12] Un *mainframe* è un computer di grandi dimensioni in grado di archiviare una grande mole di dati ed eseguire elaborazioni molto complesse, come l'esecuzione di più applicazioni in tempo reale e l'accesso al sistema da più utenti contemporaneamente. Un singolo *mainframe* può sostituire centinaia di server fisici di dimensioni più piccole e può, inoltre, ospitare al suo interno più sistemi operativi. Tale sistema permette di risolvere i problemi creati da elevati livelli di multiutenza e gli enormi volumi di dati, e offre grandi prestazioni elaborative, unite ad alta affidabilità.

Il pericolo rappresentato dal terrorismo internazionale e la necessità di adottare strumenti sempre più sofisticati per la sicurezza in generale e la biosicurezza in particolare hanno spinto le grandi potenze mondiali ad attuare nuove strategie sull'uso duale (militare e civile) delle scienze biologiche, in modo particolare sulle applicazioni biotecnologiche nell'ambito degli agenti patogeni dannosi per l'uomo e per l'ambiente.

Biosecurity e *Biosafety* sono diventati due settori imprescindibili per le strategie della ricerca biotecnologica. I due termini in alcuni Paesi, come l'Italia ad esempio, sembrano sovrapponibili; ma nel mondo anglosassone ciascuno di essi ha il suo significato e le sue peculiarità: la *Biosafety* ha come scopo quello di proteggere la salute pubblica e ambientale dall'esposizione accidentale ad agenti biologici; la *Biosecurity* si occupa invece di prevenire l'abuso (*misuse*) di tali agenti patogeni, che potrebbe avvenire per vari motivi, tra i quali la fuga accidentale, il furto, il rilascio intenzionale. *Biosafety* e *Biosecurity* sono strettamente legate alla valutazione e alla gestione del *Biorisk*.

Gli Stati Uniti considerano con grande attenzione il problema della guerra biologica, delle armi biologiche e del bioterrorismo e questa attenzione ha prodotto analisi e valutazioni geopolitiche sul crescente sviluppo della Cina nel settore delle biotecnologie e sulla necessità che la Cina aderisca e sottoscriva le convenzioni internazionali in materia.

Le dichiarazioni ufficiali della Cina in merito alle future guerre asimmetriche (non-guerre combattute sul campo), in cui si utilizzano armi biologiche, ha sorpreso l'Occidente. Tale sorpresa è dovuta evidentemente all'incapacità dell'Occidente di comprendere la storia cinese, la sua cultura e le strategie di sviluppo che il Paese asiatico ha adottato nel processo di globalizzazione.

Ren Li, curatore di una serie di letture sull'antico trattato di arte militare attribuito al generale Sun Tzu, *L'arte della guerra*,

sostiene che "la guerra è una strategia di inganno (*deception*)".
Sun Tzu spiega il concetto di "*deception*" affermando che "combattere e vincere in tutte le battaglie non rappresenta l'eccellenza suprema; l'eccellenza suprema consiste nel distruggere la resistenza del nemico senza combattere". Il punto chiave è quindi come vincere una guerra senza l'uso della forza, cioè senza le armi. Esistono quattro modi per realizzare la strategia di "*deception*": "anzitutto, la superiorità di un'arte bellica non convenzionale rispetto a quella tradizionale; in secondo luogo, l'importanza dell'imbroglio come principio classico di un'arte bellica fondata sull'inganno; terzo, la consapevolezza che il cambiamento conserva l'arte bellica nella forma di un flusso costante; infine, la necessità di concentrarsi sui vantaggi e sul controllo che derivano dalla propria superiorità nell'arte bellica".

L'Occidente assiste con preoccupazione a questa rivoluzione culturale sulle strategie di guerra adottate dal Partito comunista cinese, soprattutto per le conseguenze devastanti sulla salute pubblica globale che potrebbe comportare una guerra biologica. Per tale motivo è stata attivata un'intensa attività di Intelligence internazionale.

L'ingegneria genetica e le bioarmi

Qual è il potenziale apportato dall'ingegneria genetica alla guerra biologica o al bioterrorismo? Perché oggi desta così tanta preoccupazione?

La grande pandemia di Influenza Spagnola tra il 1918 e il 1920 uccise più di 20 milioni di persone. Questo tragico evento provocò nel mondo scientifico, politico e tecnologico grande preoccupazione per la salute dell'umanità. L'epidemia di Spagnola fu un evento naturale. Ma cosa accadrebbe se un Paese fosse in grado di creare, o ricreare, un agente patogeno capace di produrre la stessa devastazione?

Forse in pochi sanno che la ricerca biogenetica e sintetica hanno già dato prova di ciò che è possibile fare riproducendo in laboratorio microrganismi che, in alcuni casi, hanno causato nel tempo sofferenza e morte. Cito alcuni esempi:

1. Nel 2002 Eckard Wimmer[13], della State University of New York, realizza il primo virus sintetico "Polio". La Poliomelite, tra gli anni '40 e '50 del secolo scorso, ha causato ogni anno mezzo milione di morti e di paralisi irreversibili[14].

2. Nel 2003 Hamilton O. Smith[15] e coll., del J. Craig Venter Institute, sintetizzano il primo batteriofago φX174[16].

3. Nel 2005 Drew Endy[17] e coll., del Massachusetts Institute of Technology, sintetizzano il fago T7[18].

---

[13] Eckard Wimmer (1936) è un virologo, chimico e professore di genetica molecolare e microbiologia alla Stony Brook University, New York. Fondamentale è stato il suo lavoro sulla biologia molecolare del poliovirus e per aver realizzato la prima sintesi di un genoma virale capace di infezione e di una successiva replicazione di virus vivi.

[14] J. CELLO – A.V. PAUL – E. WIMMER, *Chemical Synthesis of Poliovirus cDNA: Generation of Infectious Virus in the Absence of Natural Template*, in «Science», vol. 297, n. 5583 (9 august 2002), pp. 1016-1018 [doi.org/10.1126/science.1072266].

[15] Hamilton Othanel Smith (1931) è un biologo statunitense, vincitore del premio Nobel per la medicina nel 1978 per enzimi di restrizione di tipo II, insieme a Werner Arber e Daniel Nathans. Smith è successivamente divenuto una figura di spicco nel nascente campo della genomica, avendo sequenziato, nel 1995, il primo genoma di un batterio (*Haemophilus influenzae*) e avendo dato un contributo determinante per il sequenziamento di molti dei primi genomi trattati all'Institute for Genomic Research, e per il sequenziamento del genoma umano.

[16] H.O. SMITH – C.A. HUTCHISON III – C. PFANNKOCH, *Generating a synthetic genome by whole genome assembly: φX174 bacteriophage from synthetic oligonucleotides*, in «PNAS», vol. 100, n. 26 (23 december 2003), pp. 15440-15445 [doi.org/10.1073/pnas.2237126100].

[17] Andrew (Drew) David Endy (1970) è un biologo sintetico e professore ordinario di bioingegneria all'Università di Stanford, California.

[18] L.Y. CHAN – S. KOSURI – D. ENDY, *Refactoring bacteriophage T7*, in «Molecular System Biology», vol. 1, n. 1 (2005) [doi.org/10.1038/msb4100025].

4. Nel 2005 Terrence Tumpey[19] e coll., del Centers for Disease Control and Prevention (CDC), sintetizzano il virus dell'infezione influenzale Spagnola del 1918[20].

5. Nel 2008 Daniel Gibson[21] e coll., del J. Craig Venter Institute, sintetizzano il batterio Mycoplasma mycoides. I batteri appartenenti alla famiglia dei micoplasmi possono causare varie malattie, tra cui nell'uomo la polmonite tubercolare e la pleuro-polmonite bovina contagiosa (CBPP)[22].

6. Nel 2020 Volker Thiel[23] e coll. realizzano il primo SARS-CoV-2 sintetico[24].

In merito a tante sperimentazioni, alcune domande sorgono certo spontanee: perché vengono eseguite? Qual è il beneficio a fronte del rischio che viene corso? Hanno un'applicazione concreta? Hanno un'importanza rilevante per la salute umana?

Di certo è evidente, nonostante molti in mala fede neghino la possibilità di sintetizzare in laboratorio virus e batteri, che siamo di fronte a una nuova era, l'era della Biologia Sintetica che, gra-

---

[19] Terrence M. Tumpey è un microbiologo e direttore della Divisione di patogenesi e immunologia dell'influenza (IPB) nella Divisione Influenza dei Centri per il controllo e la prevenzione delle malattie (CDC).

[20] T.M. TUMPEY – CH.F. BASLER – P.V. AGUILAR, et al., *Characterization of the Reconstructed 1918 Spanish Influenza Pandemic Virus*, in «Science», vol. 310, n. 5745, pp. 77-80 [doi.org/10.1126/science.1119392].

[21] Daniel Gibson è professore presso il distaccamento di biologia sintetica del J. Craig Venter Institute.

[22] D.G. GIBSON – J.I. GLASS – C. LARTIGUE, et. al., *Creation of a Bacterial Cell Controlled by a Chemically Synthesized Genome*, in «Science», vol. 329, n. 5987, pp. 52-56 [doi.org/10.1126/science.1190719].

[23] Volker Thiel è responsabile dell'Istituto di virologia e immunologia (IVI), l'unico in Svizzera ad alta sicurezza per la ricerca sulle epizoozie altamente contagiose.

[24] T.T.N. THAO – F. LABROUSSAA, N. EBERT – V. THIEL, et al., *Rapid reconstruction of SARS-CoV-2 using a synthetic genomics platform*, in «Nature» (2020) [https://doi.org/10.1038/s41586-020-2294-9].

zie alla genomica, alla robotizzazione industriale e all'intelligenza artificiale, permette di compiere nuovi studi sui microorganismi, anche patogeni, progettandone e fabbricandone di nuovi. Questo "nuovo metodo" di fare ricerca consente di studiare in laboratorio l'interazione patogeno-ospite e di creare molecole e vaccini da testare in un ambiente virtuale (Data-Base Banks), farmacogenico (BioBanks) ed industriale (Driven).

Teoricamente questo sistema, molto sofisticato e controllato, dovrebbe essere al riparo da atti di bioterrorismo, isolati o pianificati. Occorre però considerare anche due fattori importanti:

- la ricerca nel campo della biologia sintetica si interseca con la ricerca militare biologica, sia di tipo difensivo che offensivo.

- la ricerca "civile" e quella militare nel campo biologico presentano delle falle vistose e preoccupanti, legate a vari fattori come: l'ambivalenza del tipo di ricerca effettuata; la natura delle scienze applicate; la libertà di scelta degli scienziati e dei ricercatori; la progettazione e la realizzazione delle infrastrutture in cui vengono eseguiti questi esperimenti; la dinamica degli equilibri geo-politici internazionali; i processi di crescita e di espansione delle diverse potenze mondiali e la diffusione dell'*Internet of Things* (IoT o Internet delle cose)[25] che permette un accesso illimitato e *free* (libero) a vari livelli di informazione, a data-base e network di conoscenza e ad applicazioni *open-access*. Tutto questo è alimentato da ingenti risorse finanziarie investite a livello globale dai vari poli di influenza finanziaria transnazionale, espressione di forme di pensiero e di governance orientate ad un

---

[25] Tecnologia che permette di massimizzare le capacità di raccolta e di utilizzo dei dati da una moltitudine di sorgenti (prodotti industriali, sistemi di fabbrica, veicoli di trasporto) a vantaggio di una maggiore digitalizzazione e automazione dei processi, della facoltà di sfruttare *machine learning* e intelligenza artificiale per creare nuovi business e servizi a valore per clienti e consumatori.

approccio futuribile, transumanistico ed artificiale della specie umana e all'esplorazione dello spazio.

Il *Dual Use Research of Concern* e il *Gain of Function*

Recentemente, a livello internazionale, in modo particolare negli Stati Uniti, sono emersi due nuovi approcci che riguardano la ricerca biotecnologica sugli agenti patogeni: il DURC (Dual Use Research of Concern) e il GoF o GoFR (Gain of Function – Guadagno di Funzione).

La strategia DURC

La strategia DURC ha lo scopo di preservare tutta quella ricerca che, sulla base delle conoscenze attuali, è ragionevolmente prevedibile che fornisca conoscenze, informazioni, prodotti o tecnologie che potrebbero essere impropriamente applicati in modo diretto costituendo una minaccia importante, con potenziali conseguenze su vasta scala, per la salute e la sicurezza pubblica, le colture agricole e di altro tipo, gli animali, l'ambiente, i materiali o la sicurezza delle nazioni.

Oltre a garantire, quindi, un rischio minimo da un uso improprio (*misuse*) della conoscenza e delle tecnologie che essa genera, la strategia DURC prevede un dialogo e una mediazione costante tra le libertà della ricerca (*freedom of research*) e il senso di responsabilità per il progresso (*responsibility for progress*).

È, però, una strategia messa in atto in modo diverso nelle differenti aree geopolitiche del pianeta, subendo nel tempo modificazioni e modulazioni significative, legate allo sviluppo tecnologico.

Negli Stati Uniti la spinta ad una ricerca senza limiti e senza confini è oggi vincolata alle strategie governative di *security* e *safety*, che coinvolgono la governance del Paese, la società civile e le forze armate. L'innovazione tecnologica e il comparto industriale influenzano in modo determinante le decisioni finali prese nell'ambito delle strategie di espansione globale e degli investimenti statali.

In Europa il rapporto tra pubblico e privato, che è alla base del welfare sociale, è fondamentale per determinare le risorse necessarie alla ricerca, che sono sempre finalizzate allo sviluppo socio-economico e alla protezione dell'individuo, considerato come cittadino detentore di diritti e di doveri. La regolamentazione del rapporto tra lo Stato e il cittadino privilegia la protezione della persona e la tutela dei diritti costituzionali a scapito della libertà di ricerca, dando però un ruolo fondamentale alla responsabilità delle scelte attraverso la democrazia partecipativa. I programmi educativi del sistema scolastico europeo favoriscono nei giovani il "senso civico" e una responsabilità nella governance che considera la ricerca moderna come uno strumento utile a migliorare la qualità della vita. La ricerca quindi, in una dimensione etica, ha la funzione di *human-oriented* e in misura molto minore di *product-oriented*.

In India la riflessione sulla strategia duale ha radici molto profonde e antiche, e i valori umani assumono una dimensione centrale, sia in tempi di guerra, che di pace. In un antico trattato indiano di scienze politiche, economiche e strategia militare, l'*Arthaśāstra* (IV sec. a.C.), il ruolo assunto dall'etica è fondamentale ed è considerato il collante della società e l'elemento che promuove lo sviluppo economico.

In Cina la dinamica della strategia che stiamo considerando è intrinseca ad un concetto dell'antica filosofia taoista, espresso con le parole Yin-Yang (Yin: ombra, lunare, femminile; Yang: luminoso, solare, maschile), che in estrema sintesi stanno a sottolineare come nella realtà non ci sia una netta divisione tra male e bene, positivo e negativo, ma come nei due elementi sia da ricercare un perfetto equilibrio che produce armonia. Il disequilibrio, il venir meno dell'armonia produce il male, che può essere vinto riportando l'equilibrio fra Yin e Yang. Tale concetto si applica a tutti gli elementi, animati e inanimati, e quindi a tutti gli esseri viventi e a tutte le cose, nessuna esclusa, comprese le attività umane, come la politica. Lo Yin-Yang è alla base della medicina tradizionale cinese ed è uno dei cardini della cultura cinese. Per la strategia di biosicurezza questo principio trova un'applicazione importante, perché sottolinea come nell'attività di ricerca non siano distinti i concetti di opportunità o pericolo, ma essi siano ricompresi nell'armonia presente in ogni cosa. Il disequilibrio produce il caos e solo in quel momento la ricerca può considerarsi un male e quindi un pericolo.

Il Gain of Function

Il rischio biotecnologico può considerarsi connaturale all'attività di ricerca su agenti biologici naturali o geneticamente modificati. Tale rischio è evidente quando gli agenti biologici vengono intenzionalmente usati per il bioterrorismo o per la produzione di armi biologiche, ma anche nel caso in cui possa verificarsi un incidente di laboratorio che causa un rilascio involontario dell'agente patogeno[26].

Se, da un lato, lo studio e la progettazione di agenti patogeni oggi sono perlopiù confinati in laboratori di sicurezza di fascia alta, in cui lavorano i migliori ricercatori e specialisti, dall'altro, però, il rischio biotecnologico è aumentato notevolmente per i seguenti motivi:

---

[26] Per un approfondimento sui rischi legati a biotecnologie e biosicurezza rimando a: N. BOSTROM – M.M. ĆIRKOVIĆ, *Global Catastrophic Risks*, Oxford University Press, Oxford 2008.

- il costo della tecnologia necessaria è sempre più basso. Se una volta, ad esempio, per sequenziare il genoma umano occorreva investire circa 10 milioni di dollari, oggi ne bastano 1.000. Per questo motivo, in alcuni Paesi, le strutture di ricerca sono sempre più diffuse;

- è possibile accedere con relativa facilità a enormi banche dati, dove sono archiviate una miriade di informazioni genetiche (i silos di bioinformatica).

- negli ultimi anni ci sono state importanti scoperte, come quella delle unità genetiche e quella del CRISPR (*Clustered Regularly Interspaced Short Palindromic Repeats*), famiglie di segmenti di DNA contenenti brevi sequenze ripetute, e CRISPR-Cas associate a geni[27]. La CRISPR-Cas9, la tecnica più utilizzata, sta rivoluzionando il mondo scientifico perché permette di modificare il DNA in modo specifico, eliminando lettere difettose o indesiderate per sostituirle con lettere corrette o desiderate. La novità è che mentre la terapia genica classica, attualmente già utilizzata nella cura di alcune malattie genetiche, taglia un intero pezzo di DNA che viene sostituito con quello nuovo (sistema altamente complesso e costoso), questo meccanismo è completamente nuovo perché, senza tagliare il DNA, sostituisce direttamente le

---

[27] Le CRISPR ed i sistemi di difesa basati sui geni associati a CRISPR-Cas proteggono i batteri e gli archaea dai fagi e da altri elementi genetici estranei. Dall'identificazione del numero crescente di geni Cas, i sistemi CRISPR-Cas sono stati classificati in due classi (classe 1 e classe 2) e in sei tipi (tipo I-VI) in base alle diverse disposizioni dei geni Cas e delle subunità di complessi effettori. I sistemi CRISPR-Cas di classe 2, quelli più studiati, con proteina a singolo effettore (ad es. Cas9, Cas12 o Cas13) per interferenze estranee di DNA o RNA, sono suddivisi in tipo II (Cas9), tipo V (Cas12) e tipo VI (Cas13). Negli ultimi anni, i sistemi CRISPR-Cas di classe 2, come il CRISPR-Cas9, hanno rivoluzionato le ricerche di base e cliniche, consentendo l'editing e la modifica del genoma in modo più rapido e preciso. Ci sono ancora poche applicazioni del sistema classe 1 CRISPR-Cas (tipo I, III e IV).

lettere del codice sul DNA. La rivoluzione sta nella semplicità del meccanismo e nel basso costo, rendendolo quindi accessibile a molti laboratori.

A rendere più complesso lo scenario è intervenuta poi anche la cosiddetta procedura *Gain of Function* (Guadagno di funzione). Spiego brevemente di cosa si tratta.

Come abbiamo visto, gli agenti patogeni possono essere geneticamente modificati per esaltarne alcune caratteristiche, tra cui la virulenza. In laboratorio è possibile, quindi, compiere delle mutazioni genetiche allo scopo di adattare l'agente patogeno ad un ambiente di laboratorio, comprenderne il meccanismo di trasmissione o patogenesi, sviluppare delle terapie, così pure creare delle armi biologiche. Quest'uso bivalente dell'ingegneria genetica in funzione "civile" e "militare" desta molte preoccupazioni. Tale preoccupazione è ancora maggiore se si pensa che oggi è possibile intervenire geneticamente per aumentare o creare nuove funzioni dell'agente patogeno, in considerazione del fatto che esso poi, dolosamente o colpevolmente, può essere immesso in un ambiente esterno al laboratorio.

Gli studi sul Guadagno di funzione – e su altri nuovi metodi di ricerca in grado di aumentare o diminuire la capacità di un agente patogeno di causare malattie –, aiutano a comprendere la natura delle interazioni che si instaurano tra l'ospite (ad esempio l'uomo) e l'agente patogeno, consentendo di valutare il potenziale pandemico dei nuovi agenti infettivi, per la tutela della salute pubblica e la preparazione di vaccini o farmaci ad hoc. Questi studi però comportano anche rischi significativi per la *biosafety* e la *biosecurity*; quindi è necessario valutare, ogni volta che si fa ricorso a queste tecniche, se è maggiore il rischio o il beneficio che se ne può trarre. Ad esempio, in seguito ad alcuni incidenti accaduti negli Stati Uniti (Fort Detrick) usando la metodologia *Gain of Function*, è stato considerato se il beneficio che se ne poteva trarre, dal punto di vista scientifico e tecnologico, giustificava il fatto che si potesse arrecare un danno alla salute pubblica o alla sicurezza del Paese, valutando poi quali studi possono andare avanti e a quali condizioni.

Tutte quelle metodologie di ricerca sui virus, o su altri agenti patogeni, che comportano esperimenti che hanno come scopo quello di aumentare, o diminuire, le funzioni proprie del virus, selezionando e alterando il suo genotipo e fenotipo, sono da considerarsi come ricerche *Gain of Function*.

Questo tipo di esperimenti permette, come abbiamo detto, di comprendere il *make-up* genetico del virus e l'interazione virus-ospite. Una volta conosciuto il *make-up* genetico del virus e la sua interazione con l'ospite, utilizzando sofisticate tecniche di genetica molecolare – come la *reverse genetics*, la RNA di interferenza o la CRISPR batterica associata alla nucleasi proteica 9 (CRISPR-Cas9) –, è possibile creare *ex novo* virus ricombinanti. La *Gain of Function* rappresenta la base sulla quale, utilizzando le tecniche sopra indicate, è possibile eseguire un vero e proprio *editing* degli agenti patogeni.

Con queste metodologie è inoltre possibile ibridizzare un virus di una specie, utilizzando il *backbone* (matrice biologica o genetica) di un virus di un'altra specie, creando un virus ricombinante chimerico e studiando cosa ha prodotto il salto di specie dal punto di vista patogenico e patogenetico.

Il virus ricombinante chimerico può, a sua volta, essere modificato con la stessa procedura di *Gain of Function*, e con le altre tecniche, teoricamente all'infinito.

Tutte queste procedure di ricombinazione, per evidenti motivi, dovrebbero essere oggetto di un rigido controllo, essere autorizzate con limitazioni assolute e realizzate in ambienti di massima sicurezza, predisponendo ambienti per lo stoccaggio dei nuovi agenti patogeni (Pathogenic Microbial Repositories-PMR).

Nella ricerca *Gain of Function*, condotta da alcuni gruppi di scienziati che lavorano a stretto contatto con i CDC – i Centri federali per il controllo e la prevenzione delle malattie –, riguardante i coronavirus, specialmente MERS e SARS, e la creazione di modelli ricombinanti chimerici, c'è stata una collaborazione transnazionale fra i team americani, guidati dal prof. Ralph Baric, direttore del laboratorio di immunologia e microbiologia dell'Università del North Carolina, e quelli cinesi, facenti capo alla prof.ssa Shi Zheng-Li del laboratorio di Wuhan in Cina. Tale collaborazione è stata avviata non solo per realizzare una ricerca condivisa sui coronavirus, ma anche per bypassare la moratoria applicata negli Stati Uniti dal 2015 al 2017 sui progetti *Gain of Function* virali. Questo ha permesso ai ricercatori cinesi non solo di fare enormi passi in avanti sui modelli chimerici ibridi ricombinanti, ma anche di implementare le tecniche CRISPR-Cas9 sui progetti di virologia nazionale accademici e militari, utilizzando le strutture del nuovo laboratorio P4 di Wuhan.

I virologi cinesi, collaborando con i ricercatori americani specializzati nelle tecniche *Gain of Function* e nello studio dei modelli chimerici, hanno appreso molto ed approfittando di una legislazione molto aperta in Cina su questo tipo di ricerche hanno fatto passi da gigante negli studi sulle manipolazioni genetiche degli embrioni umani e sulle ibridizzazioni chimeriche fra animali di specie diversa.

L'incidente nel laboratorio di Wuhan – se di incidente si può parlare – che potrebbe essere giustificato dal fatto che anche in laboratori P4 di altri Paesi, compreso gli Stati Uniti, sono avvenuti incidenti simili, assume una particolare rilevanza se consideriamo il fatto che diversi scienziati di tutto il mondo contestano la legittimità dell'utilizzo delle tecniche *Gain of Function* e, in genere, la creazione di virus ricombinanti chimerici ad alta patogenicità per l'uomo.

Il blackout mediatico e scientifico sulla verità di ciò che è accaduto a Wuhan va letto come un tentativo disperato, sia da parte cinese, che di una parte della comunità scientifica occidentale, di preservare la possibilità dell'uso delle metodologie *Gain of Function.*

La Cina inoltre, da parte sua, si rifiuta di dare accesso, alle autorità e agli esperti dei Paesi coinvolti nella ricerca transnazionale di Wuhan, ai campioni originali del Covid-19, pur essendo tenuta a farlo da obblighi internazionali e come membro autorevole dell'OMS. Gli scienziati responsabili della ricerca transnazionale sui coronavirus ricombinanti chimerici, come la Shi Zheng-Li, sono scomparsi e tutto questo va a discapito della comunità internazionale che non può combattere con armi adeguate l'infezione da SARS-CoV-2.

L'omertà di alcuni Paesi, soprattutto quella cinese, ha causato e sta causando degli enormi ritardi nella ricerca di soluzioni terapeutiche, come anti virali ad hoc e vaccini, e il mondo è costretto a combattere il virus con mezzi "antiquati". Il silenzio di alcuni Stati e di molti scienziati che intendono continuare a realizzare i loro programmi nazionali di ricerca sulle biotecnologie anche a scopo militare è assolutamente da stigmatizzare e non può giustificare in alcun modo un evento come questo che ha causato enormi sofferenze anche dal punto di vista economico e sociale.

Il *Risk Management*: la gestione del rischio sanitario nei *Biohazards* e nelle epidemie

Esiste un delicato e complesso equilibrio tra l'esigenza di garantire la sicurezza nazionale, quella mondiale, le strategie condivise di *Risk Management* discusse e stabilite dalle Nazioni Unite, i network dell'Intelligence, la competitività nella ricerca biotecnologica internazionale che ha interesse ambientale, agro-alimentare, zootecnico e umano e la responsabilità personale, sociale ed etica dei ricercatori, degli scienziati, dei manager, dei decision-maker e dei mass-media soprattutto per ciò che concerne la coesione economica, sociale ed ambientale delle popolazioni coinvolte. Nella rivoluzione biotecnologica in atto quindi la Salute, come bene pubblico ed asset socio-economico fondamentale delle nazioni, si pone al centro delle strategie di *Risk Management for Human Safety and Health Protection*.

Nella pandemia causata dal Covid-19 la gestione del *Risk Management* nei Paesi occidentali si è rivelata incoerente ed insufficiente. La gestione dei rischi per la salute pubblica ha i suoi punti di forza e di debolezza. Il più importante punto di forza è il rigore scientifico con il quale si perfeziona il processo di gestione del rischio che, attraverso metodi logici e coerenti, aiuta ad assumere decisioni efficaci per risolvere problemi tecnicamente complessi. Il punto più debole invece è l'applicazione, nel processo decisionale di gestione del rischio, di regole formali che non tengono conto del fattore umano e si limitano ad applicare in modo automatico i criteri scientifici che sono stati stabiliti. L'incomprensibile linguaggio tecnico impiegato nel processo decisionale e nelle conferenze stampa rappresenta un grave problema per la gestione del rischio e per la chiarezza di ciò che si intende comunicare.

Il linguaggio tecnocratico porta spesso ad assumere decisioni sbagliate che non considerano la realtà e favorisce un'opacità, a discapito della chiarezza, che non spiega i motivi per cui sono state decise delle cose piuttosto che altre, tutto a danno della popolazione e della democrazia responsabile e partecipativa.

Per questi motivi, occorre che gli ospedali e i sistemi sanitari nella gestione del rischio prestino attenzione a programmi che non devono essere solo di natura reattiva, quindi attenti alla sicurezza dei pazienti e alla prevenzione di rischi legali, ma anche proattivi, cioè con una visione più ampia dell'intero sistema sanitario.

Nello schema dall'American Society for Health Care Risk Management (ASHRM), che possiamo vedere in Figura 1[28], gli 8 domini di rischio di un'azienda sanitaria sembrano equivalenti. Nel caso in cui si verifichi un'emergenza, come ad esempio un'epidemia o un *biohazards*, i settori di rischio vanno ridistribuiti per garantire un'operatività efficace per la protezione della salute pubblica, evitando, ad esempio, di trasferire competenze ad altre realtà operative come è accaduto in Italia con il coinvolgimento della Protezione Civile.

Figura 1

---

[28] Fonte: ASHRM Enterprise Risk Management, A framework for success [https://www.ashrm.org/].

Nella gestione del rischio causata dalla pandemia in corso è mancato un modello nazionale ed europeo per la tutela della *Safety and Health* ed è emersa un'evidente impreparazione, inefficienza e mancanza di strumenti che ha causato una grande perdita di vite umane tra gli operatori sanitari di prima linea.

CAPITOLO III

STRATEGIE DI SVILUPPO
E RICERCA SCIENTIFICA IN CINA:
IL WUHAN INSTITUTE OF VIROLOGY

Considerando realistica e provata l'ipotesi che il Covid-19 sia il risultato di un progetto di laboratorio, occorre chiedersi allora a quale scopo è stato "costruito": si tratta di scopi medici o di altro genere? Alcuni scienziati hanno armato il virus o si è verificata una casualità?

Sarà molto difficile, anche tra molti anni, capire il motivo per il quale è stato creato il Covid-19, responsabile della pandemia che stiamo subendo. Tuttavia possiamo cercare di mettere insieme alcuni elementi che ci aiutino a comprendere perlomeno qual è stato il contesto politico, culturale, strategico, militare e scientifico, terreno fertile nel quale il virus ha attecchito ed è cresciuto.

La Mary Ann Liebert, casa editrice indipendente americana, specializzata nella pubblicazione di riviste accademiche e periodici medico scientifici, pubblica online, nel marzo del 2011, un articolo in cui l'autore, il prof. Yanzhong Huang, evidenzia il mancato sviluppo di strategie da parte della Cina atte a contenere possibili rischi derivanti da tre importanti minacce alla biosicurezza mondiale: la guerra biologica, il bioterrorismo e il biocrimine[1].

---

[1] YANZHONG HUANG, *Managing Biosecurity Threats in China*, in «Biosecurity and Bioterrorism: Biodefense Strategy, Practice, and Science», vol. 9,

Dal 2010, i programmi e le strategie di sviluppo nazionale cinese, che prevedono una vera e propria "fusione" tra ambito militare e civile, hanno attribuito un posto di primo piano alla ricerca biologica, e la mano armata del governo cinese, l'Esercito di Liberazione Popolare Cinese, gioca il ruolo di principale attore nello sviluppo e nello sfruttamento di tali ricerche[2].

In pochi anni, con strategie precise e grazie alla promozione di programmi di ricerca internazionale condivisi con diversi gruppi provenienti da Francia (Università di Lione), Canada, Germania, Australia, Regno Unito e Stati Uniti, e avviati principalmente dopo l'epidemia della SARS negli anni 2002-2004, il laboratorio P4 di Wuhan è diventato un punto di riferimento strategico per scienziati, ricercatori, biologi, virologi e genetisti, finanziati anche da importanti case farmaceutiche, di tutto il mondo.

Così, il Wuhan Institute of Virology è diventato in poco tempo il "carrefour" degli interessi industriali e biotecnologici, nazionali ed internazionali, il centro di interessi finanziari e il campo di gara di una competizione scientifica senza pari per riuscire ad ottenere fondi di ricerca e risultati unici. L'Istituto di virologia di Wuhan è l'esperimento riuscito della strategia di fusione tra

---

n. 1 (march 11, 2011), pp. 31-40 [doi.org/10.1089/bsp.2010.0060]. L'autore di questo articolo, Yanzhong Huang, è docente presso la School of Diplomacy and International Relations della Seton Hall University di South Orange, New Jersey, dove dirige il Center for Global Health Studies, un centro risorse su questioni relative a salute, governance e sicurezza globale. È anche senior fellow per il Global Health Program presso il Council on Foreign Relations (CFR) di New York.

[2] Per certi versi la strategia seguita dalla Cina è simile a quella del DARPA (Defense Advanced Research Project Agency), un'agenzia del Dipartimento della Difesa degli Stati Uniti per lo sviluppo di nuove tecnologie per uso militare. Ma certamente gli obiettivi e i risultati raggiunti dai cinesi sono più importanti dal punto di vista strategico, soprattutto in virtù della "contaminazione" tra militare e civile.

pubblico e privato, tra militare e civile, una realtà di grande interesse anche per le forze armate, che hanno iniziato a fare ingenti investimenti perseguendo priorità strategiche che cancellano ogni paradigma tradizionale in materia militare[3].

Droni, armi ad energia diretta, intelligenza artificiale, tecnologia quantica, biologia, neuroscienze: sono queste le nuove frontiere della strategia militare cinese. A riprova di questi nuovi panorami dell'innovazione militare in Cina esiste una vasta letteratura[4]. L'Esercito Popolare di Liberazione cinese punta molto sulle ricerche di carattere militare nel campo biologico, non trascurando altre discipline, come quelle poco sopra indicate, comprese le neuroscienze. Dal 2016, la Commissione Militare Centrale ha finanziato progetti di ricerca sulle neuroscienze, sui sistemi biomimetici avanzati, sui materiali biologi-

---

[3] Alle cinque tradizionali aree paradigmatiche della guerra (terra, mare, aria – squisitamente militari – alle quali più recentemente si sono aggiunte la dimensione dello spazio e quella cyber – quest'ultima connessa con le comunicazioni/trasmissioni), ne sono state aggiunte altre due di competenza più politica che militare: l'economia e l'educazione. Ora, nel linguaggio del politicamente corretto, queste due dimensioni (economica ed educativa) vengono caratterizzate semplicemente come "concorrenza". Sui sette domini del warfare rimando all'articolo *Seven-Domain Warfare: What Would Mahan Think?*, in «U.S. Naval Institute Blog», 25 giugno 2019 [https://blog.usni.org/posts/2019/06/25/seven-domain-warfare-what-would-mahan-think].

[4] Il generale Zhang Shibo, ex presidente della National Defense University, ora in pensione, afferma in un suo libro, *New Highland of War* (National Defense University Press, 2017) che "lo sviluppo della moderna biotecnologia sta gradualmente mostrando forti segni caratteristici di una capacità offensiva", inclusa la possibilità di impiego di "specifici attacchi genetici etnici". O ancora, nell'edizione del 2017 di *Science of Military Strategy*, pubblicato dalla National Defense University dell'Esercito di Liberazione Popolare cinese (PLA *People's Liberation Army*), si fa riferimento alla biologia come a un dominio della lotta militare, sottolineandone il potenziale per nuove tipologie di guerra biologica.

ci e biomimetici, sul miglioramento delle prestazioni umane e sulle biotecnologie[5].

La Cina non solo ha compreso l'importanza e il potenziale delle biotecnologie, ma anche la necessità di promuovere la ricerca, incentivando sinergie strategiche tra industria, istituzioni accademiche ed esercito, favorendo collaborazioni internazionali e importando tecnologie da altri Paesi. Un esempio, fra i tanti, è l'apprendimento e lo sviluppo della tecnica CRISPR-Cas, utilizzata per l'editing genetico. La ricerca della Repubblica Popolare Cinese nel CRISPR è rapidamente progredita in studi clinici che utilizzano queste tecniche sugli animali e sull'uomo, anche perché in Cina la normativa in materia ha maglie molto larghe[6]. Attualmente negli ospedali cinesi sono in corso 14 sperimentazioni CRISPR per la cura del cancro[7] e l'Esercito Popolare di Liberazione Cinese, insieme con l'Accademia delle Scienze Mediche Militari, è coinvolto in 5 di queste 14 sperimentazioni[8].

I rapidi progressi nella ricerca stanno contribuendo a una radicale trasformazione della capacità difensiva ed offensiva della Cina: lo sviluppo della biotecnologia, infatti, non solo rappresenta una forte chance per rispondere alle minacce biologiche

---

[5] Cfr. The *"13th Five-Year" Special Plan for S&T Military-Civil Fusion Development*, traduzione inglese a cura del CSET (Center for Security and Emerging Technology) 24 giugno 2020 [https://cset.georgetown.edu/research/the-13th-five-year-special-plan-for-st-military-civil-fusion-development/].

[6] "Non è un caso che il governo cinese sia in prima linea nel progresso della medicina, e in pericolose lacune etiche": YANGYANG CHENG, *China Will Always Be Bad at Bioethics*, in «Foreign Policy», 23 aprile 2018 [https://foreignpolicy.com/2018/04/13/china-will-always-be-bad-at-bioethics/].

[7] *Study of PD-1 Gene-knocked Out Mesothelin-directed CAR-T Cells With the Conditioning of PC in Mesothelin Positive Multiple Solid Tumors* [https://clinicaltrials.gov/ct2/show/study/NCT03747965].

[8] Cfr. [https://clinicaltrials.gov/ct2/results?cond=&term=CRISPR&cntry=CN&state=&city=&dist=].

che possono arrivare dall'esterno (le infezioni provenienti dall'Africa, ad esempio, dove la Cina ha investito molto) ma è anche una grande opportunità per accrescere il proprio potenziale offensivo.

Come dicevo, abbiamo una vasta letteratura in merito all'interesse della Cina per lo sviluppo delle biotecnologie in ambito militare, letteratura proveniente in special modo da importanti esponenti dell'esercito.

Il colonnello Guo Jiwei, docente presso la Terza Università Medica Militare del PLA, è coautore di un libro intitolato *War for Biological Dominance*. In questo saggio egli spiega il concetto di *"zhishengquan"*, che potremmo tradurre come *"dominio biologico"* o *"comando / supremazia della biologia"*[9].

Il generale maggiore He Fuchu, ex presidente dell'Accademia delle Scienze Mediche Militari (AMMS) e ora vice presidente dell'Accademia delle Scienze Militari, è un convinto sostenitore della necessità di militarizzare lo studio delle biotecnologie. Afferma che le moderne biotecnologie e nanotecnologie, se gestite correttamente dal punto di vista comunicativo, avranno una influenza rivoluzionaria sull'uso delle armi, sul combattimento, sulle diverse tipologie di guerra e teorie militari[10].

L'interesse militare non è il solo a giustificare lo sviluppo della ricerca e del laboratorio di Wuhan. La Cina ha, infatti, anche

---

[9] Sulla traduzione e l'interpretazione del termine rimando a: YI BIYI – LI XIANG – HUANG SHILIANG – LEI ERQING, *Concept research of Zhishengquan*, in «Bulletin of the Academy of Military Medical Sciences, n. 1 (2018) [http:// caod.oriprobe.com/articles/53749642/Concept_research_of_Zhisheng quan.htm].

[10] Cfr. ELSA KANIA – WILSON VORNDICK, *China's Military Biotech Frontier: CRISPR, Military-Civil Fusion, and the New Revolution in Military Affairs*, in «China Brief», vol. 19, n. 18 (october 8, 2019) [https://jamestown.org/program/ chinas-military-biotech-frontier-crispr-military-civil-fusion-and-the-new-revolution-in-military-affairs/].

l'ambizione di creare un polo internazionale farmacologico per la produzione di vaccini, stringendo, anche in questo contesto, alleanze e collaborazioni estere, come ad esempio, seppur indirettamente, con la Fondazione Gates.

La Bill & Melinda Gates Foundation che promuove da tempo una strategia mondiale al fine di combattere la povertà e sviluppare nuovi vaccini, non solo supporta il Centro di Malattie Infettive dell'NIH statunitense, non solo è uno dei maggiori sponsor privati dell'Organizzazione Mondiale della Sanità, ma finanzia, tra le varie altre, anche una piccola fondazione del Regno Unito, la Pirbright Foundation, specializzata nella ricerca sui vaccini zootecnici, in particolare quelli dei polli e dei suini. A Wuhan, nella struttura del gruppo Boehringer Ingelheim, azienda farmaceutica operante in tutto il mondo, è presente, per la ricerca sui coronavirus dei polli e dei suini, anche il Pirbright Institute.

Wuhan è diventato oggi un grande "hotspot" della ricerca internazionale. Il governo cinese ha finalmente raggiunto il suo obiettivo: creare il suo primo laboratorio P4 nazionale, che dispone di un'enorme biobanca con campioni di virus di ogni genere; realizzare una strategia globale, che prevede la formazione di nuove generazioni di ricercatori, che studiano e fanno esperienza nei Paesi occidentali, apprendendo nuove tecniche che riportano poi in dote al loro Paese.

Possiamo quindi considerare il laboratorio di Wuhan uno straordinario strumento per realizzare gli obiettivi civili e militari della Repubblica Popolare Cinese. Una strategia che non può essere certo biasimata, considerando il suo grande impegno politico nel panorama mondiale, insieme a Stati Uniti, Russia, India, Europa e la forte espansione imprenditoriale impressa dalla globalizzazione. La Cina è obbligata ad intensificare la sua attività d'intelligence e, entro certi limiti, lo sviluppo della strategia di *biological warfare* o guerra biologica.

Per capire il significato di guerra biologica, occorre rendersi conto di come è cambiato il concetto di armi biologiche. Fino a qualche anno fa le armi biologiche venivano classificate in relazione al danno che potevano produrre sull'uomo. Tra queste erano comprese anche quelle di natura tossicologica. Oggi nella classificazione delle armi biologiche si presta attenzione invece al vettore patogeno, che ha sue caratteristiche peculiari che possono essere indipendenti dagli effetti sul target che si vuole colpire. In passato le armi biologiche venivano classificate in relazione all'effetto biologico prodotto sul target, oggi vengono classificate in relazione alla struttura biologica dell'agente patogeno killer che ha un effetto specifico sull'uomo. Un saggio sulle armi biologiche, a firma di Zygmunt F. Dembek e coll.[11], pubblicato in un libro intitolato *Medical Aspects of Biological Warfare*, chiarisce quali proprietà fondamentali debba avere un agente patogeno geneticamente modificato per la guerra biologica. Un patogeno per poter essere selezionato come possibile vettore biologico militare deve, infatti, rispondere ad alcune caratteristiche essenziali: a) essere un microorganismo, raro, insolito o unico, che causa una malattia (nel nostro caso un virus sconosciuto della famiglia dei coronavirus è patogeno per l'uomo); b) non lasciare alcuna traccia epidemiologica nota o documentata, cioè nessuna idea chiara sulla fonte; c) possedere un'insolita distribuzione e/o selettività geografica; d) avere sorgenti multiple di infezione contemporanee e/o a tempo scalare.

---

[11] Zygzmunt F. Dembek – Julie A. Pavlin – Martina Siwek – Mark G. Kortepeter, *Epidemiology of Biowarfare and Bioterrorism*, in *Medical Aspects of Biological Warfare*, senior editors: J. Bozue – C.K. Cote – P.J. Glass, Office of the Surgeon General, Borden Institute, US Army Medical Department Center and School, Health Readiness Center of Excellence, Fort Sam Houston, Texas 2018, pp. 37-69.

Nella premessa al libro *Dui Quanqiu Hua Shidai Zhanzheng yu Zhanfa de Xiangding* [Warfare Beyond Rules: Judgment of War and Methods of War in the Era of Globalization] scritto da Qiao Liang e Wang Xianghui, curato da Chao Xian Zhan e pubblicato da People's Liberation Army Art Press nel febbraio 1999, si afferma che, se la Cina fosse costretta a difendersi da minacce esterne dovrebbe ricorre anche a mezzi che permettono di fare una guerra "oltre ogni limite". Il concetto di guerra "oltre ogni limite" espande la definizione classica di guerra, si spinge oltre le regole comunemente accettate. La Cina, si legge in questo libro, non dovrebbe esitare, qualora fosse costretta a difendersi, ad usare tutti gli strumenti che ha a disposizione, comprese le armi "non consentite" dal diritto internazionale, come le armi chimiche e biologiche.

Nel libro *War for Biological Dominance*, già citato, Guo Jiwei sottolinea l'importanza che avrà la biologia sulle guerre future, evidenziando il declino del pensiero militare tradizionale e tracciando le linee delle nuove strategie militari, in particolar modo quelle che prevedono conflitti combattuti su campi "invisibili", come nel caso della guerra biologica.

L'Istituto di virologia di Wuhan, sotto l'egida dell'Accademia delle Scienze cinese, ospita il Wuhan National Biosafety Laboratory (Laboratorio nazionale di biosicurezza), l'unico sito in Cina con sicurezza P4.

Il laboratorio, designato anche come laboratorio di ricerca dell'OMS, nasce per assecondare l'esigenza del governo cinese di dar vita a un sistema nazionale di laboratori di biosicurezza di alto livello per prepararsi a rispondere ad eventuali futuri focolai di malattie infettive[12].

---

[12] NATIONAL DEVELOPMENT AND REFORM COMMISSION OF PEOPLE'S REPUBLIC OF CHINA, *The planning (year 2016–2025) for the construction of high-level biosafety laboratory system*, [http://www.ndrc.gov.cn/zcfb/zcfbtz/201612/t20161220_830455.html].

Per costruire il laboratorio sono stati osservati tutti gli standard di sicurezza nazionali ed internazionali, compresi quelli relativi alla preparazione del personale.

Durante la costruzione, le persone candidate a svolgere attività di ricerca e a lavorare nel laboratorio, hanno potuto visitare i laboratori francesi, statunitensi e australiani, ricevendo la formazione necessaria per operare in ambienti ad alta sicurezza P4[13].

Dopo due anni di test, il laboratorio Wuhan BSL-4 ha superato una lunga serie di valutazioni, ricevendo finalmente, nel gennaio del 2017, dal servizio di accreditamento nazionale cinese per la valutazione della conformità, la certificazione rispondente al più alto standard di biosicurezza[14].

Nell'agosto del 2017, la National Health Commission of China ha approvato lo svolgimento di attività di ricerca sul virus Ebola. Nel 2019 il team di Wuhan presenta il programma di formazione dettagliato per gli operatori nel Laboratorio P4[15]. Da quel momento, quindi, la nuova struttura BSL-4 di Wuhan ha tutte le carte in regola per svolgere un lavoro di ricerca nel campo della prevenzione e del controllo degli agenti altamente patogeni per l'uomo.

---

[13] Quattro membri dello staff di Wuhan hanno visitato il laboratorio Jean Mérieux-Inserm P4 di Lione, Francia; due hanno visitato il Galveston National Laboratory, Texas, Stati Uniti; e uno ha visitato l'Australian Animal Health Laboratory, Geelong, Australia, per la formazione e la certificazione delle operazioni di laboratorio BSL-4, manutenzione e lavori scientifici o di supporto. Questi membri sono ora i principali istruttori del programma di formazione per utenti di laboratorio BSL-4.

[14] DAVID CYRANOSKI, *Inside the Chinese lab poised to study world's most dangerous pathogens*, in «Nature», vol. 542 (February 23, 2017), pp. 399-400 [doi: 10.1038/nature.2017.21487].

[15] HAN XIA – YI HUANG – HAIXIA MA – BOBO LIU – WEIWEI XIE – DONGLIN SONG, et al., *Biosafety Level 4 laboratory user training program*, in «Emerging Infectious Diseases Journal», vol. 25, n. 5 (may 2019) [doi.org/10.3201/eid2505.180220].

La Cina ha inoltre dichiarato di possedere una seconda struttura, il Wuhan Institute of Biological Products, un istituto che fa parte delle 4 strutture di ricerca sulla guerra biologica, sotto il controllo del Ministero della Difesa che, teoricamente, dovrebbe sottostare alla regolamentazione della Convenzione sulle armi biologiche cui la Cina ha aderito, senza mai sottoscrivere, nel 1984.

Questo laboratorio è collocato a sua volta all'interno del Wuhan National Biosafety Laboratory, quindi ricerca civile e militare vengono svolte all'interno dello stesso laboratorio.

Il laboratorio di Wuhan, al centro di una rete di laboratori P4, svolge ricerche su virus potenzialmente patogeni per l'uomo, sia nel campo biomedico che in quello delle armi biologiche. Ora, considerando che chi accusa la Cina di inadempienze legate alla sicurezza all'interno del laboratorio di Wuhan ha anche aiutato i cinesi a costruirlo, fornendo loro la formazione necessaria, la tecnologia e da ultimo il riconoscimento internazionale, occorre chiedersi perché si indugi ancora ad istituire una commissione di indagine internazionale che verifichi concretamente gli standard e le procedure di sicurezza approvate in precedenza; che faccia chiarezza su quello che è accaduto nel laboratorio, avviando poi una cooperazione internazionale – a mio giudizio essenziale – che abbia come obbiettivo quello di formulare un accordo tra gli Stati, considerando anche le realtà pubbliche e private, e porre una volta per tutte regole chiare alle attività svolte in laboratori come quello di Wuhan.

È del 24 luglio 2020, mentre mi accingo a licenziare questo libro alle stampe, una notizia molto importante che riguarda il laboratorio di Wuhan. Un giornalista di *The Klaxon*, Anthony Klan, riferisce di un accordo triennale segreto siglato tra la Cina e il Pakistan per l'espansione e lo sviluppo del loro potenziale nel settore delle armi biologiche[16]. Le informazioni giungono dai servizi di intelligence indiani e australiani e la notizia è stata rilanciata dai principali media televisivi indiani e asiatici, come *China in Focus*[17]. L'accordo si inquadra nella strategia che intende accrescere il potenziale offensivo contro l'India e i Paesi occidentali. "Il laboratorio di Wuhan ha firmato un accordo segreto con l'Organizzazione scientifica e tecnologica della Difesa del Pakistan (DESTO) per collaborare alla ricerca sulle 'malattie infettive emergenti' e agli studi avanzati sul controllo biologico della trasmissione di queste malattie. Il programma, interamente finanziato dalla Cina, è stato formalmente nominato *Collaboration for Emerging Infectious Diseases and Studies on Biological Control of Vector Transmitting Diseases*".

L'accordo permetterà alla Cina di continuare a compiere indisturbata i suoi esperimenti sulle armi biologiche in un Paese, come il Pakistan, che ha ratificato la Convenzione sulle armi biologiche. La farsa è finita. Il laboratorio di Wuhan, dopo aver ottenuto dall'OMS il label di laboratorio di massima sicurezza P4, adesso può ufficialmente – e impunemente – svolgere la sua attività di ricerca sulle armi biologiche.

---

[16] *China entered covert deal with Pakistan military for bio-warfare capabilities against India, Western countries: Report*, in «The Times of India», 24 luglio 2020 [https://timesofindia.indiatimes.com/india/china-entered-covert-deal-with-pakistan-military-for-bio-warfare-capabilities-against-india-western-countries-report/articleshow/77139556.cms?utm_source=content ofinterest&utm_medium=text&utm_campaign=cppst].

[17] Cfr. CHINA IN FOCUS (canale YouTube), *Wuhan lab signs deal to expand potential bio-warfare abilities; Regime takeover shows CCP infighting* [https://www.youtube.com/watch?v=e9kIj_B8iLU]; cfr. anche WION (canale YouTube), *Gravitas: China-Pakistan "secret deal" to build bioweapons* [https://www.youtube.com/watch?v=WFBiGm9rRnA].

CAPITOLO IV

LA VERA STORIA
DI UN DISASTRO ANNUNCIATO

Scambi di accuse tra Cina e Stati Uniti

Tra febbraio e aprile 2020 i media internazionali occidentali ed asiatici diffondono dichiarazioni riconducibili all'amministrazione USA, da un lato, e alla Cina – Forze armate e Partito Comunista Cinese – dall'altro.

La prima dichiarazione è del 3 febbraio 2020. Il sito web militare cinese Xilu.com[1] ipotizza che il virus di Wuhan sia stato "confezionato" dall'uomo (*man-made*), accusando gli Stati Uniti di aver creato un'arma biologica (*bioweapon*). Il 21 gennaio 2020 lo stesso sito trasmette un video, in lingua cinese, senza sottotitoli in lingua inglese, in cui si cita uno studio dei ricercatori cinesi Pei Hao, Wu Zhong e Xuan Li (Wu Zhong fa parte della Academy of Military Medical Sciences) successivamente pubblicato sulla rivista *Science China – Life Science* nel marzo 2020[2].

Il filmato viene poi ritrasmesso il 3 febbraio 2020 dal gruppo sino-americano gnews.org che aggiunge i sottotitoli in inglese.

---

[1] Cfr. [http://m.xilu.com/vi/1000010001119697.html].

[2] XINTIAN XU – PING CHEN – JINGFANG WANG – JIANNAN FENG – HUI ZHOU – XUAN LI – WU ZHONG – PEI HAO, *Evolution of the novel coronavirus from the ongoing Wuhan outbreak and modeling of its spike protein for risk of human transmission*, in «Science China – Life Science», vol. 63, n. 3 (march 2020), pp. 457-460 [doi.org/10.1007/s11427-020-1637-5].

Nel video si afferma che il virus è stato creato in laboratorio e che si tratta di un grave atto contro l'umanità. Il gruppo gnews. org appartiene al magnate cinese Miles Guo che firma un editoriale di presentazione al documento, in cui dichiara che il virus è stato creato dal prof. Deyin Guo su ordine del Partito Comunista Cinese, facendo riferimento in particolar modo a Wang Qishan, vicepresidente del Partito del Popolo Cinese. In un successivo reportage gnews.org ipotizza che il virus sia stato "fabbricato" per essere usato contro la rivolta studentesca di Hong Kong.

Anche per gli Stati Uniti il virus è una creazione umana ed è stato prodotto, secondo alcune fonti, nel laboratorio di Wuhan.

Mike Pompeo, il 3 maggio 2020, durante il programma dell'ABC *This Week*, afferma che il virus proviene dal laboratorio di Wuhan[3].

Il sito di informazione *Asia Times*, attingendo da informazioni dell'intelligence americana frutto di "osservazioni" satellitari, riferisce di un evento pericoloso (*hazardous event*) che si è verificato nel Laboratorio di Wuhan tra il 6 e l'11 ottobre 2020[4], causando un blackout dei cellulari all'interno del laboratorio e nelle immediate vicinanze.

Occorre sottolineare che dal 18 al 27 ottobre a Wuhan si sono celebrati i Giochi Militari mondiali. Al ritorno in patria, alcune delegazioni (Francia, Italia, Svezia, Spagna) riferiscono che una grave forma influenzale ha colpito diversi atleti[5].

---

[3] «I can tell you there is a significant amount of evidence that this came from that laboratory in Wuhan. The best experts so far seem to think it was man-made»: cit. da [https://www.wuhanupdate.com/china/pompeo-continues-to-assert-virus-was-man-made-despite-us-intelligence-statement-to-the-contrary-86208484].

[4] DAVE MAKICHUK, *Intelligence agencies probe "hazardous event" at Wuhan lab*, in «Asia Times», may 18, 2020 [https://asiatimes.com/2020/05/intelligence-agencies-probe-hazardous-event-at-wuhan-lab/].

[5] Radio Free Asia (RFA) afferma che la campionessa mondiale di penta-

Entrambe le super potenze, accusandosi reciprocamente, riconoscono e confermano che il virus del Covid-19 è un prodotto umano. Entrambe confessano delle verità e dicono delle bugie.

Ciò che trapela sul Covid-19 deve essere letto in un'ottica politica, considerando equilibri internazionali che improvvisamente vacillano e devono trovare una nuova stabilità, alla luce dei difficili rapporti economici tra gli Stati Uniti e la Cina, nel quadro della globalizzazione mondiale.

Il consenso scientifico internazionale, salvo qualche eccezione anche molto autorevole, e quasi tutti i media affermano che il Covid-19 ha origini naturali, aggiungendo che il virus ha subito vari cambiamenti fino ad arrivare alla forma infettiva finale, seguendo un processo naturale. L'origine selvaggia del virus, come vedremo, teoricamente può essere frutto di una complessa sequenza di eventi naturali, accaduti in un lasso di tempo molto lungo, ma anche il risultato di un lavoro svolto in laboratorio con l'utilizzo dell'ibridazione classica, attraverso una procedura sequenziale, una complessa implementazione di tecniche virologiche che consente, partendo da un virus naturale e usando pro-

---

thlon, la francese Elodie Clouvel, si è ammalata insieme al suo fidanzato e ad altri atleti francesi. Recentemente la Clouvel è stata visitata da un medico militare che le avrebbe detto di avere forse contratto il Covid-19. La RFA riferisce che la stessa cosa è accaduta all'ex olimpionico italiano di scherma Matteo Tagliariol e ad altri atleti che soggiornavano con lui nella stessa camera (fonte: [https://www.taiwannews.com.tw/en/news/3932712]). Cfr. anche: *Jeux Mondiaux Militaires. «Pas de sens» de dépister les athlètes aujourd'hui, selon l'Armée*, in «Ouest France», 12 maggio 2020 [https://www.ouest-france.fr/sport/jeux-mondiaux-militaires-pas-de-sens-de-depister-les-athletes-aujourd-hui-selon-l-armee-6832729]; *Coronavirus: des sportifs belges ont-ils été contaminés lors des Jeux mondiaux militaires? Le CHU de Liège met à l'épreuve cette hypothèse*, in «Rtbf.be», 12 maggio 2020 [https://www.rtbf.be/info/societe/detail_coronavirus-des-sportifs-belges-ont-ils-ete-contamines-lors-des-jeux-mondiaux-militaires-le-chu-de-liege-met-a-l-epreuve-cette-hypothese?id=10500036].

cedure standard di replicazione, di analizzarne la patogenicità ed altre caratteristiche e proprietà fondamentali, estrapolandole.

Ciò premesso conviene ricostruire la dinamica temporale e poi scientifica di quello che è accaduto a Wuhan indicandone i principali attori e cercando di far luce sull'evento che sta cambiando la storia del mondo.

Quando scoppia l'epidemia in Cina?

Quando si verifica un'epidemia improvvisa, di origine ignota, i medici, che generalmente osservano i primi pazienti e comprendono di trovarsi di fronte a qualcosa di sconosciuto, hanno l'obbligo di comunicarlo alle autorità competenti; questa è la procedura standard che occorre osservare in questi casi.

I medici che hanno visitato i primi pazienti a Wuhan sono stati un oftalmologo, il dott. Li Wenliang, e una pneumologa, la dott.ssa Ai Fen.

La dott.ssa Ai Fen, direttrice del Dipartimento di Emergenza del Central Hospital di Wuhan, visita il primo paziente, che forse ha frequentato il famoso mercato di Wuhan, 18 dicembre 2019. Il 27 dicembre 2019 visita il secondo paziente, che non ha alcuna relazione con il mercato. Il dott. Li Wenliang il 30 dicembre 2019 riceve la cartella clinica del secondo paziente visitato dalla Ai Fen che evidenzia la positività al SARS coronavirus, informando lo stesso giorno via chat i suoi colleghi di quello che sta accadendo. L'8 gennaio contrae il virus; muore il 7 febbraio 2020.

Le storie della dott.ssa Ai Fen e del dott. Li Wenliang sono ormai ben note. Persino sui loro profili Wikipedia si possono trovare tutte le informazioni relative alla vicenda di Wuhan[6].

---

[6] Sul dott. Li Wenliang, cfr. anche ANDREW GREEN, *Li Wenliang*, in «The Lancet», vol. 395, n. 10225 (february 29, 2020), p. 682 [doi.org/10.1016/ S0140-6736(20)30382-2].

I malati, oltre ad accusare difficoltà respiratorie, presentavano congiuntiviti di origine sconosciuta, non vi era riscontro di tale patologia in nessun caso clinico già noto.

La dott.ssa Ai Fen ha subito capito che si trovava di fronte a qualcosa di nuovo, a una sindrome respiratoria molto particolare che non rispondeva alle caratteristiche cliniche di altri casi conosciuti con sindromi respiratorie gravi. Vale la pena ricordare a tal proposito un'importante curiosità: la dott.ssa Ai Fen, formulando la richiesta per gli esami ematologici, traccia un cerchio a penna evidenziando la parola SARS. Ricevuti i risultati degli esami richiesti, ove risulta che il paziente è positivo, informa subito i suoi più stretti collaboratori, tra cui anche il dott. Li Wenliang che a sua volta informa lo staff del grave pericolo di contagiosità, notando, nei pazienti che lui sta curando, la "strana" congiuntivite riconducibile ad un'infezione causata da una forma atipica di SARS.

Il dott. Li Wenliang, come abbiamo detto, è morto; la dott.ssa Ai Fen è sparita nel nulla, nessuno riesce più a contattarla, forse perché per prima ha denunciato alle autorità locali quello che era accaduto?

Si presume che i primi casi di Covid-19 si siano verificati nell'autunno del 2019. Un primo caso (quello della dott.ssa Ai Fen è il secondo) è stato registrato a novembre e non è legato in alcun modo al mercato di Wuhan, poiché il paziente non aveva mai frequentato la città. Lo evidenzia uno studio pubblicato su *The Lancet* il 15 febbraio 2020[7]. Questo paziente era quindi un caso isolato. Non sono legati al mercato di Wuhan neanche 13 su

---

[7] CHAOLIN HUANG – YEMING WANG – XINGWANG LI – LILI REN – JIAN-PING ZHAO – YI HU, et al., *Clinical features of patients infected with 2019 novel coronavirus in Wuhan, China*, in «The Lancet», vol. 395, n. 10223 (february 15, 2020), pp. 497-506 [doi.org/10.1016/S0140-6736(20)30183-5].

41 casi (27 su 41 avevano frequentato il mercato di Wuhan)[8] che potremmo definire sporadici, non legati al *cluster* del mercato di Wuhan, il che fa pensare a una via di trasmissione diversa da quella che è stata fornita come spiegazione ufficiale.

Quando i ricercatori internazionali hanno cominciato a comparare le linee genetiche dei diversi campioni di virus hanno evidenziato che la sequenza del SARS-CoV-2 indicava la sua origine nel mese di novembre: quindi il primo caso si ipotizza sia avvenuto fra il 22 e il 24 novembre 2019, o forse anche prima.

A tal proposito occorre ricordare due episodi, accennati poco sopra, che sono a mio avviso indizi significativi per cercare di comprendere quando è iniziata l'epidemia cinese.

Mi riferisco alle informazioni dell'intelligence americana in cui si parla di un evento pericoloso, accaduto nel laboratorio di Wuhan tra il 6 e l'11 ottobre 2019, che ha causato il blackout dei cellulari e ai giochi militari mondiali che si sono tenuti a Wuhan dal 18 al 27 ottobre 2019, nei quali molti atleti si sono ammalati.

A questi due indizi occorre aggiungerne un terzo: la segnalazione di un focolaio scoppiato a Harbin, capitale dello Heilongjiang. Harbin si trova al confine con la Russia, non lontano da Pechino. In questa città scoppia un focolaio epidemico che si sviluppa fra novembre e dicembre, con un *lockdown* che viene dichiarato a gennaio e ripristinato a fine marzo[9]. La vicinanza di

---

[8] «27 (66%) of 41 patients had been exposed to Huanan seafood market»: in *ibid.*

[9] Ad Harbin si trova l'Harbin Veterinary Research Institute (HVRI) che dipende dall'Accademia Cinese delle Scienze Agricole (CAAS). Questo Istituto ospita un laboratorio statale di biotecnologia veterinaria, una divisione per l'Influenza animale e altri agenti patogeni e di zoonosi sotto l'egida della FAO. L'Istituto fa parte del Consiglio Direttivo Scientifico dell'Istituto di Virologia di Wuhan.

SD1Vq2FLbd

D1Vq2FLbd/-1 of 1-/pri-intl-eu-na-ag/D A1

Grazie
per il tuo
acquisto
su
amazon.it!

Ricevuta d'acquisto

Il tuo ordine del 11 agosto 2020
Ordine numero 406-4375547-6031550

Ricevuta numero D1Vq2FLbd
Data di spedizione 26 agosto 2020

Qta	Articolo	Posizione
1	**Cina Covid 19. La chimera che ha cambiato il mondo** Copertina flessibile. Tritto, Joseph. 8868798905 ; 8868798905; 9788868798901	

Questa spedizione conclude il tuo ordine.

Conserva questa ricevuta per richiedere assistenza e garanzia.
Puoi visualizzare o cambiare lo stato dell'ordine online visitando la sezione "Il mio account" del nostro sito.

Vuoi restituire un articolo? USA IL NOSTRO SERVIZIO RESI ONLINE

Il nostro servizio resi (www.amazon.it/resi) ti guidera passo passo e ti ca iscrivi di stampare un'etichetta per la spedizione. Per evitare prendi nota del numero d'ordine (che trovi sopra l'elenco degli articoli). La nostra politica dei resi rispetta tutti i vincoli di legge.

0/D1Vq2FLbd/-1 of 1-//CC-UPS-INTL H1/pri-intl-eu-na-ag/0/0826-09:15/0826-04:52 Pack Type : A1

Harbin con la capitale cinese può far pensare che i casi registrati a Harbin siano collegati ai pochi casi di Pechino.

Il ruolo dell'Organizzazione Mondiale della Sanità

Di fatto, dopo le prime denunce, è successo qualcosa in Cina che ha tragicamente interrotto la linea di trasmissione delle informazioni, per cui l'Organizzazione Mondiale della Sanità è stata allertata molto, troppo tardi.

Il ritardo con il quale la Cina comunica all'OMS l'inizio dell'epidemia non è di soli 6 giorni, come è stato più volte affermato. A confermarlo ci sono, infatti, le informazioni cliniche fornite dal dott. Li Wenliang e della dott.ssa Ai Fen.

Le autorità locali hanno perso molto tempo a trasmettere alle autorità centrali le notizie relative alle patologie sospette e ciò è accaduto per vari motivi. Alcuni motivi riguardano il sistema cinese, molto burocratico; altri si possono comprendere solo se si considera il fatto che le autorità, con ogni probabilità, volessero tenere nascosta la fuga del virus dal laboratorio P4 di Wuhan. Quando però le autorità locali hanno constatato l'espandersi dell'epidemia, con il ricovero di molti pazienti in ospedale, sono state obbligate a comunicare all'autorità centrale quello che stava accadendo. Le autorità centrali a quel punto hanno inviato degli ispettori; tutto ciò è iniziato a fine novembre. A dicembre registriamo i primi casi ancora sporadici; a gennaio assistiamo ad un aggravarsi della situazione con il ricovero di pazienti gravi che hanno bisogno della terapia intensiva; a gennaio scatta l'allarme delle autorità centrali che inviano gli ispettori a Wuhan. La prima misura presa dall'autorità centrale, sulla base del report presentato dagli ispettori, è quella di circoscrivere la zona, comunicando all'OMS che si trattava di una malattia epidemica para influenzale, che la situazione era sotto controllo e che non destava preoccupazione. L'OMS considera vere queste informazioni e decide di non inviare un'equipe in loco per verificare quello che stava accadendo, fidandosi delle informazioni fornite dalla Cina.

L'Agenzia federale tedesca di intelligence esterna, il Bundes-nachrichtendienst (BND), riferisce, secondo il *Der Spiegel*, che Pechino ha esercitato pressioni sull'OMS affinché si ritardasse il più possibile la divulgazione della notizia, evitando di dire che a Wuhan era scoppiata un'epidemia. "In una telefonata del 21 gennaio 2020, il presidente cinese Xi Jinping ha chiesto al capo dell'OMS Tedros Adhanom Ghebreyesus di non divulgare tem-poraneamente le informazioni sulla trasmissione del virus da uomo a uomo e di procrastinare il più possibile l'allarme pande-mia". L'Organizzazione Mondiale della Sanità ha smentito que-sta telefonata[10].

Il presidente cinese Xi Jinping chiama Trump (probabilmente il 23 o 24 gennaio) rassicurandolo sul fatto che la situazione è sotto controllo. Trump twitta che ha ricevuto rassicurazioni da Xi Jinping, elogiando (*"praised"*) per ben 15 volte la Cina.

Nuovamente il 7 febbraio 2020, mentre il Covid-19 si sta or-mai diffondendo in tutto il mondo, il leader cinese rassicura an-cora una volta il presidente americano dicendo che il suo gover-no è fiducioso ed è in grado di sconfiggere l'epidemia[11].

La Cina ha formalmente notificato agli Stati Uniti l'*outbreak* a inizio gennaio. Durante un briefing alla Casa Bianca, il 20 marzo, il segretario alla Salute e ai Servizi umani Alex Azar dichiara che i funzionari americani erano stati avvisati del virus il 3 gennaio 2020 in seguito a dei colloqui intercorsi tra il direttore della CDC

---

[10] *WHO Denies COVID-19 'Cover-Up Call' Between Xi Jinping & Dr Tedros*, in «The Quint», 10 maggio 2020 [https://www.thequint.com/news/world/coronavirus-who-denies-xi-jinping-called-tedros-to-delay-global-warning].

[11] *Xi assures Trump China can beat coronavirus outbreak*, in «The Philadelphia Inquirer», 7 febbraio 2020 [https://www.inquirer.com/news/nation-world/xi-jinping-china-trump-call-coronavirus-confidence-20200207.html].

Robert Redfield e il direttore della CDC cinese Dr. Gao. La prima telefonata di Gao a Redfield è dell'1 gennaio 2020, ma Redfield non è disponibile perché è in vacanza con la sua famiglia. Azar ha anche detto al suo capo di gabinetto di assicurarsi che il Consiglio di Sicurezza Nazionale venisse informato[12].

L'ultimo twitter del presidente Trump è del 27 marzo 2020, in cui afferma: "Ho appena terminato un'ottima conversazione con il presidente cinese Xi. Abbiamo parlato approfonditamente del Coronavirus che sta devastando gran parte del mondo. La Cina ha sofferto molto e ha un'approfondita conoscenza del virus. Stiamo lavorando a stretto contatto nel rispetto reciproco!"[13].

Alla luce di quanto detto occorre porsi una domanda: perché l'OMS ha deciso di non inviare immediatamente i suoi ispettori

---

[12] «China formally notified US on the outbreak: At a White House briefing in March 20, Health and Human Services Secretary Alex Azar said officials had been alerted to the initial reports of the virus by discussions between CDC director Robert Redfield and Chinese CDC Director Dr. Gao on Jan. 3. The first call from Gao was on January 1, but Robert Redfield was in vacation with his family. Mr. Azar also told his chief of staff to make sure that the National Security Council was aware that "this (the outbreak) is a very big deal"»: cfr. C-SPAN (canale YouTube), *White House Coronavirus News Conference*, 20 marzo 2020 [https://www.youtube.com/watch?v=Vy1_K76Vjdc]; SHANE HARRIS – GREG MILLER – JOSH DAWSEY – ELLEN NAKASHIMA, *U.S. intelligence reports from January and February warned about a likely pandemic*, «The Washington Post», 21 marzo 2020 [https://www.washingtonpost.com/national-security/us-intelligence-reports-from-january-and-february-warned-about-a-likely-pandemic/2020/03/20/299d8cda-6ad5-11ea-b5f1-a5a804158597_story.html]; MICHAEL D. SHEAR – SHERI FINK – NOAH WEILAND, *Inside Trump Administration, Debate Raged Over What to Tell Public*, in «The New York Times», 7 marzo 2020 [https://www.nytimes.com/2020/03/07/us/politics/trump-coronavirus.html].

[13] «Just finished a very good conversation with President Xi of China. Discussed in great detail the CoronaVirus that is ravaging large parts of our Planet. China has been through much & has developed a strong understanding of the Virus. We are working closely together. Much respect!».

per verificare cosa stava accadendo? Indipendentemente da quello che la Cina ha comunicato, l'OMS avrebbe potuto comunque inviare la sua equipe. Quando l'OMS riceve la comunicazione da parte di uno Stato che nel suo territorio è presente un focolaio di infezione sconosciuto, quantunque minimo e localizzato, come è accaduto per l'Ebola o per altre malattie, l'OMS ha il diritto e il dovere di occuparsi della faccenda, inviando suoi virologi ed esperti che, lavorando sul terreno, accertano e riferiscono all'OMS quanto realmente è accaduto. Rileviamo purtroppo che l'OMS ha perso molto tempo per controllare il reale stato delle cose e che non c'è stata l'attenzione che invece era necessaria.

Anche gli Stati Uniti hanno perso tempo, perché, a parte le informazioni di intelligence di cui ogni Paese dispone, informazioni che ufficialmente conoscono in pochi e di cui certamente il governo americano disponeva, esiste una prassi ufficiale e consolidata che prevede per questo tipo di situazioni una verifica da parte degli organismi dell'ONU eseguita sulla base delle notizie trasmesse dall'OMS.

Tra l'altro vale la pena considerare il fatto che già in occasione dell'epidemia della SARS si era verificato un imperdonabile ritardo nel comunicare l'inizio dell'infezione: in quell'occasione i cinesi avevano avvisato molto tardi l'OMS del primo focolaio di infezione che si era verificato nella zona sud della Cina, a Foshan, nella provincia del Guangdong, nel novembre 2002. Il Guangdong si trova in una zona semitropicale, quindi molto calda e umida, ove esistono specie di pipistrelli che sono dei veri e propri serbatoi del virus che ha causato la SARS. I primi casi epidemici in questa zona risalgono al 16 novembre 2002; la notifica all'OMS viene fatta il 10 febbraio 2003, ben tre mesi più tardi.

L'OMS dipende quindi dalle informazioni che riceve dai Paesi; se i Paesi forniscono informazioni incomplete o in ritardo, l'OMS a sua volta riferirà al resto del mondo notizie incomplete e in ritardo. Non ha alcun potere di intervento o per lo meno è molto limitato. Quando, all'epoca della SARS, l'OMS inviò il suo gruppo di specialisti in Cina, il governo cinese negò ad essi il permesso di recarsi a Foshan. Perché accadde questo? Perché il virus primordiale, il virus selvaggio è quello necessario per creare un vaccino, è quello cosiddetto totipotente, come, per fare un esempio, la *Stem Cell*, la cellula staminale embrionale multipotente. Se si ha a disposizione quel virus è possibile creare un vaccino universale. Diversamente diventa molto più difficile, perché il virus cambia, muta. Si stima mediamente che virus di questo tipo, come del resto quello influenzale, impieghino 6 mesi a mutare, ed è il motivo per cui noi siamo in grado di creare i vaccini influenzali ogni anno preparandoli in anticipo. Ci sono virus che cambiano molto più rapidamente e ciò dipende delle condizioni ambientali e della capacità di replicazione intrinseca al loro RNA o DNA. Per tale ragione è di fondamentale importanza disporre del virus madre.

Il governo locale ha facoltà di decidere se consegnare o meno il campione di virus agli esperti dell'OMS. Se l'OMS avrà a disposizione il virus selvaggio potrà creare un vaccino, ordinarlo alle industrie farmaceutiche e distribuirlo infine a scopo protettivo a tutta la popolazione mondiale ad un costo basso, a un costo "umanitario".

Ma accade sovente che alcuni Stati si comportino diversamente. È prassi che ogni governo, in caso di epidemia, prenda per sé i primi campioni, in modo tale da poter sviluppare il vaccino "in casa". Quando, ad esempio, in Indonesia si sono manifestate delle epidemie di influenza aviaria H5N1[14], il governo indonesiano

---

[14] «Indonesian health officials remained defiant today at the start of a three-day meeting with the World Health Organization, saying Indonesia refused to share its H5N1 bird flu samples with the organization's researchers unless their country is guaranteed affordable access to vaccines»: PETER GELLING, *In-*

si è rifiutato di consegnare il virus selvaggio dell'H5N1, poiché, trovandosi sul suo territorio, apparteneva all'Indonesia che aveva così il diritto di creare un vaccino per poi venderlo all'OMS o a terzi. Nel 2009-2010 è scoppiata la pandemia di influenza suina, concentrata soprattutto in America. La suina ebbe origine in alcune *Factory*, vicino a San Diego nella California meridionale, che si trovavano in territorio messicano. In quell'occasione i militari americani andarono a recuperare il virus con un blitz.

C'è quindi anche questo aspetto da considerare: l'OMS non ha alcun potere che gli permetta di ottenere il virus primordiale.

Certo oggi la virologia sintetica ci consente di risalire al virus originario, ma con un'incertezza che varia dal 10 al 20% sul profilo genetico.

Il governo americano accusa l'OMS di essere troppo legato alla Cina perché è il secondo Paese finanziatore dell'OMS. Non dimentichiamoci che il precedente direttore dell'OMS era proprio un medico e funzionario cinese, Margaret Chan, che ha lavorato molto per le industrie farmaceutiche cinesi. In un recente passato quindi la Cina ha assunto un ruolo predominante nell'assetto interno dell'OMS. Gli Stati Uniti ora fanno pesare il fatto di essere i principali finanziatori dell'OMS e chiedono una verifica rigorosa di quello che è accaduto in Cina, sapendo bene, grazie ai servizi di intelligence, che le cose non sono andate nel modo in cui la Cina e l'OMS ufficialmente hanno dichiarato.

Avere informazioni sul focolaio di infezione una settimana prima o dopo, ai fini del controllo dell'epidemia, cambia poco. Ma se si hanno notizie con largo anticipo è possibile prepararsi

---

donesia Defiant on Refusal to Share Bird Flu Samples, in «The New York Times», 26 marzo 2007 [https://www.nytimes.com/2007/03/26/world/asia/26cnd-flu.html]. Cfr. anche DAVID P. FIDLER, *Influenza Virus Samples, International Law, and Global Health Diplomacy*, in «Emerging Infectious Diseases», vol. 14, n. 1 (january 2008), pp. 88-94 [dx.doi.org/10.3201/eid1401.070700].

per combattere l'epidemia, ad esempio iniziando a lavorare ad un vaccino. Quando l'origine di un'epidemia è ignota, occorre prelevare dei campioni, analizzarli e mettere in atto tutte le procedure necessarie per conoscere e fronteggiare il nemico.

Quando il governo cinese ha annunciato che era stato scoperto un nuovo virus, dopo 48 ore, ha messo a disposizione di tutti gli scienziati del mondo il pattern genetico. Gli scienziati però hanno verificato che il pattern era assolutamente parziale, non era completo. In nota riportiamo il link alla prima versione della relazione del 12 gennaio 2020[15], la seconda del 14 gennaio 2020[16] e la terza 17 gennaio[17], resi noti sul portale del National Center for Biotechnology Information (NCBI) del National Institutes of Health (NIH) nelle quali si evidenzia che il genoma fornito dalla Cina non era completo.

Origine del virus

Che fossero in corso già da tempo delle ricerche sui coronavirus è dimostrato, tra le varie cose, dalle dichiarazioni del presidente Donald Trump, così anche da quelle della Commissione di Sicurezza del Congresso americano. Da tali dichiarazioni si desume che i cinesi stavano lavorando da molti anni sui coronavirus, già ai tempi in cui era stato scoperto il virus della SARS che aveva provocato l'epidemia del 2002-2004.

Nel 2002-2004, durante l'epidemia della SARS, viene avviata in Cina, presso l'Istituto di Virologia di Pechino, la ricerca di un vaccino, nonostante (come vedremo nel capitolo dedicato alla ricostruzione scientifica dell'origine del virus) si fossero verificati casi di *outbreak* nel marzo e nell'aprile 2004. La ricerca riguarda

---

[15] [https://www.ncbi.nlm.nih.gov/nuccore/MN908947.1].
[16] [https://www.ncbi.nlm.nih.gov/nuccore/MN908947.2].
[17] [https://www.ncbi.nlm.nih.gov/nuccore/MN908947.3].

i coronavirus SARS o tipo SARS patogeni per l'uomo, presenti in alcuni pipistrelli, ed è voluta e diretta dalla professoressa Shi Zheng-Li, ricercatrice e virologa di fama mondiale, appassionata studiosa a caccia di virus nelle zone più remote della terra che ha scoperto virus assolutamente nuovi, mai descritti prima.

La Shi Zheng-Li e i suoi colleghi, tra i quali merita di essere menzionato Peng Zhou[18], sono i personaggi chiave nella storia della SARS e del Covid-19. È lei la mente che probabilmente ha creato, grazie a collaborazioni internazionali, in particolar modo quella con Ralph Baric, i coronavirus ricombinanti nel laboratorio di alta sicurezza di Wuhan.

Il prof. Guo Deyin, altro personaggio chiave della storia, è colui che ha svolto la funzione di cerniera fra il gruppo americano di esperti di coronavirus (Ralph Baric) ed il gruppo dei giovani esperti in tecniche CRISPR/cas di manipolazione dei virus ricombinanti. È lui il punto di riferimento per la ricerca sui coronavirus emergenti, l'esperto di tecniche CRISPR/Cas *"gene editing"* e di *"targeting of host genes"* usate come strategia antivirale; l'uomo che lavora su una nuova generazione di vaccini basati sul principio dell'espansione dei codici genetici, teoria sviluppata dal Dr. Denim Zhou ed il suo gruppo di ricerca dell'Università di Pechino.

Nel 2005, la Shi Zheng-Li e coll. scoprono che alcuni pipistrelli sono i serbatoi naturali di coronavirus simili a quelli della SARS[19]. I coronavirus che la Shi Zheng-Li ha scoperto sono fon-

---

[18] Le agenzie di intelligence Five Eyes di Australia, Canada, Nuova Zelanda, Gran Bretagna e Stati Uniti hanno in esame il lavoro del dott. Peng Zhou, stretto collaboratore della Shi Zheng-Li, per stabilire se l'origine del virus del Covid-19 sia legata al mercato di Wuhan oppure al laboratorio di Wuhan dove certamente erano in corso studi sui coronavirus dei pipistrelli.

[19] LI WENDONG – SHI ZHENG-LI – YU MENG – REN WUZE, *et al.*, *Bats Are Natural Reservoirs of SARS-Like Coronaviruses*, in «Science», vol. 310, n. 5748 (28

damentali per comprendere il meccanismo attraverso il quale la SARS potrebbe aver contagiato l'uomo. La Shi guida un team di ricerca che studia il legame delle proteine *spike* dei coronavirus naturali e chimerici simili a quelli della SARS presenti nello zibetto e nei pipistrelli a ferro di cavallo con il recettore ACE2 delle cellule umane[20].

La Shi Zheng-Li e il collega Cui Jie guidarono una squadra di ricercatori che campionò migliaia di pipistrelli a ferro di cavallo in tutta la Cina. Nel 2017 i risultati di tale campionatura sono stati pubblicati, evidenziando che tutti i componenti genetici del coronavirus SARS esistevano in una popolazione di pipistrelli che abitavano in una grotta nella provincia dello Yunnan. Secondo tale studio, mentre nessun singolo pipistrello ospitava il ceppo esatto di virus che ha causato l'epidemia di SARS 2002-2004, l'analisi genetica mostrava che diversi ceppi spesso si mescolavano, facendo pensare che la versione umana della SARS fosse emersa da una combinazione di ceppi diversi presenti nella popolazione di questi pipistrelli[21].

---

october 2005), pp. 676-679 [doi.org/10.1126/science.1118391]; REN WUZE – LI WENDONG – YU MENG – HAO PEI – ZHANG YUAN – ZHOU PENG – SHI ZHENG-LI, *et al.*, *Full-length genome sequences of two SARS-like coronaviruses in horseshoe bats and genetic variation analysis*, in «Journal of General Virology», vol. 87, n. 11 (1 november 2006), pp. 3355-3359 [doi.org/10.1099/vir.0.82220-0].

[20] REN WUZE – QU XIUXIA – LI WENDONG – HAN ZHENGGANG – SHI ZHENG-LI, *et. al.*, *Difference in Receptor Usage between Severe Acute Respiratory Syndrome (SARS) Coronavirus and SARS-Like Coronavirus of Bat Origin*, in «Journal of Virology», vol. 82, n. 4 (february 2008), pp. 1899-1907 [doi.org/10.1128/JVI.01085-07]; HOU YUXUAN – PENG CHENG – YU MENG – LI YAN – HAN ZHENGGANG – SHI ZHENG-LI, *et. al.*, *Angiotensin-converting enzyme 2 (ACE2) proteins of different bat species confer variable susceptibility to SARS-CoV entry*, in «Archives of Virology», vol. 155 (2010), pp. 1563-1569 [doi.org/10.1007/s00705-010-0729-6].

[21] HU BEN – ZENG LEI-PING – YANG XING-LOU – GE XING-YI – ZHANG WEI – SHI ZHENG-LI, *et. al.*, *Discovery of a rich gene pool of bat SARS-related*

Nel 2008 il gruppo guidato dalla prof.ssa Shi descrive già una serie di S chimere costruite inserendo differenti sequenze del SARS-CoV S nel SL-CoV backbone[22], creando mutanti chimerici ACE2[23]. Nel settembre 2009 la prof.ssa Shi Zheng-Li viene nominata direttrice del Centro per le Malattie Infettive Emergenti dell'Istituto di Virologia di Wuhan, creato dall'Accademia Cinese delle Scienze di Pechino. Il suo curriculum vitae mostra specifiche competenze biotecnologiche sui coronavirus patogeni isolati nei pipistrelli e sulla SARS[24].

---

coronaviruses provides new insights into the origin of SARS coronavirus, in «Plos Pathogens», vol. 13, n. 11 (november 30, 2017) [doi.org/10.1371/journal. ppat.1006698]; cfr. anche DAVID CYRANOSKI, Bat cave solves mystery of deadly SARS virus – and suggests new outbreak could occur, in «Nature», vol. 552 (7 december 2017), pp. 15-16 [doi:10.1038/d41586-017-07766-9].

[22] «[...] a series of S chimeras was constructed by inserting different sequences of the SARS-CoV S into the SL-CoV S backbone»: in REN WUZE – QU XIUXIA – LI WENDONG – HAN ZHENGGANG – SHI ZHENG-LI, et. al., Difference in Receptor Usage between Severe Acute Respiratory Syndrome (SARS) Coronavirus and SARS-Like Coronavirus of Bat Origin, cit.

[23] HOU YUXUAN – PENG CHENG – YU MENG – LI YAN – HAN ZHENGGANG – SHI ZHENG-LI, et. al., Angiotensin-converting enzyme 2 (ACE2) proteins of different bat species confer variable susceptibility to SARS-CoV entry, cit.

[24] Dopo la laurea all'Università di Wuhan nel 1987, nel 2000 la Shi Zheng-Li ha conseguito il dottorato di ricerca presso l'Università di Montpellier II, in Francia. La sua attività di ricerca si concentra sulla scoperta di agenti patogeni virali attraverso tecniche di sequenziamento tradizionali e ad alto rendimento. Dal 2004 inizia a studiare i patogeni virali trasmessi dalla fauna selvatica, in particolare i virus trasmessi dai pipistrelli. Il suo gruppo di ricerca ha scoperto diversi nuovi virus e anticorpi nei pipistrelli, tra cui coronavirus, adenovirus, virus adeno associati, circovirus, paramyxovirus e filovirus associati a SARS in Cina. Uno dei suoi più grandi contributi è quello di aver scoperto, insieme ai suoi collaboratori internazionali, coronavirus geneticamente diversi simili alla SARS nei pipistrelli e fornito prove inequivocabili che i pipistrelli sono serbatoi naturali di SARS-CoV. È coautrice di oltre 130 pubblicazioni sull'identificazione, la diagnosi e l'epidemiologia dei patogeni virali.

Nel 2015, la Shi Zheng-Li collabora con il prof. Ralph S. Baric, dell'Università della Carolina del Nord, ad esperimenti *Gain of Function* che dimostrano come due mutazioni critiche che possiede il coronavirus MERS gli consentono di legarsi al recettore ACE2 umano[25] e che la SARS poteva riemergere dai coronavirus circolanti nelle popolazioni di pipistrelli in natura[26].

È importante sottolineare che nel 2014 il National Institutes of Health degli Stati Uniti ha sancito una moratoria sulle ricerche SARS e MERS e sugli studi *Gain of Function* sull'influenza, a causa delle crescenti preoccupazioni sui rischi derivanti da questo tipo di ricerca rispetto ai benefici che si potevano ottenere[27]; moratoria revocata nel 2017, in seguito alla creazione di un nuovo quadro normativo[28].

Facciamo ora un passo indietro e torniamo al 2005.

Tramite iniziative congiunte franco sino americane, Jacques Chirac, Hu Jintao, George W. Bush, nell'ambito del programma

---

[25] YANG YANG – CHANG LIU – LANYING DU – SHIBO JIANG – SHI ZHENG-LI – RALPH S. BARIC – FANG LI, *Two Mutations Were Critical for Bat-to-Human Transmission of Middle East Respiratory Syndrome Coronavirus*, in «Journal of Virology», vol. 89, n. 17 (september 2015), pp. 9119-9123 [doi.org/10.1128/ JVI.01279-15].

[26] VINEET D. MENACHERY – BOYD L. YOUNT JR – KARI DEBBINK – SUDHAKAR AGNIHOTHRAM – SHI ZHENG-LI – RALPH S. BARIC, *et al.*, *A SARS-like cluster of circulating bat coronaviruses shows potential for human emergence*, in «Nature Medicine», vol. 21, n. 12 (9 november 2015), pp. 1508-1513 [doi. org/10.1038/nm.3985].

[27] JOCELYN KAISER, *Moratorium on risky virology studies leaves work at 14 institutions in limbo*, in «Science», 17 novembre 2014 [https://www.sciencemag. org/news/2014/11/moratorium-risky-virology-studies-leaves-work-14-institutions-limbo]; DECLAN BUTLER, *Engineered bat virus stirs debate over risky research*, in «Nature», 12 novembre 2015 [doi:10.1038/nature.2015.18787].

[28] NATIONAL INSTITUTES OF HEALTH – OFFICE OF SCIENCE POLICY, *NIH Lifts Funding Pause on Gain-of-Function Research*, 19 dicembre 2017 [https://osp. od.nih.gov/2017/12/19/nih-lifts-funding-pause-gain-function-research/].

promosso dall'Organizzazione Mondiale della Sanità *Vaccines and Immunization*, promuovono il programma cinese di cooperazione internazionale sui vaccini per l'AIDS.

Il presidente francese Jacques Chirac, un anno prima, durante una visita di Stato in Cina, promuove l'apertura dell'Istituto Pasteur a Shanghai. Il nuovo Istituto, frutto di una collaborazione tra l'Accademia Cinese delle Scienze, il municipio di Shanghai e l'Istituto Pasteur di Parigi, apre il 13 ottobre 2004.

Grazie a questa sinergia internazionale, in particolar modo con la Francia, i ricercatori cinesi hanno la possibilità di imparare le tecniche virologiche usate per l'HIV, compreso l'uso dei cosidetti HIV-1 *pseudotypes*.

Cosa sono gli pseudotipi virali? Partendo dalle particelle di HIV-1 in grado di infettare le cellule attraverso una via endocitica, vengono costruiti virus chimerici composti dal nucleo dell'HIV-1 e dalla glicoproteina dell'involucro del virus della stomatite vescicolare (VSV-G), chiamati appunto pseudotipi dell'HIV-1 (VSV).

Apprese tali tecniche, i cinesi iniziano così a studiare gli pseudotipi chimerici dell'HIV in relazione alla SARS, utilizzandoli non solo per comprendere i meccanismi di entrata del virus nella cellula ospite, ma anche per creare vaccini.

Le tecniche di ricombinazione SARS-HIV pseudotipi vengono pubblicate nel 2005 da Ling Ni, del Dipartimento di Virologia Molecolare dell'Istituto di Microbiologia dell'Accademia Cinese delle Scienze di Pechino, e da Jiunjie Zhang, dell'Università di Wuhan[29].

---

[29] Cfr. LING NI – JIEQING ZHU – JUNJIE ZHANG – MENG YAN – GEORGE F. GAO – PO TIEN, *Design of recombinant protein-based SARS-CoV entry inhibitors targeting the heptad-repeat regions of the spike protein S2 domain*, in «Biochemical and Biophysical Research Communications», vol. 330, n. 1 (29 april 2005), pp. 39-45 [doi.org/10.1016/j.bbrc.2005.02.117].

Queste tecniche vengono apprese ed applicate anche dall'e-
quipe della Shi Zheng-Li. Ciò è dimostrato dal fatto che la Shi
afferma di usare pseudotipi HIV-1 in uno studio pubblicato nel
2010[30]. Le tecniche sono messe a punto da uno dei suoi ricercatori, Ren Wuze, che ne parla in uno studio del 2008[31].

In realtà la Shi Zheng-Li non è interessata al filone HIV-1 per
vaccini contro l'AIDS. Il background appreso sugli pseudotipi
HIV-1 le serve per lavorare alla creazione di ricombinanti chimerici di altro tipo, partendo dai Coronavirus.

Gli studi che la Shi Zheng-Li compie sul vaccino per la SARS,
la scoperta di un nuovo coronavirus nel pipistrello appartenente
alla specie a ferro di cavallo, l'apprendimento delle tecniche che
riguardano l'uso degli pseudotipi HIV-1 per la SARS sono tutte
tessere di un mosaico che via via prende forma.

Lasciando la trattazione più approfondita di quello che è accaduto nel laboratorio di Wuhan al capitolo che segue, ove spie-
gheremo in modo dettagliato quello che è stato fatto e come è
stato fatto, per ora limitiamoci a dire che la creazione del SARS-
CoV-2, come risulta da un articolo pubblicato su *Nature Medicine*
il 9 novembre 2015, è il frutto del lavoro congiunto di Baric e
della Shi Zheng-Li, iniziato con la ricombinazione di un virus
chimerico chiamato SHC014-MA15, che associa un *backbone*
SARS-CoV *"mouse-adapted"* con lo spike di un coronavirus di
pipistrello SHC014 usando la tecnica SARS-CoV *reverse genetics*

---

[30] HOU YU-XUAN – PENG CHENG – HAN ZHENG-GANG – ZHOU PENG –
CHEN JI-GUO – SHI ZHENG-LI, *Immunogenicity of the Spike Glycoprotein of Bat
SARS-like Coronavirus*, in «Virologica Sinica», vol. 25 (12 february 2010), pp.
36-44 [doi.org/10.1007/s12250-010-3096-2].

[31] REN WUZE – QU XIUXIA – LI WENDONG – HAN ZHENGGANG – SHI
ZHENG-LI, *et. al.*, *Difference in Receptor Usage between Severe Acute Respiratory
Syndrome (SARS) Coronavirus and SARS-Like Coronavirus of Bat Origin*, cit.

system 2[32]. Un dettaglio che non va sottovalutato e che occorre sottolineare è il finanziamento stanziato dall'Agenzia statunitense per lo sviluppo internazionale (USAID)[33] per svolgere questa ricerca e che gli scienziati hanno omesso di citare. Nel 2016 le informazioni sul lavoro svolto vengono corrette indicando come finanziatore anche «USAID-EPT-PREDICT funding from Eco Health Alliance»[34].

---

[32] «Using the SARS-CoV reverse genetics system, we generated and characterized a chimeric virus expressing the spike of bat coronavirus SHC014 in a mouse-adapted SARS-CoV backbone. The results indicate that group 2b viruses encoding the SHC014 spike in a wild-type backbone can efficiently use multiple orthologs of the SARS receptor human angiotensin converting enzyme II (ACE2), replicate efficiently in primary human airway cells and achieve *in vitro* titers equivalent to epidemic strains of SARS-CoV. Additionally, *in vivo* experiments demonstrate replication of the chimeric virus in mouse lung with notable pathogenesis. Evaluation of available SARS-based immune-therapeutic and prophylactic modalities revealed poor efficacy; both monoclonal antibody and vaccine approaches failed to neutralize and protect from infection with CoVs using the novel spike protein. On the basis of these findings, we synthetically re-derived an infectious full-length SHC014 recombinant virus and demonstrate robust viral replication both *in vitro* and *in vivo*. Our work suggests a potential risk of SARS-CoV re-emergence from viruses currently circulating in bat populations»: in VINEET D. MENACHERY – BOYD L. YOUNT JR – KARI DEBBINK – SUDHAKAR AGNIHOTHRAM – SHI ZHENGLI-LI – RALPH S. BARIC, *et al.*, *A SARS-like cluster of circulating bat coronaviruses shows potential for human emergence*, cit.

[33] L'Agenzia statunitense per lo sviluppo internazionale (USAID) ha istituito nel 2009 il programma "Emerging Pandemic Threats" (EPT). Il programma EPT consiste di quattro progetti: Predict, Respond, Identify e Prevent. Al progetto Predict ha collaborato, in qualità di partner, la Eco Health Alliance, associazione non governativa per la protezione della salute dell'uomo, degli animali e dell'ambiente dalle emergenti malattie infettive.

[34] VINEET D. MENACHERY – BOYD L. YOUNT JR – KARI DEBBINK – SUDHAKAR AGNIHOTHRAM – SHI ZHENGLI-LI – RALPH S. BARIC, *et al.*, *Correction: Corrigendum: A SARS-like cluster of circulating bat coronaviruses shows potential for human emergence*, in «Nature Medicine», vol. 22, n. 446 (2016) [doi.org/10.1038/nm0416-446d].

Quando inizia a diffondersi l'epidemia a Wuhan, la Shi Zheng-Li è direttrice, dal 14 novembre 2014, del Center for Emerging Infectious Diseases dell'Istituto di Virologia di Wuhan. Qui la prof.ssa Shi inizia a sperimentare ibridi ricombinanti ed è così che prende corpo il progetto dei SARS ricombinanti, fra i quali, con ogni probabilità, possiamo includere il virus chimera comunemente chiamato SARS-CoV-2, prodotto grazie a cloni modificati.

Analizzando il SARS-CoV-2, esso si presenta come una ricombinazione del patrimonio genetico di un coronavirus del pipistrello e di un coronavirus del pangolino. Siamo quindi di fronte ad un virus chimerico ricombinante. Questa naturalmente è un'ipotesi che considera plausibile una "ricombinazione archeologica o paleogenetica di affinità". Questa ricombinazione da molti è considerata naturale (*wild*), ma il vettore intermedio, dal punto di vista genetico, non è stato ancora scoperto, né esistono seri candidati per l'assunzione di questo ruolo. Non si sa né dove tale ricombinazione possa essere accaduta, né come sia avvenuta.

La proposta più realistica, supportata da diverse prove, è che il virus sia nato da una ricombinazione di laboratorio e che, successivamente, per una ragione che non è chiara, esso abbia dato origine al contagio.

Ora, perché si abbia una mutazione genetica naturale, *wild*, come è stato ipotizzato, una ricombinazione di due virus provenienti da due specie molto diverse occorre sottolineare che ciò può accadere solo in un periodo molto lungo di almeno 200 anni. Con questo non si vuole negare la possibilità che il SARS-CoV-2 possa essersi sviluppato naturalmente attraverso un ospite intermedio – che nessuno però ha ancora individuato e che non può essere l'uomo. L'uomo con certezza quasi assoluta non è l'ospite intermedio perché per esserlo doveva essere prima morso da un pipistrello, appartenente ad una specie ferro di cavallo, e poi da un pangolino, "detto formichiere squamoso", che non vive in tutte le parti della Cina e che si nutre esclusivamente di formiche e termiti (ammesso e non concesso che un piccolo formichiere come il pangolino possa mordere l'uomo, evento che non credo si sia mai verificato nella storia umana). Questi due virus, quello del pipistrello e quello del pangolino, avrebbero poi dovuto unirsi e ricombinarsi nel sangue umano, a meno che naturalmente l'uomo non sia stato infettato dal famoso ospite intermedio, di cui tutti parlano ma che nessuno è in grado di indicare. Tutto ciò, come è lapalissiano, appare come una possibilità molto remota.

La ricombinazione finale, che prevede due ricombinazioni successive, avrebbe dovuto verificarsi poi in natura in un periodo breve, cosa che non è stata confermata e non è compatibile con gli studi di biologia evoluzionistica delle specie, di paleovirologia e di deriva genetica. Quindi, poiché la ricombinazione non è avvenuta in un tempo breve e poiché, di conseguenza, il virus non può essere naturale, l'unica ipotesi percorribile è che il virus sia stato prodotto in laboratorio, perché in questo caso il periodo necessario per la ricombinazione è invece breve.

La Shi Zheng-Li, avendo già avuto esperienza di ricombinazione dei virus SARS e SARS-like e degli pseudotipi HIV, e grazie alla collaborazione del prof. Ralph Baric, era l'unica capace di progettare in laboratorio questo virus chimerico, ricombinante, e di produrne dei cloni.

Il Covid-19, come abbiamo detto, ha il 95-97% del virus del pangolino e il 60-70% del virus del pipistrello. Il gruppo del prof. Prashant Pradhan, dell'Indian Institute of Technology di New Delhi, in un articolo presentato come lavoro preliminare il 31 gennaio 2020 – successivamente interrotto per motivi di sicurezza –, ha dimostrato che almeno 4 nucleotidi, che appartengono al virus dell'AIDS, erano inclusi nel genoma del Coronavirus di

Wuhan e che essi non potevano in alcun modo esistere nella ricombinazione[35].

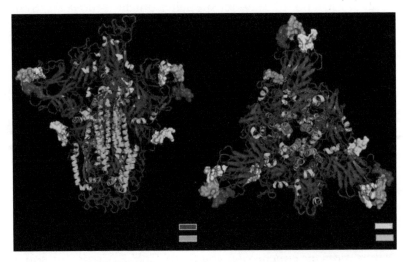

Figura 1: Rappresentazione 3D dell'omotrimero della glicoproteina *spike* del virus 2019-nCoV. Gli inserti dall'involucro proteico del virus HIV sono raffigurati con beads colorate, nel sito di legame della proteina [fonte: doi.org/10.1101/2020.01.30.927871].

In questo studio si evidenziano 5 punti fondamentali:

---

[35] Il 31 gennaio 2020, Prashant Pradhan e otto esperti di sequenziamento dei geni del coronavirus, affiliati all'Indian Institute of Technology (IIT), all'Università di Nuova Delhi, all'IBM e alla New York University di Stonybrook, hanno prodotto uno studio unico nel suo genere. Con l'utilizzo dei più avanzati programmi informatici per le analisi genetiche, hanno pubblicato con grande urgenza, facendo fronte così a un dovere inderogabile di informazione scientifica, uno studio *non-peer reviewed*: PRASHANT PRADHAN – ASHUTOSH KUMAR PANDEY – AKHILESH MISHRA – PARUL GUPTA – PRAVEEN KUMAR TRIPATHI – MANOJ BALAKRISHNAN MENON – JAMES GOMES – PERUMAL VIVEKANANDAN – BISHWAJIT KUNDU, *Uncanny similarity of unique inserts in the 2019-nCoV spike protein to HIV-1 gp120 and Gag*, in «BioRxiv - The Preprint Server For Biology» (january 31, 2020) [doi.org/10.1101/2020.01.30.927871].

1. La conformazione della glicoproteina *spike* (S) è peculiare del 2019-nCoV.

2. Si rilevano 4 inserzioni speciali e uniche nello *spike* (S) di 2019-nCoV.

3. Queste inserzioni non sono presenti in altri coronavirus.

4. I residui aminoacidici in tutti e 4 gli inserti sono identici o simili a quelli dell'HIV-1 gp120 o HIV-1 Gag.

5. Anche se gli inserti appaiono discontinui sulla sequenza aminoacidica primaria, la modellazione 3D suggerisce che gli inserti convergono a costituire il *"receptor binding site"* (un sito di legame).

Nel marzo 2020, due mesi dopo il report di Pradhan, un articolo pubblicato su *Nature* mina la credibilità dell'ipotesi formulata dai ricercatori indiani che indica una possibile manipolazione di laboratorio del virus. I 5 autori che pubblicano l'articolo su *Nature Medicine* concludono che SARS-CoV-2 (Covid-19) non è un virus manipolato in laboratorio, quindi l'ipotesi di lavoro del team indiano può essere considerata inconsistente[36].

A seguito di ciò lo studio del prof. Pradhan e dei suoi colleghi viene ritirato e non è più ripresentato.

Perché il gruppo di ricercatori indiani ha ritirato il lavoro preliminare?

La ragione più plausibile è forse il conflitto di interesse, considerando il fatto che il team del prof. Pradhan stava lavorando alla creazione di un kit a basso costo per lo screening diagnostico immunologico del virus, sviluppato con il supporto dell'Università di New Delhi e dell'Indian Institute of Technology, e annunciato ai media indiani il 22 marzo.

---

[36] KRISTIAN G. ANDERSEN – ANDREW RAMBAUT – W. IAN LIPKIN – EDWARD C. HOLMES – ROBERT F. GARRY, *The proximal origin of SARS-CoV-2*, in «Nature Medicine», vol. 26 (17 march 2020), pp. 450-452 [doi.org/10.1038/s41591-020-0820-9].

Il problema del conflitto di interesse sorge però in modo evidente anche per chi ha pubblicato lo studio che contesta il lavoro del team Pradhan. Infatti, tra gli autori dell'articolo di *Nature Medicine* del 17 marzo 2020 compare il nome di Robert F. Garry, della Tulane University di New Orleans. Robert Garry è il co-fondatore e direttore scientifico di Zalgen Labs, azienda americana, leader in biotecnologie, che si occupa di diagnostica, prevenzione e cura, anche per le malattie causate da virus emergenti, con sede nel Maryland.

La Zalgen Labs è coinvolta nello sviluppo di un test diagnostico per il Covid-19 in collaborazione con aziende farmaceutiche ed istituzioni che aderiscono a consorzi strategici per la lotta al Covid-19. Nello studio pubblicato su *Nature Medicine* Garry non fa accenno al fatto che la Zalgen Labs sta sviluppando un test diagnostico, violando la clausola obbligatoria che prevede la menzione degli "interessi in competizione". Garry scrive semplicemente che ha co-fondato la Zalgen Labs. Qualche anno prima, nel 2016, il NIAID (sotto la direzione di Fauci), aveva concesso alla Zalgen Labs una sovvenzione per lo sviluppo della diagnostica dell'antigene ricombinante per i filovirus, che si era conclusa con la produzione del test ReEBOV® Ebola.

Gli enormi interessi commerciali generano quindi una concorrenza internazionale spesso "sleale".

Stranamente gli autori che hanno contestato l'articolo dei ricercatori indiani in realtà confermano quanto detto dal prof. Pradhan e coll., evidenziando chiaramente la presenza nel virus di un inserto principale PRRA in nCoV, assente nel Bat-RaTG13, nel virus del pangolino, nel SARS-CoV umano e nei SARS-CoV correlati dei pipistrelli[37].

---

[37] Come mostrato in Figura 2, tratta da *ibid.*, p. 451.

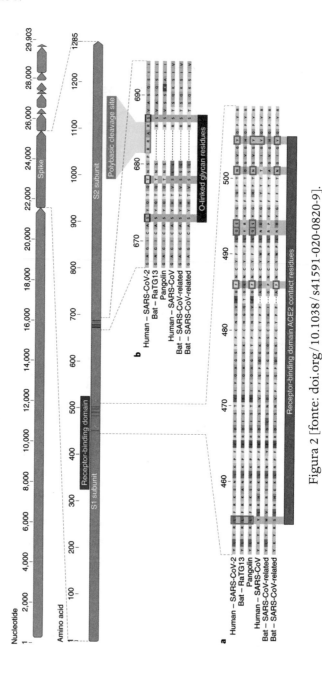

Figura 2 [fonte: doi.org/10.1038/s41591-020-0820-9].

Il 29 aprile 2020 la Shi Zheng-Li, dopo un periodo di silenzio, dichiara sui social media cinesi che il virus non proviene dal laboratorio di Wuhan, negando eventuali "fughe" e contestando lo studio degli indiani.

La levata di scudi della Shi contro lo studio degli indiani, che rappresenta a mio avviso la controprova di quello che è stato fatto nel laboratorio di Wuhan, può far pensare che la professoressa avesse già utilizzato il SARS e il SARS-like virus con gli HIV-1 pseudotipi per fare ricombinazioni chimeriche e che sia arrivata ad avere tra le mani un coronavirus ricombinante di 2 SARS-like appartenenti a specie diverse, con caratteristiche differenti, che si fondono dando origine ad un nuovo ibrido. La Shi Zheng-Li, oltre ad avere ottenuto la specificità di recettore di entrata e del sito furinico intracellulare per l'uomo, si avvale di un piccolo nuovo inserto composto dai 4 nucleotidi dell'HIV-1, che conosceva avendo lavorato con gli HIV-1 pseudotipi.

Riassumendo, quindi, la Shi crea prima un SARS-like di tipo umano con in più l'HIV-1 pseudototipo (primo ricombinante), ottenendo un virus ricombinante chimerico umano che serve come base per il secondo SARS-like inter-specie con in più l'HIV-1 pseudotipo (secondo ricombinante)[38].

---

[38] Nel febbraio 2020, «Research Gate» pubblica un breve articolo a firma di Botao Xiao, della South China University of Technology, e di Lei Xiao, della Wuhan University of Science and Technology, dove a conclusione i due autori affermano: «In summary, somebody was entangled with the evolution of 2019-nCoV coronavirus. In addition to origins of natural recombination and intermediate host, the killer coronavirus probably originated from a laboratory in Wuhan. Safety level may need to be reinforced in high risk biohazardous laboratories. Regulations may be taken to relocate these laboratories far away from city center and other densely populated places»: *The possible origins of 2019-nCoV coronavirus* [doi: 10.13140/RG.2.2.21799.29601]. Successivamente lo stesso Botao Xiao ha dichiarato sul «Wall Street Journal» di aver ritirato l'articolo perché non supportato da prove dirette. Cfr. inol-

La Shi Zheng-Li probabilmente non aveva alcun interesse a lavorare per scopi militari, o di altro tipo, a meno che non sia stata obbligata a farlo. Nessuno mette in dubbio la sua buona fede. Ma c'è da considerare che si è spinta oltre ogni limite nelle procedure di ricombinazione, senza un'analisi critica di ciò che stava facendo, considerando le potenzialità del ricombinante e/o dei ricombinanti e i gravi rischi per una eventuale contaminazione.

Quando è stato creato il primo virus chimera da Baric e dalla Shi Zheng-Li c'è stata un'ampia discussione nel mondo scientifico.

Il prof. Simon Wain-Hobson, grande specialista in retrovirologia molecolare del Dipartimento di Virologia dell'Istituto Pasteur di Parigi, in un'intervista rilasciata a *Nature* ha sollevato molte perplessità su questo tipo di ricerche applicate alla virologia, in particolare per ciò che concerne le procedure *Gain of Function* usate per la creazione di ricombinanti chimerici, come quello di Baric e della Shi Zheng-Li, sottolineandone i grandi rischi e i benefici apparenti[39].

Anche il prof. Richard H. Ebright, della Rogers University, New Jersey, commenta in un report di *Nature*: "L'unico impatto

---

tre DAVID IGNATIUS, *How did covid-19 begin? Its initial origin story is shaky*, in «The Washington Post», 3 aprile 2020 [https://www.washingtonpost.com/opinions/global-opinions/how-did-covid-19-begin-its-initial-origin-story-is-shaky/2020/04/02/1475d488-7521-11ea-87da-77a8136c1a6d_story.html?utm_source=reddit.com].

[39] Cfr. DECLAN BUTLER, *Engineered bat virus stirs debate over risky research*, cit. Il prof. Simon Wain-Hobson, già nel 1995, era stato molto critico sul modo in cui le autorità internazionali affrontavano la ricerca sul virus dell'AIDS: cfr. SIMON WAIN-HOBSON, *An interview with Simon Wain-Hobson, PhD. Interview by Mark Mascolini*, in «Journal of the International Association of Physicians in AIDS Care», vol. 1, n. 4 (may 1995), pp. 8-13 [https://pubmed.ncbi.nlm.nih.gov/11362509/].

che ha un lavoro di questo tipo è la creazione, in laboratorio, di un rischio non naturale".

Sempre Ebright, in un'intervista rilasciata il 6 aprile 2003 a *The Scientist*, sottolinea la grande criticità degli studi su agenti patogeni per l'uomo condotti allo scopo di trovare contromisure per gli stessi[40].

Ancora Ebright sul *Sunday Guardian*, parlando del laboratorio di Wuhan e affermando che il livello di sicurezza di questo laboratorio è equiparabile a un P2, richiama l'attenzione sul fatto che questo tipo di ricerche andrebbe condotto solo ed esclusivamente in laboratori con una sicurezza di livello P4 ed essere sottoposto alle procedure previste in altri Paesi per la ricerca e il confezionamento di armi biologiche[41].

Come abbiamo detto, non conosciamo lo scopo perseguito dalla Shi Zheng-Li nella ricerca condotta sul secondo virus chimera realizzato insieme a Ralph Baric. Sappiamo però con certezza che le sue attenzioni si sono concentrate sullo studio di virus chimerici ricombinanti inter-specie. Wuhan è il più importante laboratorio in Cina per la ricerca virologica ed è un livello P4. Negli ultimi 5 anni ha ricevuto fondi consistenti per la ricerca virologica ed è diventato, sotto il controllo dell'Accademia delle Scienze e del governo cinese, un laboratorio di ricerca molto avanzato.

In questi ultimi mesi, in molti hanno cercato di contattare la prof.ssa Shi Zheng-Li per avere delle spiegazioni, senza riuscir-

---

[40] JOHN DUDLEY MILLER, *Interview with Richard Ebright*, in «The Scientist», 6 aprile 2003 [https://www.the-scientist.com/profession/interview-with-richard-ebright-51832].

[41] ABHINANDAN MISHRA – DIBYENDU MONDAL, *Corona leaked likely from Wuhan Institute of Virology: Experts*, in «Sunday Guardian Live», 25 aprile 2020 [https://www.sundayguardianlive.com/news/corona-leaked-likely-wuhan-institute-virology-experts].

vi. Il governo cinese ha impedito a tutti i ricercatori coinvolti in questa vicenda di divulgare materiale informativo e studi senza la previa autorizzazione. Tutta la documentazione relativa agli studi e ai campioni è stata consegnata all'autorità centrale di Pechino. La Shi Zheng-Li attualmente non è più direttrice a Wuhan, di lei si sono perse le tracce. A capo dell'Istituto di Virologia di Wuhan è stato nominato il generale maggiore dell'esercito popolare cinese, Chen Wei, alla quale è stata affiancata un'equipe ove spicca il nome di Zhong Nanshang, famoso pneumologo di lunga esperienza nelle malattie polmonari infettive. Il generale Chen Wei è anche un'esperta di armi biochimiche e di bioterrorismo[42].

L'Istituto di Virologia di Wuhan è stato praticamente commissariato e messo sotto il controllo delle Forze armate. La stampa cinese ha salutato la nomina del generale con enfasi retorica con queste parole: "Non appena la dea della guerra nel nostro Paese ha ricevuto il suo incarico, le star dello spettacolo sono subito impallidite al suo cospetto. Chi insegue le stelle dovrebbe inseguire questa stella, perché lei è il nostro idolo, lo scudo che difende la vita nel nostro Paese".

Prima di concludere il nostro racconto vale la pena soffermarsi su quello che è accaduto a Berna, in Svizzera, per far capire al lettore come sia realistica l'ipotesi che il Covid-19 sia stato creato in laboratorio.

---

[42] Chen Wei è considerata una fra le più importanti epidemiologhe e virologhe dell'Esercito popolare cinese. Nata nella piccola città di Lanxi, nella provincia orientale dello Zhejiang, Chen si è laureata in chimica presso l'Università di Zhejiang nel 1988 e l'anno successivo è stata ammessa alla Tsinghua University. Nel 1992 è entrata nell'Esercito popolare di liberazione cinese e virologa all'Accademia di Scienze mediche militari. Nel 2013 Chen è diventata un delegato del National People's Congress. Nel 2018 è stata scelta come membro della Conferenza Consultiva Politica del Popolo Cinese, il principale organo di consulenza politica del Paese.

Il 20 febbraio 2020, il prof. Volker Thiel e il suo team di colleghi, dell'Istituto di Virologia e Immunologia (IVI) dell'Università di Berna, hanno presentato uno studio alla rivista *Nature*, poi pubblicato il 24 aprile 2020[43].

In questo lavoro si descrive la procedura attraverso la quale il prof. Volker Thiel e coll. hanno creato un clone del SARS-CoV-2 al fine di un utilizzo per la ricerca di tutto il mondo sullo sviluppo di test, farmaci antivirali e vaccini. Il metodo sviluppato a Berna può anche essere utilizzato in futuro per combattere altri virus altamente infettivi. Spieghiamo brevemente come hanno fatto.

L'equipe del prof. Volker Thiel, presso il laboratorio di alta sicurezza dell'Istituto di Virologia e Immunologia (IVI) dell'Ufficio federale della sicurezza alimentare e di veterinaria (FSVO) a Mittelhäusern, ha ricreato il SARS-CoV-2 usando il genoma del Covid-19 comunicato dalle autorità cinesi. Pezzi del genoma del coronavirus sono stati realizzati con il DNA sintetico e rinseriti e assemblati in cellule di lievito, utilizzando la Ricombinazione Associata alla Trasformazione (TAR), ottenendo così un cromosoma di lievito artificiale. Successivamente l'RNA infettivo è stato generato in vitro (senza l'utilizzo delle cellule di lievito) utilizzando la cosidetta T7RNA polimerasi e introdotto in cellule animali. I nuovi coronavirus sintetici, penetrando e riprogrammando le cellule animali, si sono riprodotti dando vita ai cloni del virus. I ricercatori hanno confermato in un'intervista che il virus funziona perfettamente, "come un orologio svizzero".

È interessante fare un breve cenno anche al caso della start-up israeliana MigVax del Migal Galilee Research Institute a Kiryat Shemona (Israele). Ebbene, i ricercatori di questa compagnia, lavorando sui coronavirus dei polli, in particolare su un tipo in-

---

[43] TRAN THI NHU THAO – FABIEN LABROUSSAA – VOLKER THIEL, *et al.*, *Rapid reconstruction of SARS-CoV-2 using a synthetic genomics platform*, in «Nature», vol. 582 (2020), pp. 561-565 [doi.org/10.1038/s41586-020-2294-9].

nocuo per l'uomo, al fine di creare un vaccino aviario, si sono resi conto, all'inizio dell'epidemia, che il coronavirus sul quale stavano lavorando (Avian Infectious Bronchitis Virus – IBV) era molto simile al Covid-19, avendo in comune con esso quasi il 97-98% dell'RNA. Questo ha permesso di lavorare su un vaccino da somministrare con una pillola per via orale[44]. L'approccio della start-up MigVax utilizza una proteina chimerica che presenta le proteine virali al sistema immunitario attraverso l'orofaringe. Questo metodo, basato sul vaccino IBV, genera tre tipi di risposta immunologica: 1. Immunità delle mucose – IgA; 2. Immunità al sangue – IgG; 3. Immunità cellulo-mediata.

In sintesi, ricostruendo quanto detto fin qui in merito all'origine del virus e rimandando la trattazione più approfondita dal punto di vista scientifico al capitolo successivo, possiamo affermare che:

- I modelli sperimentali ricombinanti chimerici sui coronavirus generati in laboratorio da Ralph Baric e dalla Shi Zheng-Li, usando le procedure di *Gain of Function*, hanno permesso, analizzando i livelli di patogenicità specialmente dei SARS e dei SARS-like, di isolare i virus più virulenti clonandoli in laboratorio.

- I ricercatori cinesi di Pechino, sulle orme degli studi francesi sul virus dell'AIDS, hanno sviluppato strategie per una nuova generazione di vaccini anti HIV basandosi sul principio dell'espansione dei codici genetici (*expanded genetic codes*).

- Il gruppo di ricerca di Guo Deyin non solo implementa la strategia dei nuovi vaccini anti HIV, ma delinea le nuove strategie di implementazione delle tecniche CRISPR/Cas di editing genetico.

---

[44] MAAYAN JAFFE-HOFFMAN, *Israeli scientists: "In a few weeks, we will have coronavirus vaccine"*, in «The Jerusalem Post», 13 aprile 2020 [https://www.jpost.com/HEALTH-SCIENCE/Israeli-scientists-In-three-weeks-we-will-have-coronavirus-vaccine-619101].

- Grazie a queste ricerche sui virus ricombinanti chimerici di origine naturale, ricreati in laboratorio, viene isolato il virus HCoV-19, che presenta tutte le caratteristiche di alta patogenicità dei coronavirus sulla proteina *spike* (S), con codici chiave differenziati (0+10=11) di affinità e di penetrazione cellulare.

- Ultimo passo: viene aggiunto l'inserto HIV-like di affinità per il sito di clivaggio furinico intracellulare, responsabile della replicazione virale intracellulare.

Guo Deyin e Shi Zheng-Li reclamano il riconoscimento di questo nuovo virus che può contagiare l'uomo, assegnandogli la sigla HCoV-19, che non viene però accettata, come vedremo, dall'OMS. Il gruppo di virologi di Pechino si allinea alla proposta dell'OMS della denominazione SARS-CoV-2, anche se i cinesi ribadiscono le differenze sostanziali dell'HCoV-19 rispetto al virus della SARS in virtù delle rispettive diverse patologie cliniche che essi producono.

CAPITOLO V

IL SARS-COV-2 (HCoV-19)

Occorre fare una premessa prima di affrontare un tema particolarmente ostico e spinoso, anche per gli addetti ai lavori. È necessario, infatti, spiegare qual è stata l'origine, dal punto di vista scientifico, che ha prodotto il SARS-CoV-2. Ho pensato di inserire questo capitolo, anche se il linguaggio usato, pur con tutte le semplificazioni possibili, rimane specialistico. Affermare, infatti, che è accaduto un fatto senza darne una spiegazione logica, e in questo caso scientifica, è come affermare che quel fatto non è chiaro, usando speculazioni di vario genere, per convincere il lettore del contrario. Chiedo venia quindi a tutti coloro che impiegheranno troppo tempo a leggere queste pagine, attraverso le quali sarà comunque possibile farsi un'idea di ciò che è accaduto in un Paese troppo lontano, anche dal punto di vista culturale, in una grande città, in un laboratorio, del quale, fino ad oggi, credo in pochi ne conoscessero l'esistenza.

Dove e come è nato il SARS-CoV-2

Molte evidenze suggeriscono che il SARS-CoV-2 sia una chimera proveniente da un ceppo virale del pipistrello ancestrale RaTG13, in cui l'RBM (*Receptor-Binding Motif* - motivo legante il recettore) nella sua proteina S (*spike*)[1] è sostituito dall'RBM di un ceppo virale di pangolino MP789 (pangolin-2019). Si osserva, inoltre, anche una speciale e corta sequenza di 4 amminoacidi, che

---

[1] La proteina *spike* di un virus è una delle più importanti, perché consente al virus l'accesso alle cellule dell'ospite infettato.

119

crea un sito di scissione della furina[2] che espande significativamente il "repertorio" del virus in termini di penetrazione cellulare.

Questi "interventi" sono possibili utilizzando un *backbone*[3] di pipistrello, che si può mimetizzare, doppiando falsamente l'origine, creando cioè un *mirror*, inserendo, con una ricombinazione sintetica, due armi principali: l'arpione di ancoraggio dal pangolino e lo *switch* di clivaggio furinico, entrambi altamente compatibili con il recettore di superficie umano ACE2[4] e con il sito furinico intra ed extracellulare umano.

Se, considerando quello che è accaduto e, come molti hanno affermato, il SARS-CoV-2 fosse frutto di una combinazione naturale, dovremmo pensare che il pipistrello e il pangolino si siano coalizzati per eliminare la specie umana, prendendo a prestito da un altro essere sconosciuto, molto probabilmente un essere umano, l'inserto di clivaggio furinico.

Gli obiettivi iniziali della professoressa Shi Zheng-Li, a capo della ricerca sui coronavirus presso l'Istituto di Virologia di Wuhan, per ciò che concerne il salto inter-specie, erano i seguenti:

- Sostituire l'RBM (il motivo legante il recettore) di un tipo di virus con un RBM di un altro virus;

- Aggiungere un nuovo sito di clivaggio della furina, in grado di fornire a un coronavirus specie-specifico la capacità di poter utilizzare lo stesso recettore (ad es. ACE2) in altre specie.

---

[2] La furina è un enzima appartenente alla classe delle idrolasi che permette il rilascio di proteine mature come l'albumina.

[3] Struttura molecolare generale che può essere utilizzata come matrice biologica o genetica.

[4] Il recettore ACE2 (*Angiotensin-converting enzyme 2*) è un enzima di conversione dell'angiotensina 2, uno degli ormoni coinvolti nei meccanismi che regolano la pressione sanguigna.

Quindi, già dal 2007 il gruppo della Shi Zheng-Li stava lavorando alla creazione di ricombinanti chimerici di coronavirus. Nel 2017 erano già stati creati presso l'Istituto di Virologia di Wuhan ben 8 nuovi coronavirus chimerici con diversi RBM, allo scopo (apparente) di trovare una soluzione all'epidemia di SARS.

Nel 2007 il *Journal of Virology* dell'American Society for Microbiology pubblica un articolo della Shi Zheng-Li e altri, sulle differenze nell'uso del recettore tra il coronavirus della SARS e il coronavirus di un pipistrello simile alla SARS[5]. Nel 2017, in *PLoS Pathogens*, un altro articolo sulla scoperta di un ricco pool genetico di coronavirus legati alla SARS nei pipistrelli in grado di fornire nuove conoscenze sull'origine del coronavirus della SARS[6].

La prospettiva delle ricerche del laboratorio di Wuhan appare evidente: studiare le proprietà biologiche dei coronavirus attraverso le seguenti tecniche:

- Isolamento del virus;
- Tecnologia del DNA ricombinante, tecnica utilizzata nell'ambito della genetica inversa[7];

---

[5] REN WUZE – QU XIUXIA – LI WENDONG – HAN ZHENGGANG – SHI ZHENG-LI, *et al.*, *Difference in Receptor Usage between Severe Acute Respiratory Syndrome (SARS) Coronavirus and SARS-Like Coronavirus of Bat Origin*, in «Journal of Virology», vol. 82, n. 4 (february 2008), pp. 1899-1907 [doi.org/10.1128/JVI.01085-07].

[6] HU BEN – ZENG LEI-PING – YANG XING-LOU – GE XING-YI – SHI ZHENG-LI, *et al.*, *Discovery of a rich gene pool of bat SARS-related coronaviruses provides new insights into the origin of SARS coronavirus*, in «PLoS Pathogens», vol. 13, n. 11 (november 2017) [doi.org/10.1371/journal.ppat.1006698].

[7] La tecnologia del DNA ricombinante (*Infectious Clone Technology*) nasce dallo sviluppo dei metodi di DNA ricombinante di Cohen e Boyer nel 1973, insieme alla scoperta della Trascrittasi inversa di Temin e Baltimore nel 1970: l'unione delle due metodiche permette di introdurre una mutazione in qualsiasi punto del genoma virale. Il reagente essenziale è un clone infettivo del DNA, una copia a doppio filamento del DNA del genoma virale trasportato in un plasmide batterico. Tali DNA (o RNA da essi prodotti) possono essere introdotti nelle cellule, mediante transfezione, per produrre virus infettivi.

- Test sull'infettività in vitro e in vivo.

Questo tipo di ricerca, che utilizza ricombinanti chimerici, in virologia sperimentale pone già in origine un problema non solo di carattere etico ma anche di valutazione del rischio in termini di costo-beneficio nell'utilizzo della metodologia *Gain of Function*[8].

Nelle pubblicazioni scientifiche del gruppo di ricerca della Shi Zheng-Li e dei *joint-reports* con altri partner internazionali, i ricercatori non giustificano l'utilizzo della metodologia *Gain of Function* nell'ambito delle loro ricerche: non si conoscono le proprietà biologiche di questi virus, la loro patogenicità e virulenza e non ci sono elementi che provino la realizzazione di *markers* specifici di tracciabilità organica della specie e del ceppo virale, né la realizzazione di anticorpi specifici per neutralizzare l'RBM (motivo legante il recettore) o RBD (*Receptor-Binding Domain* – dominio legante il recettore) e / o per impedire il clivaggio furinico intracellulare.

Qual è il rischio di questo tipo di ricerche nei laboratori P3 e P4? Alto.

Qual è il guadagno dimostrabile e calcolabile? Nessuno.

La genetica inversa (*Reverse Genetics*) è un metodo genetico molecolare che serve a comprendere le funzioni di un gene attraverso gli effetti fenotipici prodotti dall'ingegnerizzazione genetica di sequenze specifiche di acido nucleico interne al gene. La genetica inversa cerca di trovare quali fenotipi sono controllati da particolari sequenze genetiche, a differenza della genetica classica che cerca le basi genetiche di un fenotipo o di un tratto dello stesso. La genetica inversa è usata per studiare i prodotti dei geni virali, le interazioni virus-ospite relative alla patogenicità e all'immunità e i requisiti per la trasmissione vettoriale.

[8] La metodologia *Gain of Function* (Guadagno di funzione) è una tecnologia di ingegneria genetica che manipola il genoma di virus presenti in natura con geni di virus diversi, allo scopo di creare nel virus una funzione nuova o potenziata. Cfr., *infra*, capitolo II, pp. 64-69.

Sono solo esperimenti di ricerca in laboratorio, biotecnologicamente sofisticati e impegnativi, la cui finalità, apparentemente dichiarata, è perlomeno incerta. Questo se ci limitiamo a considerare l'aspetto squisitamente civile.

L'utilizzo delle tre tecniche sopra menzionate, in modo particolare la Tecnologia del DNA ricombinante, indica la strategia seguita dall'Istituto di Virologia di Wuhan: sviluppare un programma di biologia sintetica – che ha ad oggetto virus ricombinanti chimerici disegnati in laboratorio – focalizzato su quattro elementi di patogenicità del virus: 1. la sua chiave di entrata; 2. l'affinità con il recettore specifico dell'ospite prescelto; 3. la sua capacità di replicarsi con l'aiuto delle proteasi cellulari e di membrana dell'ospite; 4. il suo potere patogeno in termini di infettività e di virulenza.

Se questo tipo ricerca – eseguita in alcuni laboratori e con l'utilizzo di questa strategia, su potenziali e reali patogeni virali usati su cellule umane – sia compatibile con i principi della ricerca in generale, è questione che dovrebbe essere sottoposta a una verifica seria da parte di commissioni nazionali ed internazionali, preposte a valutare tale aspetto dal punto di vista scientifico ed etico.

Nel caso specifico della Tecnologia del DNA ricombinante – tecnica, in estrema sintesi, che consente di creare cloni virali sintetici viventi – se l'obiettivo è quello di studiare le interazioni tra virus e ospite durante il ciclo naturale del virus, i metodi che conservano lo spettro del mutante originale possono certamente essere rilevanti per la ricerca e per le applicazioni conseguenti. Ma se l'obiettivo è invece solo specifico, quello cioè di determinare l'impatto delle mutazioni sulle proprietà biologiche del virus, i metodi che generano popolazioni (quasi) clonali (cioè molto omogenee) di virus, come la tecnologia del clone infettivo (IC), in questo caso, tali azioni andrebbero valutate e autorizzate attraverso un protocollo bioetico di sicurezza e di valutazione del reale beneficio per la salute umana.

Esaminiamo il virus SARS-CoV-2 – HCoV-19, secondo i cinesi – da questo punto di vista.

Il SARS-CoV-2 ha un genoma di 30 kilobase[9], abbastanza grande per lo standard virale. La proteina *spike* (S) è quella che permette al virus di attaccarsi al recettore della cellula ospite e di penetrarla, in questo caso il recettore ACE2. Il gene della proteina *spike* rappresenta il 12-13% del genoma del virus. In pratica la proteina *spike* rappresenta 1300 aminoacidi dell'intero genoma virale.

La proteina *spike* differisce fra specie virali, come pure è specie-specifica per quanto riguarda la cellula ospite. È formata da due subunità: S1 e S2, ma solo la subunità S1 interagisce con il recettore umano ACE2. Come? La S1 si orienta verso l'RBD (il dominio legante il recettore) di ACE2 dove entra in contatto con l'RBM (il motivo legante il recettore), che è il punto di aggancio (Figura 1).

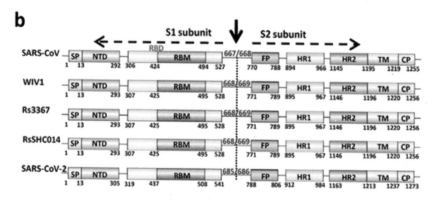

Figura 1 [fonte: doi.org/10.1038/s41422-020-0305-x].

---

[9] In biologia molecolare, unità di misura degli acidi nucleici, costituita da una sequenza di mille nucleotidi se in riferimento alla molecola a singola elica dell'RNA, o da mille coppie di nucleotidi se in riferimento alla molecola a doppia elica del DNA. La quantità totale dei relativi DNA coppie di basi sulla Terra è stimata a $5,0 \times 10^{37}$ e pesa 50 miliardi di tonnellate.

Il 23 gennaio 2020, il team della Shi Zheng-Li pubblica un articolo sulla scoperta di un nuovo coronavirus associato alla recente epidemia di polmonite nell'uomo e alla sua potenziale origine dal pipistrello[10].

L'RBM di RaTG13 differisce da quello del SARS-CoV-2 e la sua affinità con il recettore umano ACE2 appare debole. Viceversa, il virus MP789 (pangolin-2019) del pangolino ha il gruppo RBM compatibile con il recettore ACE2 umano.

Quindi, mantenendo la configurazione della proteina *spike* del RaTG13, l'RBM è sostituito con quello del pangolino, al fine di garantire l'affinità con l'ACE2 umano.

A questo punto abbiamo un virus chimerico ricombinante, in parte RaTG13 e in parte MP789: in tal modo il virus acquisisce la capacità di legarsi, attraverso la proteina *spike* modificata, con il recettore ubiquitario ACE2 dell'uomo, e quindi ha la capacità di penetrare le cellule umane.

Una volta all'interno della cellula umana, il virus deve essere capace di replicarsi e per fare questo deve utilizzare una o più proteasi della cellula ospite.

Nella sequenza genetica della proteina *spike* (S) ricombinante, fra i siti S1 e S2 si ritrova una sequenza che non è presente nel virus RaTG13 del pipistrello né nel MP789 del pangolino. Si tratta di un inserto aminoacidico nuovo, il PRRA (prolina-arginina-arginina-alanina) che crea il sito di clivaggio per la furina (Figura 2).

[10] ZHOU PENG, YANG XING-LOU, WANG XIAN-GUANG, HU BEN, ZHANG LEI, *et. al.*, *Discovery of a novel coronavirus associated with the recent pneumonia outbreak in humans and its potential bat origin*, in «BioRxiv - The Preprint Server For Biology», version 1 (january 23, 2020) [doi.org/10.1101/2020.01.22.914952], pubblicato successivamente anche su «Nature», vol. 579 (2020), pp. 270-273: *A pneumonia outbreak associated with a new coronavirus of probable bat origin* [doi. org/10.1038/s41586-020-2012-7].

Figura 2 [fonte: doi.org/10.1007/s12250-020-00212-7].

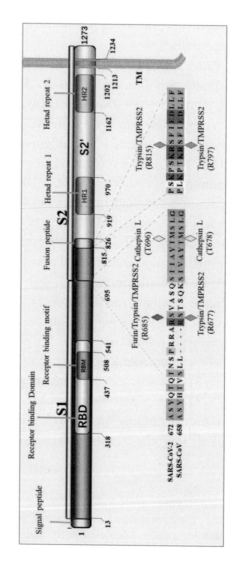

Figura 3 [fonte: DOI:10.12074/202002.00062 chinaXiv:202002.00062 / chinaXiv:202002.00062V1].

Questo inserto è fondamentale perché non solo permette al peptide di fusione (FP) del virus di fondersi con la membrana cellulare, e quindi al virus di entrare nella cellula, ma poi il sito di clivaggio inserito attiva la proteasi furina che va a scindere il segmento S1 dall'S2 della proteina *spike* virale.

La proteina *spike*, come già detto, ha due parti, S1 e S2; S1 è responsabile del contatto primario con il recettore della cellula ospite, mentre S2 è responsabile della fusione con la membrana cellulare e della penetrazione nella cellula. Il processo di fusione con le membrane cellulari è avviato dal peptide di fusione (FP); ma perché possa svolgere la sua azione tossica, qualcuno o qualcosa deve tagliare la proteina *spike* in uno dei siti indicati. Il virus non ha le sue forbicine (*cutters*), per cui deve ricorrere alle proteasi delle sue vittime. Vi sono diversi tipi di proteasi, non tutte sono uguali e non tutti i tipi di cellule hanno le proteasi necessarie ai virus (Figura 3).

La furina è una delle proteasi più efficaci; è localizzata non solo sulla superficie cellulare ma anche a livello intra cellulare. Questo è un aspetto essenziale che consente di differenziare il meccanismo di azione di SARS-CoV dal SARS-CoV-2 (Figura 4).

È possibile che il nuovo sito della furina del SARS-CoV-2 possa essere largamente responsabile per l'incidenza molto alta di morbidità e mortalità nelle persone anziane.

La furina taglia le proteine in punti rigorosamente definiti, vale a dire dopo una sequenza R-x-x-R (cioè Arginina-x-x-Arginina, dove x può essere qualsiasi amminoacido). Inoltre, se anche l'arginina (che è un aminoacido) si trova al secondo o terzo posto (R-x-R-R o R-R-x-R), l'efficacia della scissione aumenta significativamente.

Il sito di scissione della furina (RRAR) in SARS-CoV-2 è unico nella sua famiglia ed è favorito dal suo inserto unico di PRRA (prolina-arginina-arginina-alanina). È improbabile che il sito di scissione della furina di SARS-CoV-2 si sia evoluto da MERS o HCoV-HKU1[11].

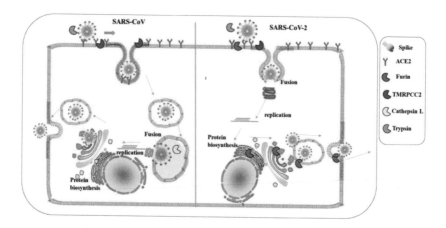

Figura 4: Processo infettivo di SARS-CoV e SARS-CoV-2 a danno della cellula ospite. Le proteasi sono raffigurate per settori e in colori diversi. La furina consente il clivaggio della proteina *spike* nel processo di maturazione e replicazione virale [fonte: DOI:10.12074/202002.00062 chinaXiv:202002.00062 / chinaXiv:202002.00062V1].

La parte ORF1ab[12] (Open Reading Frame) – ossia una sequenza leggibile del genoma che delimita l'intervallo tra il codone di inizio e quello di stop di una sequenza nucleotidica e che codifica una proteina – del segmento S1 della proteina *spike* è un altro "pasticcio" filogenetico del SARS-CoV-2 perché la ricombinazione genetica nel segmento S1 di ORF1ab evidenzia che 1a è più simile a RaTG13, mentre 1b al pangolin-2019.

---

[11] HCoV-HKU1 è una specie di virus originata da topi infetti, del genere Betacoronavirus, sottogenere Embecovirus.

[12] ROZHGAR A. KHAILANY – MUHAMAD SAFDAR – MEHMET OZASLAN, *Genomic characterization of a novel SARS-CoV-2*, in «Gene Reports», vol. 19 (2020) [doi.org/10.1016/j.genrep.2020.100682].

Questo vuol dire, filogeneticamente parlando, che l'antenato del SARS-CoV-2 ha incrociato l'antenato comune del pangolin-19 per lo meno due volte: una prima volta quando ha ereditato, con il comune antenato di RaTG13, ORF1ab e la seconda metà della proteina *spike* con la mutazione QTQTNS; una seconda volta quando ha acquisito 1b e l'RBM, che differiscono da RaTG13.

A questo punto è legittimo porsi una domanda: dove si sono incontrati esattamente il virus del pipistrello e quello del pangolino per creare un tale tipo di fusione e ricombinazione ancestrale? Come abbiamo visto, l'inserto PRRA fra S1 e S2 gioca un ruolo chiave nel processo di creazione del sito di clivaggio della furina (*Furin Cleavage Site*). Ma perché questo inserto entri a far parte del genoma del SARS-CoV-2 avrebbe avuto bisogno di un ospite intermedio. Ospite che non è mai stato scoperto e classificato.

Nell'uomo la furina è un enzima codificato dal gene FURIN. Alcune proteine sono inattive quando vengono sintetizzate per la prima volta e, per essere attivate, devono subire un processo di *"tailoring"* (di rimodellamento, adeguamento) delle sezioni. La furina è in grado di separare queste sezioni, attivando così le proteine[13].

La furina è un enzima appartenente alla classe delle idrolasi che catalizza il rilascio di proteine mature a partire da precursori attraverso il taglio di legami -Arg-Xaa-Yaa-Arg⏄ (dove Xaa può essere un qualsiasi amminoacido e Yaa arginina o lisina).

---

[13] Si chiama furina perché si trova nella regione a monte di un oncogene, un gene coinvolto nella crescita e nella proliferazione cellulare incontrollata responsabile dello sviluppo tumorale noto come FES. Il gene è noto come FUR - FES *Upstream Region*, e quindi la proteina è stata chiamata furina. La furina è anche conosciuta come PACE - *Paired Basic Amino Acid Cleaving Enzyme*.

Tra le proteine mature rilasciate dalla furina figurano l'albumina, il componente del complemento C3 ed il fattore di von Willebrand[14].

La pericolosità del nuovo sito di clivaggio della furina è dimostrata dalla differenza fra SARS-CoV-2 ed il suo antenato SARS-CoV. I ricercatori americani hanno dimostrato l'inefficacia dell'inserzione RRSRR del sito di clivaggio della furina nel virus SARS-CoV, che agevola la fusione di membrana, ma non ha effetto sull'infettività del virione: "La scissione furinica del coronavirus della SARS aumenta la glicoproteina del picco delle glicoproteine delle cellule, ma non influisce sull'ingresso del virione"[15]. Anche i ricercatori giapponesi nel 2008 hanno inserito un sito simile (RRKR) nella proteina di SARS-CoV[16].

Nel caso del CoV2, grazie al sito di clivaggio della furina, non due ma ben tre classi di proteasi sono in grado di tagliare la proteina *spike* al di fuori della cellula. Ma forse la differenza più importante è la presenza della furina anche all'interno della cellula, il che consente di tagliare la proteina S immediatamente dopo

---

[14] Uno dei fattori che interagiscono nella cascata biochimica della coagulazione. Chimicamente è una glicoproteina che circola nel plasma sotto forma di multimeri a basso, intermedio ed alto peso molecolare. È sintetizzato dalle cellule endoteliali e dai megacariociti e va incontro a processi di dimerizzazione e multimerizzazione. È coinvolta in un gran numero di malattie, tra cui la porpora trombotica trombocitopenica, la sindrome di Heyde e probabilmente la sindrome emolitico-uremica.

[15] KATHRYN E. FOLLIS – JOANNE YORK – JACK H. NUNBERG, *Furin cleavage of the SARS coronavirus spike glycoprotein enhances cell–cell fusion but does not affect virion entry*, in «Virology», vol. 350 (2006), pp. 358-369 [doi.org/10.1016/j.virol.2006.02.003].

[16] RIE WATANABE – SHUTOKU MATSUYAMA – KAZUYA SHIRATO – MASAMI MAEJIMA – SHUETSU FUKUSHI – SHIGERU MORIKAWA – FUMIHIRO TAGUCHI, *Entry from the Cell Surface of Severe Acute Respiratory Syndrome Coronavirus with Cleaved S Protein as Revealed by Pseudotype Virus Bearing Cleaved S Protein*, in «Journal of Virology» (november 11, 2008) [doi.org/10.1128/JVI.01412-08].

l'assemblaggio del virione, fornendo così ai nuovi virioni la capacità di fondersi con nuove cellule fin da subito.

Quindi si desume che il nuovo sito furinico costituisce un importante fattore di virulenza di CoV2 e che tale sito difficilmente ha origini naturali, dal momento che non è mai stato scoperto un ospite intermedio[17].

Quindi, finora, abbiamo appreso che:

- Il CoV2 è associato al virus RaGT13 del pipistrello, secondo quanto riportato nello studio della Shi Zheng-Li del 3 febbraio 2020[18].

- L'analisi genomica suggerisce, tuttavia, che il CoV2 può essere una chimera ricombinante di due virus differenti: RaTG13 del pipistrello e MP789 del pangolino[19].

- L'inserto di codifica per il clivaggio della furina umana è riuscito perfettamente, grazie all'inserto di laboratorio PRRA sul ceppo di pipistrello.

- Il virus ha assunto così la sua configurazione finale.

Va aggiunto però un ulteriore particolare alla ricostruzione fin qui fatta.

Da dove arriva il virus RaTG13? La Shi Zheng-Li, il 3 febbraio 2020, afferma che già nel 2013 aveva isolato questo virus dall'*horseshoe Bat - Rhinolophus affinis* – comunemente noto come pipistrello a ferro di cavallo – sottolineando l'importanza della sco-

---

[17] La buona notizia è che esistono già vari inibitori della furina ed altre proteasi; alcuni di questi, come il camostat e suoi analoghi, stanno per essere testati clinicamente contro il CoV2.

[18] *A pneumonia outbreak associated with a new coronavirus of probable bat origin*, cit.

[19] ALEXANDRE HASSANIN, *Coronavirus Could Be a "Chimera" of Two Different Viruses, Genome Analysis Suggests*, in «The Conversation» (march 24, 2020) [https://www.sciencealert.com/genome-analysis-of-the-coronavirus-suggests-two-viruses-may-have-combined].

perta e la similarità del RaTG13 con il CoV2: "Abbiamo quindi scoperto che una breve regione di RNA polimerasi RNA-dipendente (RdRp) di un coronavirus di pipistrello (BatCoV RaTG13), trovata nel *Rhinolophus affinis* nella provincia dello Yunnan, mostrava una importante identità di sequenza con il 2019-CoV2. Abbiamo quindi eseguito il sequenziamento completo su questo campione di RNA (numero di accesso GISAID EPI_ISL_402131). L'analisi Simplot ha mostrato che 2019-CoV2 era molto simile al genoma di RaTG13, con un'identità di sequenza genomica complessiva del 96,2%"[20].

Il 21 aprile 2020, un mese e mezzo dopo la pubblicazione della Shi Zheng-Li, Dean Bengston, sottolinea che: "Tutti gli articoli di riviste che valutano l'origine o l'epidemiologia di SARS-CoV-2, utilizzando la genomica del ceppo di pipistrello RaTG13, sono potenzialmente imperfetti e devono essere ritirati. [...] occorre considerare il fatto che l'origine di questo virus è stata occultata, non dicendo che il RaTG13 era già stato scoperto nel 2013 come un nuovo betacoronavirus legato alla SARS chiamato BtCoV/4991, cambiando semplicemente il nome da BtCoV/4991 a RaTG13, senza tra l'altro che fossero menzionate in alcun modo le precedenti ricerche. Se l'origine di questo virus è stata occultata, come possiamo essere sicuri che il genoma del RaTG13, che è stato fornito, sia affidabile? La loro tecnica di campionamento per BtCoV/4991 ha amplificato una porzione 440bp di RdRpe, pubblicando un set 370 bp. Nell'articolo di *Nature* sull'origine di RaTG13, non abbiamo alcuna informazione su come il RaTG13 sia stato raccolto e campionato. Inoltre, nello studio su RaTG13 non è stato creato alcun clone infettivo per dimostrare che siamo di fronte al genoma di un virus infettivo.

---

[20] *A pneumonia outbreak associated with a new coronavirus of probable bat origin*, cit.

In questo contesto è necessario avere un accesso indipendente di parti terze al campione originale per conoscerne il genoma. La scienza merita sempre informazioni complete, non occultanti. Se non è possibile fare accertamenti sul genoma del RaTG13 allora questo non può considerasi utile e adeguato per effettuare studi epidemiologici e di ricerca che si fondino sull'origine genetica che è stata pubblicata. Gli studi che utilizzano questo genoma dovrebbero essere ritirati"[21].

Quindi il famoso RaTG13 è il RaBtCoV/4991 (KP876546), che la Shi Zheng-Li aveva scoperto nel 2013, ma del quale aveva parlato ufficialmente solo nel 2016.

La Shi Zheng-Li bara, bleffa come un giocatore di poker.

Nella spedizione a Yunnan la Shi Zheng-Li isola un virus che chiama BtCoV/4991; quando poi pubblica lo studio sull'origine del virus Covid-19 parla del RaTG13 senza menzionare la ricerca

---

[21] DEAN BENGSTON, *All journal articles evaluating the origin or epidemiology of SARS-CoV-2 that utilize the RaTG13 bat strain genomics are potentially flawed and should be retracted*, in «OSF Preprint», 21 april 2020 [https://osf.io/wy89d/]: «Therefore, these authors have obfuscated the origin of this virus, that RaTG13 was previously found in 2013 to be a SARS-linked novel betacoronavirus called BtCoV/4991 and they changed the name from BtCoV/4991 to RaTG13and did not mention their previous research on it. If they obfuscated the origin of this virus, how can we be sure the RaTG13 genome is accurate? Their sampling technique for BtCoV/4991 amplified a 440bp portion of RdRp and we have a published 370bp set. In the Nature RaTG13 origin article, we have no information on how RaTG13 was collected and sampled for this novel strain. In addition, no infectious clone was created in the RaTG13 study to demonstrate we are looking at the genome of an infectious virus. In this context we would need independent third-party access to the original specimen to extract the genetics. Science always deserves full information, not obfuscation. Therefore, RaTG13 should otherwise be invalid for epidemiological and origin-based research studies, and studies using this genome as part of their conclusion should be retracted unless an independent third-party can verify the genomics from the original specimen».

del 2013 dove si descrive invece il BtCoV/4991, tra l'altro senza indicare dove è stato raccolto e che è stato creato un clone infettivo (*infectious clone*) di RaTG13.

RaTG13 e BtCoV/4991 sono stati quindi isolati entrambi in Yunnan (provincia nel sudovest della Cina) nel luglio del 2013. Sulla banca dati GenBank[22] questi due virus sono così classificati:

- RaTG13 con numero di serie MN996532. Sebbene sia stato isolato nel 2013, la sequenza completa viene inserita soltanto il 27 gennaio 2020;

- BtCoV/4991 con il numero di serie KP876546. Viene sequenziato parzialmente nel 2016, ma la sequenza completa non è mai stata pubblicata.

Nel database nazionale di virologia cinese il 7 marzo 2020, viene inserito, con un collegamento al NIH GenBank, un codice che indica il RaTG13 e il BtCoV/4991 come equivalenti. Questo significa che la Cina, tenendo segreto questo fatto, sapeva sin dall'inizio che RaTG13 non era un coronavirus nuovo, ma un duplicato del BtCoV/4991.

Qual è la strategia che ha ispirato questa diversa classificazione di RaTG13 e di BtCoV/4991?

Poniamo l'ipotesi che io voglia creare un ricombinante per finalità personali e non voglia farlo sapere ad altri, ad esempio ai miei colleghi americani con cui lavoro frequentemente. Mi reco nelle caverne in Yunnan ed isolo un virus *wild* del pipistrello a

---

[22] Banca dati open access, fondata nel 1982, che riporta tutte le sequenze di nucleotidi e le relative proteine. Il database è prodotto e mantenuto dal National Center for Biotechnology Information (NCBI), che fa parte del National Institutes of Health statunitense. All'interno dell'International Nucleotide Sequence Database Collaboration (INSDC) GenBank riceve le proprie informazioni dai risultati ottenuti su oltre 300.000 diversi organismi provenienti da laboratori sparsi in tutto il mondo, rappresentando il più importante punto di riferimento nel suo campo di ricerca.

ferro di cavallo. Creo poi un *mirror* bioinformatico, in questo caso una doppia denominazione dello stesso virus, facendo due diverse registrazioni: una con un codice, fornendo una sequenza parziale del genoma; l'altra con un codice diverso, ma solo dopo aver creato il ricombinante con un virus del pangolino e altri interventi, e solo quando è scoppiata l'epidemia.

Ecco la risposta alla nostra domanda.

La strategia seguita è quella di non far sapere a nessuno da dove arriva il *backbone* del virus, tanto meno che esso sia il risultato di una manipolazione di laboratorio. Il virus è classificato e registrato come naturale, e nessuno può dire che *il backbone* è stato usato per fare una ricombinazione. In questo modo garantisco ufficialmente l'origine naturale del mio *backbone* e la ricombinazione con il virus del pangolino può essere giustificata come naturale e accidentale. Questo mi permette di creare eventualmente altri ricombinanti, giustificandoli come mutazioni naturali post-epidemiche.

La strategia attraverso la quale vengono create le armi biologiche virali chimeriche e ricombinanti prevede due requisiti:

- il primo è quello di realizzare un design biogenetico che possa essere totalmente compatibile con un design naturale, *wild*;

- il secondo è quello di potenziare l'armamento del virus modificandone il *backbone*, giustificando questa operazione come una mutazione naturale accidentale, utilizzando come sorgente naturale un partner appartenente ad un altra specie che è utile per questo scopo (il virus del pangolino).

Se le cose non stanno come sopra descritto, qualcuno allora dovrebbe provare il contrario, spiegando punto per punto l'origine del virus. C'è un serbatoio naturale intermedio? Nessuno è stato in grado di dirlo. C'è un salto diretto, naturale nell'uomo? Possiamo parlare di zoonosi, cioè di malattie che si trasmettono naturalmente tra animali ed esseri umani? Nessuno lo ha dimostrato.

Nel caso del Covid-19 siamo evidentemente di fronte ad una procedura perfetta che maschera la creazione di un virus chimerico ricombinante e che permette di fare altre manipolazioni fabbricando cloni di studio, usando la tecnica del DNA ricombinante e quella del guadagno di funzione, perché ufficialmente il virus risulta essere di origine naturale.

Il ruolo delle ricerche internazionali condivise nell'Hub di Wuhan

Quanto sopra spiegato è accaduto in un contesto particolare, grazie a collaborazioni e ricerche internazionali che hanno permesso alla Shi Zheng-Li di apprendere tecniche e strategie che altrimenti non avrebbe mai avuto la possibilità di conoscere e approfondire. A tutto ciò va aggiunto che nel mondo della ricerca è molto forte lo spirito di competizione e rivalità che spesso, purtroppo, porta i ricercatori a compiere studi fini a se stessi e che hanno come unico scopo quello di primeggiare in un determinato ambito.

In questo quadro va considerata l'importanza che ha assunto l'incontro della Shi Zheng-Li con i gruppi di lavoro del prof. Peter Rottier, del Dipartimento di Malattie infettive e Immunologia - Virologia, dell'Università di Utrecht in Norvegia e con il gruppo del prof. Ralph S. Baric del Dipartimento di Microbiologia e Immunologia dell'Università del North Carolina, Stati Uniti.

Nel 2002-2004 scoppia in Cina e in Asia l'epidemia di SARS. Il primo caso si verifica a Foshan, nella provincia del Guangdong, il 16 novembre 2002. Il primo caso di polmonite atipica causata dalla SARS si verifica a Taiwan il 14 marzo 2003: si tratta di un imprenditore proveniente dal Guangdong.

Nell'aprile 2004 abbiamo i primi casi di contaminazione che riguardano i laboratori dell'Istituto di Virologia di Pechino. Due casi: uno specializzando e un ricercatore del National Institute for Viral Disease Control and Prevention del Chinese Center for Disease Control and Prevention (CCDC).

Il 1 maggio 2004 si verificano altri 2 casi di contaminazione interna presso il Diarrhea Virus Laboratory del National Institute of Virology di Beijing, dove era in corso una ricerca interdisciplinare sui virus SARS usando coronavirus vivi ed attenuati.

A tal proposito è importante sottolineare come i sistemi di sicurezza dell'Istituto Nazionale di Virologia e del CDC cinese siano evidentemente carenti. In quel periodo non era ancora stato sviluppato un vaccino per questa terribile malattia e l'unica prospettiva possibile era – secondo gli studi di Peter Rottier – quella di usare virus ricombinati trans-specie per svilupparne uno[23].

La Shi Zheng-Li ha lavorato con il prof. Rottier nel 2005, come testimonia un lavoro sui recettori d'ingresso utilizzati dal coronavirus murino[24], e nel 2006 con uno studio sulla scissione furinica del coronavirus della SARS.

Da queste ricerche possiamo desumere che la Shi Zheng-Li realizza una serie di S chimere, inserendo differenti sequenze del

---

[23] BERT J. HAIJEMA – HAUKELIENE VOLDERS– PETER J.M. ROTTIER, *Switching Species Tropism: an Effective Way To Manipulate the Feline Coronavirus Genome*, in «Journal of Virology», vol. 77, n. 8 (april 2003), pp. 4528-4538 [doi. org/10.1128/JVI.77.8.4528-4538.2003].

[24] CORNELIS A. M. DE HAAN – ZHEN LI – EDDIE TE LINTELO – BEREND JAN BOSCH – BERT JAN HAIJEMA – PETER J. M. ROTTIER, *Murine Coronavirus with an Extended Host Range Uses Heparan Sulfate as an Entry Receptor*, in «Journal of Virology», vol. 79, n. 22 (november 2005), pp. 4528-4538 [doi.org/10.1128/ JVI.79.22.14451-14456.2005]. Cfr. anche KATHRYN E. FOLLIS – JOANNE YORK – JACK H. NUNBERG, *Furin cleavage of the SARS coronavirus spike glycoprotein enhances cell–cell fusion but does not affect virion entry*, in «Virology», vol. 350 (2006), pp. 358-369 [doi.org/10.1016/j.virol.2006.02.003].

SARS-CoV S umano nel *backbone* SL-CoV S di pipistrello. Appare evidente quindi che il team della Shi Zheng-Li in quel periodo aveva già provato ad inserire sequenze diverse della proteina *spike* del SARS-CoV nella proteina *spike* dei virus SARS-like del pipistrello (il *backbone* SL-CoV S). Tutto ciò è confermato dal fatto che, a quanto pare, essi hanno una organizzazione genomica simile[25].

La Shi Zheng-Li ha avuto modo anche di lavorare e collaborare con il professor Ralph Baric.

Ralph Baric negli Stati Uniti è considerato il guru dei coronavirus. La sua esaltazione per la ricerca sui virus e sui processi di ricombinazione virale lo rendono unico nello scenario della virologia ricombinante degli Stati Uniti. Definisce i virus come microorganismi "eleganti". Baric ha iniziato a disegnare coronavirus ricombinanti ancor prima che venissero messe a punto le macchine di sequenzaggio del DNA o altri *tools* di ingegneria genetica. Nel 1990 pubblica un lavoro estremamente interessante sulla creazione, a partire dai coronavirus del topo, di mutanti sensibili alla temperatura (*"temperature mutants"*). Nel 1979 si occupa della regolazione del periodo di latenza virale nell'ospite infettato[26]; dal 1987 al 1996 studia la miocardiopatia indotta dai

---

[25] ZHOU PENG – HAN ZHENGGANG – WANG LIN-FA – SHI ZHENG-LI, *Immunogenicity Difference Between the SARS Coronavirus and the Bat SARS-like Coronavirus Spike (S) Proteins*, in «Biochemical and Biophysical Research Communications», vol. 387 (2009), pp. 326-329 [doi.org/10.1016/j.bbrc.2009.07.025].

[26] RALPH S. BARIC – ROBERT E. JOHNSTON, *Characterization of a Sindbis virus variant with a host determined latent period*, North Carolina Society for Microbiology, 1979; RALPH S. BARIC – ROBERT E. JOHNSTON, *Sindbis virus variant with a cell determined latent period*, American Society for Microbiology Annual Meeting, Los Angeles 1979; RALPH S. BARIC – JAMES EGBERT – KAREN LUM – STEPHEN A. STOHLMAN, *Coronavirus temperature sensitive mutants*, 4th International Coronavirus Symposium, Cambridge 1989.

coronavirus nel coniglio[27]. Nel 1995 inizia ad occuparsi del trasferimento inter-specie di coronavirus di topo[28]. Dal 2002 inizia a lavorare sui chimerici ricombinanti, uno studio che potremmo definire come una vera e propria saga nella vita di Baric.

Tra le altre cose, per i suoi studi Baric usufruisce, dal 2012 fino al 2022, di una sovvenzione dal National Institute of Allergy and Infectious Deseases del National Institutes of Health di 14 milioni di dollari[29].

[27] J.D. SMALL – J. SOUKUP – R.D. WOODS – R.M. GAMBLING – R.S. BARIC, *Coronavirus-induced cardiomyopathy in rabbits*, Seventh International Congress of Virology, Edmonton, Canada 1987; J.D. SMALL – J. SOUKUP – R.D. WOODS – T.M. GAMBLING – R.S. BARIC, *Coronavirus-induced cardiomyopathy in rabbits*, American Society for Virology, Chapel Hill, North Carolina 1987; J.D. SMALL – R.D. WOODS – J. SOUKUP – T.M. GAMBLING – R.S. BARIC, *Coronavirus-induced cardiomyopathy in rabbits*, International Symposium on Inflammatory Heart Disease. Snowmass, Colorado 1988; R.S. BARIC – S. EDWARDS – J.D. SMALL, *Rabbit Cardiomyopathy*, 4th International Coronavirus Symposium, Cambridge 1989; LORRAINE K. ALEXANDER – RALPH S. BARIC, *Myocarditis and dilated cardiomyopathy following rabbit coronavirus infection*, American Society for Virology, Colorado 1992; LORRAINE K. ALEXANDER – BRUCE KEENE – BOYD YOUNT – RALPH S. BARIC, *Echocardiographic changes following rabbit coronavirus infection*, International Coronavirus Symposium, Quebec, Canada 1996.

[28] RALPH S. BARIC – BOYD YOUNT – WAN CHEN – SHEILA A. PEEL, *Interspecies transfer of a murine coronavirus*, International Positive Strand RNA Virus Meeting, The Netherlands 1995; LISA E. HENSLEY – RALPH S. BARIC, *Virus receptor interactions and cross species transfer of mouse hepatitis virus*, International Coronavirus Symposium, Madrid 1997; RALPH S. BARIC, *Molecular and Evolutionary Mechanisms of Virus Cross species Transmission*, Cross Species Infectivity Meeting, National Institutes of Health, Bethesda, Maryland 1998.

[29] «Funding n. U19 AI100625 (Baric, Heise MPI) 08/05/2012-8/31/2022 NIH/NIAID Total Direct Cost $14,543071 Systems Immunogenetics of Biodefense Pathogens in the Collaborative Cross. The Collaborative Cross, a mouse resource designed to study complex genetic interactions in diverse populations, to identify novel polymorphic genes regulating immune responses to SARS, influenza and West Nile viruses, gain new insights into genetic interac-

Nel 2002 Ralph S. Baric pubblica un importante lavoro sul topo, studio che rappresenta una pietra miliare sia per lo studio dei meccanismi attraverso i quali operano i virus naturali, sia per la ricerca *Gain of Function*. In questo lavoro Baric e i suoi colleghi spiegano di aver creato un clone sintetico di un coronavirus murino naturale: "Il metodo ha il potenziale per essere utilizzato al fine di costruire genomi virali, microbici o eucarioti, utilizzando diversi milioni di paia di basi in lunghezza e per inserire siti di restrizione in corrispondenza di un dato nucleotide in un genoma microbico"[30]. In sostanza, gli autori hanno "tradotto" l'RNA del virus nel linguaggio del DNA, usando la trascrittasi inversa. Ciò ha permesso di manipolarne il genoma con l'aiuto degli strumenti di ingegneria genetica allora esistenti. Avendo creato 7 di questi segmenti di provirus di cDNA, gli autori li hanno poi ricuciti insieme "senza soluzione di continuità" (*seamlessly*, cioè senza introdurre nuove mutazioni, anche silenziose, includendo nuovi siti di restrittasi); dopo di che hanno trascritto il loro costrutto in RNA, che è stato poi tradotto in particelle virali in altre cellule.

Nel 2003 Baric applica la stessa metodologia ai coronavirus[31] e nel 2006 ricercatori spagnoli, sulle orme di Baric, creano un

---

tions that shape immune phenotypes in mice and humans, and generate panels of genetically defined mice to probe how sets of polymorphic genes affect immune responses against a variety of pathogens or other immune stimuli» [http://docplayer.net/184711559-Curriculum-vitae-ralph-s-baric.html].

[30] B. YOUNT– M.R. DENISON – S.R. WEISS – R.S. BARIC, *Systematic Assembly of a Full-Length Infectious cDNA of Mouse Hepatitis Virus Strain A59*, in «Journal of Virology», vol. 76, n. 21 (november 2002), pp. 11065-11078 [doi. org/10.1128/JVI.76.21.11065-11078.2002]: «The method has the potential to be used to construct viral, microbial, or eukaryotic genomes approaching several million base pairs in length and used to insert restriction sites at any given nucleotide in a microbial genome».

[31] B. YOUNT – K.M. CURTIS – E.A. FRITZ – L.E. HENSLEY – P.B. JAHRLING – E. PRENTICE – M.R. DENISON – TH.W. GEISBERT – R.S. BARIC, *Reverse*

clone sintetico del virus SARS, usando un diverso approccio metodologico: il *Bacterial Artificial Chromosome*[32].

Quando nel 2007 la Shi Zheng-Li annuncia di aver creato una serie di chimere S inserendo sequenze diverse di SARS-CoV S nel *backbone* SL-CoV S[33], l'anno successivo, nel 2008, Baric, entrando in competizione con la Shi Zheng-Li, annuncia di aver sostituito l'RDB del Bat-SCoV con un RBD della SARS umana. Il team di Baric riproduce esattamente il lavoro del 2007 del gruppo della Zheng-Li, non limitandosi a creare uno pseudo-virus, ma un vero virus chimerico[34].

Finalmente nel 2015 la Shi Zheng-Li e Ralph Baric pubblicano insieme il più importante articolo di virologia sul *Gain of Function*, in cui presentano la creazione di un virus chimerico sintetico: "Utilizzando il sistema di genetica inversa SARS-CoV, abbiamo creato e caratterizzato un virus chimerico sintetizzando lo *spike* del coronavirus del pipistrello SHC014 in un *backbone* SARS-CoV adattato al topo. I risultati indicano che i virus del

---

genetics with a full-length infectious cDNA of severe acute respiratory syndrome coronavirus, in «PNAS», vol. 100, n. 22 (october 28, 2003), pp. 12995-1300 [doi. org/10.1073/pnas.1735582100].

[32] Un *Bacterial Artificial Chromosome* (BAC) è un vettore artificiale di DNA basato sul plasmide F, un plasmide contenente il fattore fertilità che, tramite la produzione di pili, permette la coniugazione batterica (processo con il quale una cellula batterica trasferisce porzioni di DNA ad un'altra tramite un contatto cellula-cellula. Il fenomeno può portare al verificarsi di ricombinazione genetica nei batteri).

[33] REN WUZE, QU XIUXIA, LI WENDONG, HAN ZHENGGANG, YU MENG, ZHOU PENG, ZHANG SHU-YI, WANG LIN-FA, DENG HONGKUI, SHI ZHENG-LI, *Difference in Receptor Usage between Severe Acute Respiratory Syndrome (SARS) Coronavirus and SARS-Like Coronavirus of Bat Origin* art. cit.

[34] CRAIG W. DAY – RALPH S. BARIC – SUI XIONG CAI – MATT FRIEMAN – YOHICHI KUMAKI, et. al., *A new mouse-adapted strain of SARS-CoV as a lethal model for evaluating antiviral agents in vitro and in vivo*, in «Virology», vol. 395, n. 2 (20 december 2009), pp. 210-222 [doi.org/10.1016/j.virol.2009.09.023].

gruppo 2b che codificano lo *spike* SHC014 in un *backbone* di tipo *wild* possono utilizzare in modo efficiente più ortologhi del recettore umano ACE2 (enzima *di conversione* dell'angiotensina-2), si replicano efficacemente nelle cellule delle vie respiratorie primarie umane, e ottengono in vitro titoli [concentrazione di anticorpi – NdT] equivalenti a quelli dei ceppi epidemici di SARS-CoV. Inoltre, esperimenti in vivo dimostrano la replicazione del virus chimerico nel polmone dei topi con patogenesi notevole. L'analisi delle modalità disponibili di terapia immunologica e profilassi basate sulla SARS ha rivelato scarsa efficacia; sia i tentativi tramite anticorpi monoclonali che tramite vaccini non sono riusciti a neutralizzare e a proteggere da infezione da CoV che utilizzano la nuova proteina *spike*. Sulla base di queste scoperte, abbiamo ricreato sinteticamente un virus ricombinante infettivo con genoma a lunghezza intera SHC014 e abbiamo dimostrato una robusta replicazione virale sia in vitro che in vivo"[35].

---

[35] V. Menachery – B. Yount – K. Debbink, *et al.*, *A SARS-like cluster of circulating bat coronaviruses shows potential for human emergence*, in «Nature Medicine», 21 (november 9, 2015), pp. 1508-1513 [doi.org/10.1038/nm.3985]: «Using the SARS-CoV reverse genetics system, we generated and characterized a chimeric virus expressing the spike of bat coronavirus SHC014 in a mouse-adapted SARS-CoV backbone. The results indicate that group 2b viruses encoding the SHC014 spike in a wild-type backbone can efficiently use multiple orthologs of the SARS receptor human angiotensin converting enzyme II (ACE2), replicate efficiently in primary human airway cells and achieve in vitro titers equivalent to epidemic strains of SARS-CoV. Additionally, in vivo experiments demonstrate replication of the chimeric virus in mouse lung with notable pathogenesis. Evaluation of available SARS-based immune-therapeutic and prophylactic modalities revealed poor efficacy; both monoclonal antibody and vaccine approaches failed to neutralize and protect from infection with CoVs using the novel spike protein. On the basis of these findings, we synthetically re-derived an infectious full-length SHC014 recombinant virus and demonstrate robust viral replication both in vitro and in vivo».

Mi sia consentito un breve inciso per una riflessione personale. Come scienziato e medico dovrei essere compiaciuto di questi risultati, ma onestamente penso che il linguaggio criptico della genetica sperimentale contemporanea, spesso illeggibile, non aiuta affatto a comprendere quale sia l'interesse clinico che ad essa dovrebbe sovraintendere. Credo invece che in realtà alla base di queste ricerche non vi sia alcun interesse per la salute umana o progetto clinico.

In ogni caso, provando a tradurre il linguaggio di queste ricerche, appare evidente che gli autori celano un aspetto fondamentale che riguarda la virulenza, di cui non fanno menzione, parlando genericamente di un evento che definiscono con il termine *"processivity"* (processività). Semplificando, essi affermano solo implicitamente che la proprietà di una proteina *spike* sottoposta a clivaggio proteasico, inclusa la furina, possa avere un impatto sulla virulenza e che quindi il virus chimerico ricombinate è stato reso più virulento.

Nel 2016 il gruppo di Baric ripete ancora l'esperimento, questa volta senza la Shi Zheng-Li[36].

Qual è il motivo di tanta sperimentazione? Semplicemente, quello sopra menzionato: la competizione scientifica. Potremmo anche aggiungere il prestigio della proprietà intellettuale di tali "creazioni" e l'accesso a cospicui fondi stanziati per la ricerca.

Nel lavoro del 2015 di Baric e della Shi Zheng-Li c'è un altro aspetto impressionante: si menziona il ceppo virale murino MA15, ma non viene precisato che non si tratta di un coronavirus murino naturale, come si potrebbe pensare, bensì di un SARS-CoV umano modificato. Già nel 2007, quindi, il gruppo di Baric, probabilmente in competizione con la Shi Zheng-Li, creò

---

[36] V.D. MENACHERY – B.L. YOUNT JR. – A.C. SIMS – KARI DEBBINK, et al., *SARS-like WIV1-CoV poised for human emergence*, in «PNAS», vol. 113, n. 11 (march 2016), pp. 3048-3053 [doi.org/10.1073/pnas.1517719113].

qualcosa di molto aggressivo. Per compiere questa operazione, il virus è stato dapprima "migliorato" iterativamente nei topi; dopo diverse iterazioni, quando il virus è diventato molto "efficace", le mutazioni osservate sono state riprodotte in un clone sintetico, testando poi in vitro e in vivo se la virulenza e la letalità erano aumentate[37].

Finalmente nel 2018 i due scienziati con i rispettivi gruppi possono lavorare insieme presso il laboratorio di Wuhan.

Ma i cinesi non hanno più bisogno di Baric e degli altri ricercatori occidentali. La loro ricerca sui ricombinanti chimerici virali è all'avanguardia e le loro ricombinazioni genetiche sono molto più raffinate ed "eleganti" – come le definirebbe Baric –, difficili da scoprire.

Le tecniche CRISPR-Cas[38] permettono ora ai cinesi di compiere studi che spaziano dalla virologia, all'embrione umano, ai trapianti ingegnerizzati di organo.

Nuovi teams di ricercatori, che lavorano sui primati e sulle cellule umane, vengono ad affiancarsi alla Shi Zheng-Li: il ricombinante chimerico virale HCoV-19 è già pronto ed è il frutto di un lavoro che è durato quindici anni.

Come si sa, però, il diavolo fa le pentole, ma non i coperchi. La ricerca condotta oltre ogni limite aumenta notevolmente la pericolosità e il rischio che possa verificarsi un incidente, che possa accadere qualcosa di eccezionale, qualcosa in grado di scatenare il caos.

Il virus chimerico ricombinante HCoV-19, creato per studiare la potenziale virulenza sia nella penetrazione cellulare sul recet-

---

[37] A. ROBERTS – D. DEMING – CH.D. PADDOCK – A. CHENG, et al., *A Mouse-Adapted SARS-Coronavirus Causes Disease and Mortality in BALB/c Mice*, in «PLoS Pathogens», 3 (1) (january 2007), pp. 23-37 [doi.org/10.1371/journal.ppat.0030005].

[38] Cfr., *infra*, capitolo II, pp. 65-67.

tore umano ACE2, sia nella progressività intracellulare sul clivaggio della proteasi furinica umana, evidentemente è sfuggito di mano.

I responsabili, diretti e indiretti, di tale evento si affrettano a mettere una pezza con due *reports*: uno è della Shi Zheng-Li, l'altro di Baric.

La Shi Zheng-Li invia un articolo, che verrà pubblicato il 30 marzo 2020 sulla rivista *Cell Research*, sulla inibizione dell'infezione da SARS-CoV-2 "(precedentemente 2019-nCoV)" tramite un potente inibitore di fusione del pan-coronavirus che agisce limitando l'alta capacità di mediare la fusione di membrana della proteina *spike* del virus[39].

In questo studio viene descritto il ruolo del meccanismo di fusione di membrana tramite la proteina *spike*, alla base dell'infezione di SARS-CoV-2. Si dimostra, in vitro e in vivo, l'efficacia dell'inibizione del dominio HR1 della proteina *spike* di SARS-CoV-2, mediante l'uso di lipopeptidi. Questi inibitori, in particolare EK1C4 (tramite applicazione intranasale – NdT), agiscono bloccando il meccanismo di fusione di membrana mediato dalla proteina *spike* del virus, e in questo modo proteggono dall'infezione virale da SARS-CoV-2. Questo studio si fonda su un'altra ricerca, pubblicata nell'aprile 2019, condotta su un pan-inibitore del meccanismo di fusione furinico della proteina *spike*[40].

---

[39] S. XIA – M. LIU – C. WANG – W. XU, *et al.*, *Inhibition of SARS-CoV-2 (previously 2019-nCoV) infection by a highly potent pan-coronavirus fusion inhibitor targeting its spike protein that harbors a high capacity to mediate membrane fusion*, in «Cell Research», 30, pp. 343-355 (2020) [doi.org/10.1038/s41422-020-0305-x].

[40] S. XIA – L. YAN – W. XU – A.S. AGRAWAL, *et al.*, *A pan-coronavirus fusion inhibitor targeting the HR1 domain of human coronavirus spike*, in «Science Advances», vol. 5, n. 4 (april 10, 2019) [doi.org/10.1126/sciadv.aav4580].

Baric pubblica invece un articolo sulla possibilità di usare, contro il SARS-CoV-2, al fine di prevenirne la replicazione virale, nucleosidi per via orale, come il Remdesivir[41].

Riassumendo quindi le loro soluzioni al problema sono le seguenti:

- Il blocco del recettore furinico di membrana.

- Il ricorso a nucleosidi che permettono l'inserimento di lettere difettose nell'alfabeto genetico riprodotto dalla "macchina" che copia il virus, attraverso la furina.

Uno spray nasale e un prodotto farmacologico per via orale: soluzioni semplici e pronto uso per combattere il Covid-19.

Premesso che, in una corretta logica di *Gain of Function*, una volta realizzato il "killer", tramite la procedura inversa di *Gain of Loss*, devi essere in grado di eliminarlo, le due soluzioni indicate dalla Shi Zheng-Li e da Ralph Baric, sempre che esistano farmaci in grado di fare quanto loro affermano (a parte il Remdesivir), possono essere valide al più per prevenire, ma non per curare.

Nuovi approcci metodologici per lo studio del SARS-CoV-2

Finora abbiamo visto come il virus sia stato creato in laboratorio con delle tecniche particolari che hanno permesso di attribuirgli proprietà specifiche. Cerchiamo ora di capire qual è la sua virulenza usando approcci metodologici di bioinformatica genomica e di biologia teorica molto più sofisticati e in parte diversi da quelli classici usati nei laboratori di virologia, grazie ai quali è possibile scoprire aspetti particolari e nuovi del virus. Li elenco di seguito:

---

[41] T.P. Sheahan – A.C. Sims – S. Zhou – R.L. Graham, *et al.*, *An orally bioavailable broad-spectrum antiviral inhibits SARS-CoV-2 and multiple endemic, epidemic and bat coronavirus*, in «bioRχiv - The Preprint Server For Biology», (march 20, 2020) [doi.org/10.1101/2020.03.19.997890].

1. Il SARS-CoV-2 (o, come è stato definito inizialmente dagli stessi ricercatori cinesi, HCoV-19), secondo i risultati ottenuti con l'implementazione delle tecniche di scansione frattale dei genomi[42], non sembra appartenere alla linea filogenetica dei virus della SARS.

2. Gli inserti strategici per il sito furinico umano sono unici, come confermato, fra gli altri, da due gruppi indipendenti, uno cinese e l'altro franco-canadese.

3. Lo speciale potenziale di variazione di densità della proteina *spike* permette di differenziare due varianti principali, D614 e D614G, che hanno una diversa virulenza (studio indiano), confermato recentemente dai nuovi studi di Hyeryun Chloe, dello Scripps Research Institute, California[43], che mostrano come il virus sia capace di modulare il numero degli *spikes* sulla sua superficie e quindi di aumentare la sua capacità di penetrazione (non si sa ancora se l'aumento quantitativo corrisponde anche ad una variazione qualitativa e differenziale degli *spikes*)

4. La scoperta di regioni "esotiche" dei siti conformazionali degli *spikes* ad alta energia libera (analisi matematica teorica sviluppata in Francia).

5. La Pico-Biologia della variazione conformazionale dei siti di clivaggio proteasico nella cellula umana, durante il processo di replicazione virale intracellulare, in particolare per l'HCoV-19.

---

[42] Il metodo frattale è stato scoperto da Benoît Mandelbrot, matematico francese di origini polacche, che mentre conduceva esperimenti per conto del Thomas J. Watson Research Center dell'IBM, scoprì quasi per caso il suo frattale che trova applicazione anche nella biologia.

[43] LIZHOU ZHANG – CODY B. JACKSON – HUIHUI MOU – AMRITA OJHA – ERUMBI S. RANGARAJAN, *et al.*, *The D614G mutation in the SARS-CoV-2 spike protein reduces S1 shedding and increases infectivity*, in «BioRxiv – The Preprint Server for Biology» (june 12, 2020) [doi.org/10.1101/2020.06.12.148726].

6. L'analisi combinata di farmacobiologia integrata (*network pharmacology*) e di modellistica molecolare (*molecular docking*) basata sui principi attivi di medicina tradizionale asiatica.

Vediamo ora quali sono queste scoperte che aprono un panorama nuovo sul Covid-19.

I tre gruppi di ricercatori

Usando metodologie di indagine genomica differenti, gruppi di ricercatori totalmente indipendenti che usano approcci molto sofisticati, come ad esempio quello della biologia teoretica e matematica, hanno evidenziato alcune caratteristiche peculiari del SARS-CoV-2 che sono d'aiuto per sperimentare nuovi test diagnostici e nuove terapie farmacologiche, vaccinali e geniche.

Il **primo gruppo** di ricercatori, formato dai professori Jean-Claude Perez e Luc Montagnier (Francia), Ruan Jishou e Li Hua (Cina) e dal team franco-canadese di Etienne Decroly e Nabil G. Seidah, ha messo in evidenza alcune caratteristiche "singolari ed uniche" del Covid-19 che lo differenziano nettamente dagli altri coronavirus[44]. I ricercatori hanno compiuto la loro indagine genomica partendo da teorie matematiche e procedure

---

[44] Cfr. J.-C. PEREZ, *Wuhan Covid-19 Synthetic Origins and Evolution*, in «International Journal of Research Granthaalayah», vol. 8, n. 2 (february 2020), pp. 285-324 [doi.org/10.5281/zenodo.3724003]; J.-C. PEREZ – L. MONTAGNIER, *COVID-19, SARS and Bats Coronaviruses Genomes Unexpected Exogeneous RNA Sequences*, in «OSF Preprint» (april 25, 2020) [doi.org/10.31219/osf.io/d9e5g]; J.-C. PEREZ, *Wuhan nCoV-2019 SARS Coronaviruses Genomics Fractal Metastructures Evolution and Origins* [doi.org/10.20944/preprints202002.0025.v2]; J.-C. PEREZ, *Deciphering Hidden DNA Meta-Codes - The Great Unification & Master Code of Biology*, in «Journal of Glycomics & Lipidomics» (july 2015) [doi.org/10.13140/RG.2.1.1424.4967].

bioinformatiche. Dalla comparazione di 9 genomi di vari ceppi di SARS cinesi (SARS-2003, SARS-2004, SARS-2004b, SARS-2012, SARS-2015, SARS-2017) con quelli del virus di Wuhan (WUHAN-OLD, WUHAN-2, WUHAN – i tre genomi del virus indicati con nomi diversi riportati in successione: 12, 14, 17 gennaio 2020)[45], si identificano periodi frattali e frequenze di risonanza periodiche usando le *"Fractal Fibonacci stationary waves"*. In particolare 5bp è presente in tutti i ceppi; 8bp e 13bp sono presenti in SARS-2015, SARS-2017 e nei tre genomi di WUHAN; 21bp è presente solo nei tre di WUHAN. In questi ultimi, fra le basi 21600-22350 bp, è presente una regione completamente nuova[46] senza questo inserto e nell'analisi delle onde stazionarie del genoma apparirebbe un'onda di Fibonacci di 34bp. Questo livello di organizzazione di una serie di 5 onde di Fibonacci (5-8-13-21-34 bp) la si trova solo nel cromosoma umano 4.

L'ordine delle onde di Fibonacci è andato progressivamente aumentando dai primi SARS sino al virus di Wuhan che, senza l'inserto, arriverebbe al livello di 34 bp, potenzialmente incorporabile nel cromosoma umano 4. L'inserto, invece, che rappresenta 6 regioni strategiche dell'HIV/SIV concentrate in un minispazio di meno dell'1% della lunghezza del genoma, blocca il SARS-CoV-2 a livello di 21 bp, introducendo livelli di patogenicità anomali per l'uomo.

---

[45] Cfr. *infra*, capitolo IV, note 15-17, p. 97.

[46] Suggerita da JAMES LYONS-WEILER, *Motif Pathogenicity Typing: SARS-CoV-2 Coronavirus May Contain a Unique "Likely Pathogenic" Protein Motif Signature Also Found in a Natural Isolate from 2005*, in *Ipak Research Report Covid-19-2020_1* [http://ipaknowledge.org/resources/IPAK%20RESEARCH %20REPORT%20COVID-19-2020_1%20Pathogenic%20Protein%20Motif %20Signature%20Also%20Found%20in%20Natural%20Isolates%20from %202005.pdf].

Vale la pena aprire una parentesi per far comprendere meglio al lettore quanto sopra esposto spiegando cosa sia il *"Fractal Fibonacci stationary waves"*, cercando di semplificare il più possibile la spiegazione di un concetto complesso e difficile.

Il 9 ottobre 2009, alcuni ricercatori del Broad Institute of Harvard e della University of Massachusetts Medical School annunciano su *MIT news* una importante scoperta: il genoma adotta una straordinaria organizzazione, nota in matematica come "frattale". Questa architettura, definita "globulo frattale", è capace di confezionare il filo del DNA in maniera estremamente compatta, evitando di creare nodi e grovigli che potrebbero interferire con la capacità della cellula di leggere il suo genoma. In questo modo il DNA si può dispiegare e ripiegare durante l'attivazione genetica, la disattivazione genetica e la replicazione cellulare.

Figura 5: A sinistra è rappresentato il cosiddetto globulo di equilibrio, a destra il globulo frattale [fonte: Massachusetts Institute of Technology].

Applicando l'analisi matematica frattale è possibile distinguere sequenze codificanti da sequenze non-codificanti del genoma. Immaginiamo il DNA o l'RNA come una stringa; questa stringa non è inerte, ma attiva, cioè vibra. La vibrazione di un segmento della stringa non si trasmette lungo tutta la sua estensione. Questo fenomeno è chiamato "onda stazionaria" e corrisponde alla vibrazione di risonanza di quella sezione della stringa. I segmenti di stringa, che si ripetono lungo la corda genomica con frequenze di risonanza simili, rivelano una sequenza di Fibonacci, che identifica la stringa e la sua evoluzione.

Ogni ciclo della spirale del DNA a doppia elica misura 34 angstrom di lunghezza per 21 angstrom di larghezza; 34 e 21 sono numeri della serie di Fibonacci.

Quindi con le *"Fractal Fibonacci Stationary Waves"* si misura il grado di organizzazione di quella stringa di genoma. Una variazione anomala della sequenza indica un artefatto, cioè un inserto, o un evento non previsto nel ri-arrangiamento genomico.

Questo approccio informatico altamente sofisticato e complesso è fondato su una teoria globale di analisi del genoma umano e cerca di descrivere le simmetrie ed asimmetrie dei codici genetici.

Il SARS-CoV-2 indubbiamente ha un'affinità specifica per il recettore ACE2 umano. Questa affinità specifica per il recettore ACE2 sarebbe causale per chi sostiene, a mio avviso in modo non scientifico, che essa sia il prodotto di un'ipotetica fusione, accaduta in due tempi successivi, di parti del genoma del pipistrello e di parti del genoma del pangolino, senza tra l'altro essere riusciti ancora a identificare l'ospite intermedio.

Il 28 febbraio 2020, un'equipe cinese guidata dal prof. Ruan Jishou, della Nankai University di Tianjin, rivela che il virus ha un gene mutato che si trova anche nell'HIV e che è 1.000 volte più potente dell'affinità presente nel virus della SARS per il sito furinico. Questa mutazione localizzata in un punto preciso del genoma rappresenta una *"unique feature"* (caratteristica unica) che lo distingue da tutti i coronavirus conosciuti[47].

Un altro gruppo di virologi, guidati dal prof. Li Hua, della Huanzhong University of Science and Technology di Wuhan, conferma le osservazioni del prof. Ruan, osservando che il gene, simile a quello dell'HIV per il sito furinico umano, non è stato trovato in nessuno degli altri coronavirus, inclusi MERS, SARS e Bat-CoVRaTG13, e che ciò ragionevolmente spiega il grado elevato di infettività del Covid-19[48].

L'equipe franco-canadese di Etienne Decroly e N.G. Seidah, sempre nel febbraio 2020, conferma la presenza nel HCoV-19 di un sito di clivaggio *"furin-like"*, assente in coronavirus simili[49].

Oggi sappiamo che il genoma del HCoV-19 corrisponde al 96% al coronavirus Bat-CoVRaTG13 e ha una similarità approssimativa dell'82% con il coronavirus SARS originale. Concentrare l'attenzione sul coronavirus Bat-CoVRaTG13 piuttosto che sul SARS originale, come molti esperti fanno, permetterebbe di scoprire nuovi e maggiori dettagli sul nuovo SARS-CoV-2, che potrebbero essere utili per capire il motivo per cui alcuni pazienti contraggono di nuovo l'infezione e gli effetti che ha la carica virale latente sul nostro corpo a breve, medio o lungo termine. Alcuni ricercatori virologi inglesi, che desiderano rimanere anonimi, per non essere accusati di diffondere panico e disinforma-

---

[47] Lo studio è pubblicato in lingua cinese sulla piattaforma rapida senza *peer-review* della Chinese Academy of Science: cfr. [https://www.chinaxiv.org/abs/202002.00082].

[48] Anche questo articolo è pubblicato il 28 febbraio 2020 in lingua cinese: cfr. [https://www.chinaxiv.org/abs/202002.00062].

[49] Cfr. B. COUTARD – C. VALLE – X. DE LAMBALLERIE – B. CANARD – N.G. SEIDAH – E. DECROLY, *The spike glycoprotein of the new coronavirus 2019-nCoV contains a furin-like cleavage site absent in CoV of the same clade*, in «Antiviral Research», vol. 176 (april 2020) [doi.org/10.1016/j.antiviral.2020.104742].

zione, affermano che il nuovo coronavirus può essere definito come un "killer paziente disperso nell'aria che non lascerà mai la sua vittima, anche se perde la prima battaglia" («*slow airborne killer that will never let its victim off, even if it loses the battle the first time*»), sottintendendo che anche i pazienti guariti potrebbero reinfettarsi e che le cariche virali potrebbero causare delle malattie croniche.

Il **secondo gruppo** di ricercatori, formato da Abdo A. Elfiky, dell'Università egiziana del Cairo, da alcuni ricercatori del Wyss Institute della Harvard University e dal team di Nidhan K. Biswas, del National Institute of Biomedical Genomics in India, ha compiuto degli studi sulla capacità del Covid-19 di trovare altre vie di ingresso nella cellula, cioè su recettori diversi dall'ACE2, attraverso processi di endocitosi recettoriale. Questa capacità del virus esprimerebbe un numero crescente di sottotipi genomici con una geo-distribuzione clonale e mutazioni prevalenti.

Il gruppo di ricercatori diretti dal prof. Abdo Elfiky, trovando conferma all'intuizione avuta, hanno scoperto che la proteina *spike* del SARS-CoV-2 è capace di legarsi al recettore GRP78 (Glucose regulated protein 78) delle cellule umane[50].

I ricercatori del Wyss Institute della Harvard University, studiando la modalità di ingresso del recettore ACE2, hanno scoperto che il Covid-19 può utilizzare non solo la proteasi TMPRSS2 per entrare nelle cellule umane, ma almeno 8 diverse proteasi, rendendo così molto difficile lo sviluppo di inibitori e farmaci. Se questo studio fosse confermato, saremmo di fronte ad un gravissimo problema per lo sviluppo di terapie adeguate.

---

[50] IBRAHIM M. IBRAHIM – DOAA H. ABDELMALEK – MOHAMMED E. EL-SHAHAT – ABDO A. ELFIKY, *COVID-19 spike-host cell receptor GRP78 binding site prediction*, in «Journal of Infection», vol. 80, n. 5 (may 2020), pp. 554-562 [doi.org/10.1016/j.jinf.2020.02.026].

Invece i ricercatori guidati da Nidhan K. Biswas[51] affermano che il virus di Wuhan si è evoluto in altri 10 sottotipi in un periodo di 3 mesi. Questo studio è confermato, tra gli altri, anche dai ricercatori del Marocco[52].

È necessario sottolineare che altri ricercatori hanno compiuto studi similari sulla proteina *spike* e il recettore umano ACE2, giungendo alle medesime conclusioni. Queste ricerche, però, sono state eseguite considerando che il legame tra la proteina *spike* e il recettore ACE2 è frutto di un processo naturale avvenuto attraverso il meccanismo della *"selection pressure"*. La fusione dei due genomi del virus del pipistrello e di quello del pangolino sarebbe avvenuta in modo naturale affinché la proteina *spike* acquisisse affinità per il recettore umano ACE2. Nessuna spiegazione scientifica, però, viene fornita per dimostrare l'origine naturale del legame. La fusione in due tempi successivi di parti del genoma del virus del pipistrello e di parti di quello del pangolino non identifica un ospite intermedio che è necessario; è invece sostenuta dalla teoria epigenetica di selezione, ancora tutta da dimostrare. Questa ricerca è stata pubblicata il 20 maggio 2020 su *Science Advance*[53].

---

[51] Cfr. CHANDRIKA BHATTACHARYYA – CHITRARPITA DAS – ARNAB GHOSH – ANIMESH K. SINGH – NIDHAN K. BISWAS, et al., *Global Spread of SARS-CoV-2 Subtype with Spike Protein Mutation D614G is Shaped by Human Genomic Variations that Regulate Expression of TMPRSS2 and MX1 Genes*, in «BioRxiv – The Preprint Server for Biology» (may 5, 2020) [doi.org/10.1101/2020.05.04.075911].

[52] Cfr. MERIEM LAAMARTI – TAREK ALOUANE – SOUAD KARTTI – M.W. CHEMAO-ELFIHRI – MOHAMMED HAKMI, et al., *Large scale genomic analysis of 3067 SARS-CoV-2 genomes reveals a clonal geo-distribution and a rich genetic variations of hotspots mutations*, in «BioRxiv – The Preprint Server for Biology» (may 3, 2020) [doi.org/10.1101/2020.05.03.074567].

[53] Cfr. XIAOJUN LI – ELENA E. GIORGI – MANUKUMAR HONNAYAKANAHALLI MARICHANNEGOWDA – BRIAN FOLEY – CHUAN XIAO, et al., *Emergence of SARS-CoV-2 through recombination and strong purifying selection*, in «Science Advances», vol. 6, n. 27 (july 2020) [doi.org/10.1126/sciadv.abb9153].

Il direttore del National Institutes of Health, Dr. Francis Collins, nel suo blog il 9 giugno 2020 pubblica un post intitolato *First Molecular Profiles of Severe COVID-19 Infections"* [Primi profili molecolari di gravi infezioni causate dal Covid-19] in cui sottolinea l'importanza di questi studi di Proteomica e Metabolomica, assistita da sistemi computerizzati, per identificare fra le 2.000 ed oltre proteine e metaboliti coinvolti quelli specifici dei pazienti affetti da Covid-19, ed in particolare la differenziazione tra i pazienti ad andamento mite e quelli ad andamento severo, pubblicati dal Tiannan Guo Laboratory in *Proteomic and Metabolomic Characterization of COVID-19 Patient Sera*[54].

Il **terzo gruppo** di ricercatori è composto dagli anglo-norvegesi di Angus Dalgleish, del Saint-George Hospital di Londra, e Birger Sorensen Immunor As, di Oslo, dal team del prof. Robert Penner, dell'Institut des Hautes Etudes Scientifiques (IHES) di Parigi, dal gruppo di Nano Pico Technology della WABT di Parigi (con la prof.ssa Maria Luisa Ganadu, il sottoscritto e il prof. Sujoy Guha, India), dai gruppi cinesi di Chinese Traditional and Herbal Drugs.

Il gruppo ha compiuto degli studi che, avvalendosi di tecniche biomatematiche e di approcci tecnologici di pico e femto chimica, permettono di analizzare le strutture virali in modo nuovo e di scoprire alcune caratteristiche peculiari e in alcuni casi "anomali" dei ceppi virali ricombinanti chimerici. Lo studio dei virus si basa sulle conoscenze acquisite nel campo delle bio-nano macchine, dove le analisi biologiche, funzionali e genomiche vengono realizzate con approcci matematici di *Theoretical Biology*[55], di

---

[54] Bo Shen – Xiao Yi – Yaoting Sun – Xiaojie Bi – Juping Du, *et al.*, *Proteomic and Metabolomic Characterization of COVID-19 Patient Sera*, in «Cell», vol. 182, n. 1 (july 9, 2020), pp. 59-72 [doi.org/10.1016/j.cell.2020.05.032].

[55] La biologia teorica e matematica è un ramo della biologia che impiega analisi teoriche, modelli matematici e astrazioni degli organismi viventi per

Synthetic Biology e di nano e pico Medicina, sino ad arrivare ad applicazioni di Biofisica quantistica.

Questi nuovi metodi di ricerca hanno permesso di scoprire aspetti fino ad oggi sconosciuti del virus Covid-19, che gli esami classici di laboratorio e di genomica non erano riusciti ad esplorare.

Nel lavoro di Angus Dalgleish Birger Sorensen pubblicato su *QRB Discovery*[56] si evidenzia come negli studi sui nuovi vaccini per il Covid-19, che devono essere approvati per i test preliminari, debba essere considera una strategia atta a contrastare l'infezione causata non da un virus "normale", ma da un virus ricombinante chimerico. Sulla base di questo lavoro e di altre informazioni riservate, l'anziano direttore dell'MI6 inglese, sir Richard Dearlove, ha affermato che il SARS-CoV-2 è stato creato dall'uomo e che proviene dal laboratorio di Wuhan[57].

Il prof. Robert Penner e il suo team hanno studiato l'organizzazione topologica e la distribuzione energetica dei siti instabili, ma geometricamente significativi, della struttura proteica del SARS-CoV-2, scoprendo che il sistema è stabilizzato dall'energia libera conformazionale dei domini proteici e non dall'ener-

---

studiare i principi che regolano la struttura, lo sviluppo e il comportamento dei sistemi. La biologia teorica si concentra maggiormente sullo sviluppo di principi teorici per la biologia, mentre la biologia matematica si concentra sull'uso di strumenti matematici per studiare i sistemi biologici.

[56] Cfr. B. SØRENSEN – A. SUSRUD – A.G. DALGLEISH, *Biovacc-19: A Candidate Vaccine for Covid-19 (SARS-CoV-2) Developed from Analysis of its General Method of Action for Infectivity*, in «QRB Discovery», Cambridge University Press (2 june 2020) [doi.org/10.1017/qrd.2020.8].

[57] Cfr. SOPHIE TANNO, *Ex-head of MI6 Sir Richard Dearlove says coronavirus "is man-made" and was "released by accident" - after seeing "important" scientific report*, in «Mail Online», 4 giugno 2020 [https://www.dailymail.co.uk/news/article-8386235/Coronavirus-man-says-ex-head-MI6-Sir-Richard-Dearlove.html].

gia libera dei legami d'idrogeno. Semplificando: l'assorbimento e la fusione virale, due steps necessari per provocare l'infezione, richiedono la riconformazione della proteina *spike*, che avviene a livello delle regioni del *backbone* glicoproteico con alta energia libera. Il SARS-CoV-2 presenta regioni "esotiche" uniche e peculiari. Questo studio sull'energia libera dei siti conformazionali è stato usato per fornire un supporto alla ricerca di nuovi farmaci e vaccini.

Sulla stessa linea ha agito l'equipe di ricerca Virusphere (fondata nel 2007 sotto l'egida del prof. Giulio Tarro, presidente della Fondazione de Beaumont Bonelli per le ricerche sul cancro - onlus, Napoli) che io dirigo insieme alla prof.ssa Maria Luisa Ganadu, della Fondazione Regina Margherita di San Pietro in Silki e docente di Chimica dell'ambiente presso l'UNISS di Sassari, e il prof. Sujoy Guha, dell'Indian Institute of Technology di Nuova Delhi, della WABT di Parigi, che ha iniziato una serie ricerche sulla pico-biologia della variazione conformazionale dei siti di clivaggio proteasico nella cellula umana durante il processo di replicazione virale intracellulare, in particolare per ciò che concerne il SARS-CoV-2. Utilizzando Nanotecnologie di Simulazione (NaS) messe a punto nell'ambito della nuova disciplina delle Pico-Scienze fondata presso l'Amity University nel 2013, la Pico Technomics, la Pico Biologia e la Pico Medicina, è possibile visualizzare e misurare le variazioni conformazionali proteiche durante l'invasione virale attraverso pico-sensori biologici (C-PBS) per nuovi peptidi conformazionali intracellulari (C-PPS) - (IP WABT patents). Nuove acquisizioni sull'interazione virus HCoV-19 e cellule umane derivano dalla sperimentazione in Asia di principi attivi presenti in natura e utilizzati nella medicina tradizionale cinese. Alcuni protocolli hanno ottenuto risultati positivi usando un approccio *clinical evidence-based medicine*, cioè un approccio medico basato su prove di efficacia[58]. In particolare, 4 preparati si sono dimostrati efficaci contro il Covid-19: il decotto Qingfei Paidu (QPD), il decotto Gancaoganjiang, il decotto Sheganmahuang e il decotto Qingfei Touxie Fuzheng[59].

Riporto un recente studio, che includo di corsa alle bozze del libro prima che passi alle stampe, pubblicato il 3 luglio 2020 dai ricercatori della Washington University School (MO, USA), guidati dal prof. Sean P.J. Whelan[60]. Il team ha sviluppato un virus ibrido geneticamente modificato che contiene un gene di SARS-CoV-2. L'aggiunta del gene SARS-CoV-2 significa che il virus prodotto in laboratorio è in grado di infettare le cellule e di essere riconosciuto da anticorpi come SARS-CoV-2, ma può essere gestito in normali condizioni di laboratorio. Per creare il virus ibrido, il team è partito dal virus della stomatite vescicolare (VSV) – un punto fermo di molti laboratori di virologia a causa della sua natura innocua. Usando tecniche di gene editing, gli scienziati hanno rimosso la proteina di superficie del VSV e

---

[58] Jing Zhao – Sai-Sai Tian – Jian Yang – Jian-Feng Liu– Wei-Dong Zhang, *Investigating the mechanism of Qing-Fei-Pai-Du-Tang for the treatment of Novel Coronavirus Pneumonia by network pharmacology*, in «Chinese Traditional and Herbal Drugs», n. 2 (2020) [http://jtp.cnki.net/bilingual/detail/html/ZCYO20200216002]; Hao Wu – Jia-Qi Wang – Yu-Wei Yang – Tian-Yi Li – Yi-Jia Cao, et al., *Preliminary exploration of the mechanism of Qingfei Paidu decoction agains novel coronavirus pneumonia based on network pharmacology and molecular docking technology*, in «Acta Pharmaceutica Sinica», n. 12 (2020), pp. 374-383 [doi.org/10.16438/j.0513-4870.2020-0136], consultabile in lingua inglese [https://pesquisa.bvsalud.org/gim/resource/pt/wprim-815850].

[59] Tutte le drogherie di medicina tradizionale cinese in Tailandia, Taiwan, Hong Kong, Singapore e Malesia sanno come preparare questa miscele di erbe.

[60] James Brett Case – Paul W. Rothlauf – Rita E. Chen – Zhuoming Liu – Sean P.J. Whelan, et al., *Neutralizing Antibody and Soluble ACE2 Inhibition of a Replication-Competent VSV-SARS-CoV-2 and a Clinical Isolate of SARS-CoV-2*, in «Cell Host & Microbe», 3 july 2020 [doi.org/10.1016/j.chom.2020.06.021].

l'hanno sostituita con la proteina spike del SARS-CoV-2, creando un virus ibrido in grado di colpire le cellule ma privo dei geni necessari per causare gravi malattie. L'importanza di questo lavoro è che ora anche laboratori di ricerca universitari ed accademici di livello P2 e P3 possono sviluppare nuovi studi sul virus del Covid-19.

È necessario regolamentare la *Gain of Function* e le tecniche di manipolazione genetica

Le analisi dei gruppi indipendenti, che non hanno mai condiviso le strategie esasperate del *Gain of Function* e che non accettano acriticamente le promesse avveniristiche della biologia sintetica, presentano dati nuovi sulle strategie, sugli studi e sui rischi delle ricombinazioni chimeriche ricombinanti di tipo virale e chiedono a gran voce una riflessione etica che coinvolga le istituzioni internazionali di controllo sulla sicurezza umana, sulla sicurezza interna (*Human Safety and Homeland Security*) e sulla ricerca biotecnologica avanzata che riguarda il genere umano e la biosfera.

Qualunque siano le giustificazioni addotte da una parte della comunità scientifica internazionale, dai giornali, che ad essa sono legati, e dai finanziatori, è evidente un fatto: dall'era dello sviluppo della biologia sintetica lanciata da John Craig Venter e dal suo network, lo sviluppo di metodologie e tecniche di ricombinazione genica hanno generato una serie di procedure di laboratorio – come la tecnologia del DNA ricombinante – e di approcci metodologici – come la *Gain of Function*, che hanno favorito e accelerato la manipolazione e la ricombinazione genetica, soprattutto nel campo della virologia.

L'esempio della cooperazione/competizione fra il gruppo americano di Baric – con il supporto in Europa di gruppi olandesi – e quello cinese della Shi Zheng-Li, ha portato ad implementare le tecniche di DNA ricombinante, sviluppate da Baric, su ricombinanti chimerici, naturali e/o di laboratorio, sviluppati da entrambe le parti, sotto l'ombrello protettivo della strategia *Gain of Function*, supportata in parte anche dal NIAID dell'NIH.

L'esigenza di dover giustificare strategie di *Gain of Function* come metodo utile per l'essere umano, ha permesso di sviluppare modelli ricombinanti chimerici inter-specie di laboratorio, dove la patogenicità virale viene testata con l'introduzione di inserti genetici di affinità progressiva, crescente e selettiva per i recettori umani ubiquitari o settoriali del corpo umano.

Tutto ciò ha permesso di sviluppare i modelli sperimentali trans-specie di Baric e della Shi Zheng-Li su *backbones* di SARS e di altro tipo, di derivazione umana, murina o esotica, introducendo inserti genetici di grande patogenicità e virulenza per il genere umano. Tutto ciò è accaduto senza che venisse garantito l'accesso ai campioni originari o clonati, senza la dimostrazione di *markers* di tracciabilità in vitro ed in vivo, senza garantire soprattutto lo sviluppo degli antidoti necessari, sia per il personale che ha lavorato a questi progetti, sia per chi vive in prossimità dei laboratori nel caso in cui si verifichi un *leakage*, una fuga, o, peggio, un furto per motivi di carattere spionistico, scientifico competitivo, o bioterroristico, sia nel caso in cui, colpevolmente o dolosamente, si verifichi una diffusione massiva.

Negli Stati Uniti, la moratoria del 2015 attuata su alcuni aspetti della ricerca *Gain of Function* aveva tentato di avviare una nuova era in cui era necessario riscrivere i protocolli per l'utilizzo di tale strategia, cercando una mediazione di carattere etico nell'ambito della strategia DURC[61] e considerando costi e benefici del *Gain of Function*.

---

[61] Cfr., *infra*, capitolo II, pp. 62-64.

Il processo transnazionale che ha portato il team di Baric e quello della Shi Zheng-Li a collaborare, con il supporto di finanziamenti internazionali, anche privati, ha fatto sì che questo tipo di ricerca trovasse in Cina terreno fertile. La Cina, che non ha mai sottoscritto la Convenzione sulle armi biologiche (BWC) e ha promosso un vasto programma di sviluppo basato su una commistione militare-civile – inclusa la strategia sulla guerra biologica –, è stata fino ad oggi una *location* formidabile per tutti coloro che volevano condurre esperimenti fuori da ogni regola condivisa e protocollata, magari vietati nei rispettivi Paesi di appartenenza.

Ciò che è accaduto, non solo rende responsabili, dal punto di vista morale ed etico, i ricercatori coinvolti in questi esperimenti che hanno mantenuto il silenzio di fronte alla pandemia causata dal Covid-19, ma rende complice anche l'informazione mediatica e quella scientifica promossa da una parte consistente della ricerca internazionale, coinvolta nel lucroso affare delle tecniche di DNA ricombinante e delle strategie *Gain of Function*. Inoltre, la reticenza del governo cinese, che ha rifiutato di fornire i campioni originali del virus dichiarando di averli distrutti per ragioni di sicurezza interna, pongono un serio problema per una eventuale futura gestione di eventi simili che possono verificarsi nuovamente anche in altri Paesi, in assenza di una costruttiva revisione dei protocolli internazionali.

A livello internazionale, se a Wuhan è stato commesso un errore, se si è verificato un incidente, che poteva accadere anche in altri laboratori più sicuri, si chiede ora di trovare soluzioni condivise atte a garantire la sicurezza nello sviluppo delle biotecnologie, specialmente quelle usate per l'uomo.

La ricerca biotecnologica nell'ambito della biologia sintetica, e quella cyber-tecnologica dell'intelligenza artificiale, inserite in un quadro di progressiva e inarrestabile codificazione biologica e digitale dell'essere umano, offrono scenari non più virtuali, ma reali, che prospettano un mondo nuovo, un mondo sintetico. Una dimensione in cui anche l'essere umano può diventare sintetico.

Lo strumento migliore per realizzare uno scenario del genere sono gli *scripts* virali, che permettono di trasformare i genomi sino a creare una biosfera e un bioma di specie completamente nuovo.

Questa nuova storia del mondo è già stata scritta: da Craig Venter che, con le sue idee rivoluzionarie, ha cambiato per sempre la chimica, la biochimica e la genetica, dando il via allo studio delle nanotecnologie, delle nano macchine replicanti teorizzate da Von Neumann; dall'intelligenza artificiale, che si è evoluta a tal punto da riuscire a elaborare un numero enorme di dati a una velocità impressionante, impossibile anche per il cervello umano.

Per ciò che concerne la biologia sintetica, però, ancora molti passi in avanti devono essere compiuti. Le idee di Venter, che faccio mie come clinico per preservare e migliorare la fertilità umana, per rallentare il processo di invecchiamento umano, sono paragonabili, nella ricerca del mistero della vita, alle idee di un vecchio biochimico, di un alchimista alla ricerca della pietra filosofale della vita, in una dimensione chiusa, relegata al mondo della chimica, ad un alfabeto limitato per la comprensione di questo mistero.

Occorre andare oltre la biochimica, che ha un focus visivo per certi versi limitato, espandendo la ricerca ad una dimensione superiore, come ad esempio quella della biofisica quantistica.

Gli scienziati del nuovo mondo sintetico e bioinformatico, sembrano essere programmatori assistiti da intelligenze artificiali, che operano in laboratori asettici automatizzati e robotizzati, sfornando modelli chimerici ricombinanti, aprendo l'orizzonte ad una sperimentazione infinita. Informatizzano il DNA e l'RNA, domani forse creando un DNA a 3 o 4 eliche, ma la dimensione umana può andare oltre la chimica, può dilatarsi ed espandersi nella dimensione della biofisica quantistica ove le regole saranno scritte in linguaggio diverso.

Conclusioni

La Cina ha mentito al mondo? Per certi versi, potremmo dire, o per lo meno sperare, che non lo ha fatto.

Guo Dejin ha comunicato sin dall'inizio che il virus era HCoV – *human oriented* – e che la trasmissione era inter umana, che non erano stati sviluppati vaccini o antidoti e che l'unica terapia possibile in emergenza erano le *"old drugs"*.

L'amministrazione cinese ha militarizzato l'istituto di virologia di Wuhan, sostituendosi ai ricercatori che si erano spinti oltre le misure di sicurezza.

Il governo cinese ha inviato le forze armate per mettere in quarantena la città di Wuhan e la provincia di Hubei.

Quello che accadeva a Wuhan era evidente perché tutto era sotto i nostri occhi. Le immagini dei danni prodotti dall'epidemia entravano quotidianamente nelle nostre case.

La Cina e l'epidemia erano lontane ma, come in un brutto sogno, al risveglio il Covid-19 è diventato una triste realtà.

LE CARATTERISTICHE
DEL NUOVO VIRUS CHIMERICO

I virus hanno tre caratteristiche genetiche essenziali: mutazione, ricombinazione e replicazione. In un'epidemia è importante monitorare la capacità del virus di mutare e di ricombinarsi al fine di poter prevedere l'evoluzione dell'epidemia e l'insorgenza di nuove ondate epidemiche.

Vediamo da questo punto di vista cosa è accaduto e sta accadendo al virus HCoV-19 (SARS-CoV-2).

In uno studio del 3 marzo 2020 scritto da Xiaolu Tang e coll., pubblicato su *National Science Review*, gli autori mettono in risalto la divergenza tra il genoma di questo virus e quelli che potrebbero essere considerati simili, come il SARSr-CoV e RaTG13. Se la differenza nei nucleotidi genomici è del 4%, la differenza sui siti neutri è del 17%, molto più alta di quella stimata e tale da far considerare come "nuovo" questo virus[1].

Partendo poi dall'analisi di 103 genomi del SARS-CoV-2, si è scoperto che il virus ha due lignaggi (*lineages*) genetici, designati come L e S, ben definiti da due differenti polimorfismi a singolo nucleotide (SNPs – *Single Nucleotide Polymorphisms*)[2].

---

[1] Xiaolu Tang – Changcheng Wu – Xiang Li – Yuhe Song – Xinmin Yao, *et al.*, *On the origin and continuing evolution of SARS-CoV-2*, in «National Science Review», vol. 7, n. 6 (june 2020), pp. 1012-1023 [doi.org/10.1093/nsr/nwaa036].

[2] Un polimorfismo a singolo nucleotide è una variazione del materiale genico a carico di un unico nucleotide, tale per cui l'allele polimorfico risulta

Gli autori hanno scoperto che un SNP nella posizione 8782 (ORF1ab: T8517C, sinonimo) e l'altro SNP nella posizione 28144 (ORF8: C251T, S84L) mostrano un legame significativo, con un valore R2 di 0,954 e un valore LOD di 50,13.

Cosa si evince da questi valori? Con la procedura di mappatura QTL[3], che utilizza l'indice R2 (un fattore determinato dalla varianza genetica Vg e dalla varianza fenotipica Vp) e il LOD score (*Logarithm of the Odds* – logaritmo delle probabilità)[4], è possibile definire se due loci genetici[5] sono legati fra di loro e se, quindi, sono stati ereditati insieme. Tra i 103 ceppi virali di SARS-CoV-2 presi in esame, ben 101 hanno mostrato un legame completo tra i due SNPs:

- 72 ceppi hanno mostrato un aplotipo "CT" (definito come lignaggio "L" perché T28144 è nel codone di leucina).

- 29 ceppi esibivano un aplotipo "TC" (definito come lignaggio "S" perché C28144 è nel codone di serina).

Pertanto, il virus SARS-CoV-2 è stato classificato in due lignaggi principali, con L maggiore (~70%) e S minore (~30%).

---

presente nella popolazione in una proporzione superiore all'1%. Al di sotto di tale soglia si è soliti parlare di variante rara (SNV – *Single Nucleotide Variant*). Cfr. anche *Making SNPs Make Sense*, in «Lern.Genetics» [https://learn.genetics. utah.edu/content/precision/snips/].

[3] Un QTL (*Quantitative Trait Loci*) è una regione di DNA associata ad un particolare carattere quantitativo, cioè un carattere fenotipico variabile in modo continuo. Un QTL è strettamente associato ad un gene che determina il carattere fenotipico in questione o partecipa alla sua determinazione.

[4] Il metodo del LOD score è un test statistico utilizzato per analizzare i rapporti di associazione tra i geni (*linkage*) in popolazioni animali, umane e vegetali. Il LOD score confronta: 1) la probabilità di riscontrare i valori osservati se i due loci sono effettivamente sullo stesso cromosoma, con una determinata frequenza di ricombinazione, e 2) la probabilità di ottenere gli stessi risultati se i due loci non sono associati, quindi esclusivamente per caso.

[5] Il termine locus genico (o più semplicemente locus) designa la posizione di un gene o di un'altra sequenza significativa all'interno di un cromosoma.

In questo studio campione sul virus SARS-CoV-2 si riscontra che le due linee sono strettamente correlate (*nearly complete linkage*) e che la linea L è prevalente sulla linea S. Inoltre, le analisi evolutive realizzate suggeriscono che la linea S sembra essere più correlata ai coronavirus negli animali, quindi ancestrale.

Sebbene i lignaggi L e S siano definiti su due SNPs strettamente collegati, sorprendentemente, la separazione tra i lignaggi L (blu) e S (rosso) è stata mantenuta quando sono state ricostruite le reti di aplotipi usando tutti gli SNPs nei genomi del SARS-CoV-2 (cfr. Figura 1 A-B; il numero di mutazioni tra due aplotipi vicini è stato dedotto in modo parsimonioso).

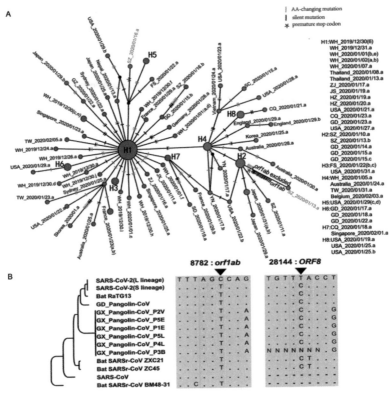

Figura 1 [fonte: doi.org/10.1093/nsr/nwaa036].

Questa analisi supporta ulteriormente l'idea che i due SNPs collegati nei siti 8782 e 28144 definiscono adeguatamente i lignaggi L e S di SARS CoV2.

In questa serie di 103 casi, è stato riportato un solo caso di eteroplasmia. Si tratta di una cittadina americana residente a Chicago, rientrata da Wuhan il 21 gennaio 2020: nella paziente è stata riscontrata una variazione che dimostra come sia stata infettata da entrambe le varianti, L e S.

Riassumendo: lo studio eseguito da Xiaolu Tang e coll. suppone che il virus SARS-CoV-2 possa essere diviso in due linee principali (L e S). Curiosamente, i lignaggi S e L possono essere chiaramente definiti solo da due SNPs strettamente collegate nelle posizioni 8782 (ORF1ab: T8517C, sinonimo) e 28144 (ORF8: C251T, S84L).

ORF1ab, che codifica la replicasi / trascrittasi, è necessario per la replicazione del genoma virale e potrebbe essere anche importante per la patogenesi virale. Sebbene la mutazione T8517C in ORF1ab non cambi la sequenza proteica (cambia il codone AGT [Ser] in AGC [Ser]), può influire sulla traduzione di ORF1ab, poiché si preferisce AGT mentre AGC non è preferito. ORF8 promuove l'espressione di ATF6, il fattore di risposta ER per il dispiegamento proteico, nelle cellule umane. Pertanto, sarà interessante studiare la funzione della variazione di S84L AA in ORF8, nonché l'effetto combinatorio di queste due mutazioni nella patogenesi della SARS-CoV-2.

Gli autori di questa ricerca hanno infine dichiarato: "Questi risultati suggeriscono la necessità di ulteriori studi, che devono essere più immediati e completi possibile, che combinano dati genomici, dati epidemiologici e cartelle codificate (*chart records*) dei sintomi clinici dei pazienti con sindrome da Covid-19".

Quindi, in sintesi, il Covid-19 è suddiviso in due ceppi L e S. Il ceppo L provoca patologie gravi, diciamo è più cattivo; il ceppo S invece produce patologie meno gravi.

Il ceppo L è risultato prevalente nelle prime fasi dell'epidemia a Wuhan. Il ceppo S, comunque presente e forse più antico del ceppo L, ha continuato ad infettare nuovi pazienti, perché meno grave. Questo significa che il ceppo S ha un'incubazione più lunga, quindi passa più tempo da quando il virus è contratto al ricovero in ospedale, aumentando così il rischio di trasmissione.

Questo dato è confermato da due gruppi di ricercatori: quello della School of Life Sciences dell'Università di Pechino e quello dell'Istituto Pasteur di Shanghai. Entrambi affermano che il virus Covid-19 si è evoluto in due principali lignaggi, denominati L e S. Il ceppo L, più recente e più aggressivo, era presente all'inizio dell'epidemia nel 70% dei casi analizzati, mentre il 30% dei casi era stato colpito dal ceppo S.

Un altro studio, pubblicato in India il 27 aprile 2020 sul *Medical Journal of Armed Forces*[6], conferma quanto già evidenziato dalla ricerca di Tang e coll., e cioè l'individuazione di due aplotipi: "CT", definito come L perché T28144 si trova nel codone della leucina, e "TC" definito come S perché C28144 si trova nel codone della serina, in posizione 84 di ORF8. La frequenza statistica è stata riscontrata in 11 casi che mostrano la serina (S) e in 15 casi che mostrano la leucina (L) in posizione 84 (57,69%) (Figura 2).

L'albero, o meglio, il network filogenetico del CoV2 mostra altri aspetti interessanti sulla distribuzione del virus, sia dal punto di vista temporale che geografico.

---

[6] K.B. Ananda – S. Karadeb – S. Senc – R.M. Guptad, *SARS-CoV-2: Camazotz's Curse*, in «Medical Journal of Armed Forces», vol. 76, n. 2, (april 2020), pp. 136-141 [doi.org/10.1016/j.mjafi.2020.04.008].

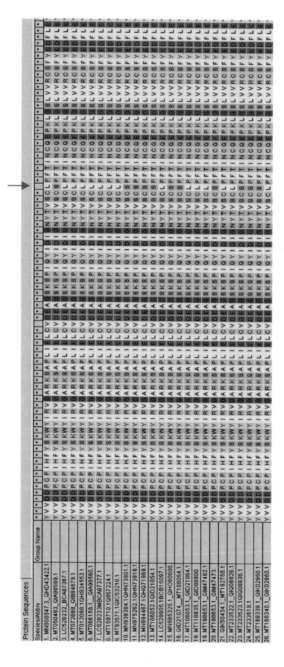

Figura 2 [fonte: doi.org/10.1016/j.mjafi.2020.04.008].

Peter Forster, genetista inglese dell'Università di Cambridge, usando tecniche di rete genetica per lo studio di 160 genomi virali completi, sequenziati da pazienti umani in tutto il mondo tra il 24 dicembre 2019 e il 4 marzo 2020, ha scoperto invece che esistono tre distinte varianti del SARS-CoV-2: A, B e C[7].

Il virus tipo A, quello più simile al coronavirus presente nei pipistrelli a ferro di cavallo (che corrisponderebbe al tipo S cinese), era presente a Wuhan fin dall'inizio dell'epidemia. Il tipo A era stato trovato anche in pazienti cinesi e americani che affermano di essere stati a Wuhan e alcune mutazioni del virus di tipo A sono state riscontrate in pazienti che provenivano dagli Stati Uniti e dall'Australia. Sorprendentemente il virus di tipo A non era prevalente a Wuhan, dove era invece prevalente il virus di tipo B (che corrisponde al tipo L cinese) presente in molti pazienti asiatici. La variante B stranamente non ha avuto una larga diffusione, né ulteriori mutazioni al di fuori della regione asiatica orientale. La variante C invece è quella che ha colpito principalmente l'Europa e che ha infettato i primi pazienti in Francia, Italia, Svezia e Inghilterra. Il virus di tipo C è assente nei pazienti cinesi ma è presente in quelli di Singapore, Hong Kong e Corea del Sud.

Forster afferma inoltre che "dal momento che esistono troppe mutazioni rapide per rintracciare ordinatamente un albero genealogico di SARS-CoV-2, ha dovuto utilizzare un algoritmo matematico al fine di individuare contemporaneamente tutti gli alberi possibili"[8].

---

[7] PETER FORSTER – LUCY FORSTER – COLIN RENFREW – MICHAEL FORSTER, *Phylogenetic network analysis of SARS-CoV-2 genomes*, in «PNAS», 117 (17), (april 28, 2020), pp. 9241-9243 [doi.org/10.1073/pnas.2004999117].

[8] Nel sito internet dell'Università di Cambridge, Research area, news [https://www.cam.ac.uk/research/news/covid-19-genetic-network-analysis-provides-snapshot-of-pandemic-origins], è descritto il primo snapshot della

La Figura 3 riporta la "incipient supernova" del SARS-CoV-2, disegnata da Forster, in cui spiega le mutazioni genetiche che il virus ha subito durante la sua diffusione dalla Cina al resto dell'Asia, all'Australia, all'Europa e al Nord America.

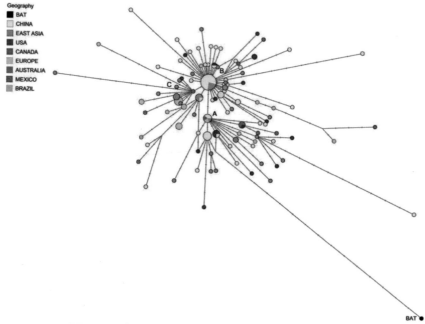

Figura 3 [fonte: doi.org/10.1073/pnas.2004999117].

La variante A – che come abbiamo detto è la più simile sia al virus trovato nei pipistrelli che nei pangolini – è definita dai ricercatori come "la radice dell'epidemia" (il tipo S dei cinesi). Il tipo B deriva dalla variante A ed è separato da due mutazioni. Il tipo C è a sua volta "figlio" della variante B. I ricercatori affermano

---

propagazione pandemica del Covid-19; cfr. anche: *Covid-19: genetic network analysis provides 'snapshot' of pandemic origins* [https://www.sciencedaily.com/releases/2020/04/200409085644.htm].

che la localizzazione della variante B (il tipo L dei cinesi) in Asia orientale potrebbe derivare da un "effetto fondante", una sorta di collo di bottiglia genetico che si verifica quando si crea un nuovo ceppo da un piccolo gruppo isolato di infezioni[9].

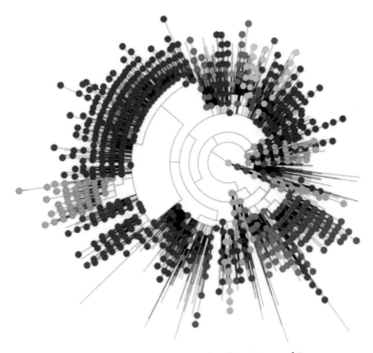

Figura 4 [fonte: Cambridge Network].

---

[9] Il gruppo di Cambridge ha poi creato il consorzio di genomica Covid-19 UK, al fine di realizzare una mappatura del virus nel Regno Unito e comprendere come il virus si propaga a livello nazionale, regionale e locale, considerando che l'Inghilterra è diventata una sorta di melting pot dei diversi ceppi del SARS CoV2. Cfr. CAMBRIDGE NETWORK, *Analysis of COVID-19 Genomes reveals large numbers of introductions to the UK in March* [https://www.cambridgenetwork.co.uk/news/603632].

Il gruppo indiano di Nidhan K. Biswas e Partha P. Majumder ha sviluppato invece un altro tipo di classificazione[10]. Gli autori, partendo dalla classificazione dei cinesi (S e L), rintracciano delle cladi prendendo come punto di riferimento la proteina *spike* e seguendone le mutazioni, identificandone ben 11: O, B, B1, B2, B4, A3, A6, A7, A1a, A2, A2a.

Il gruppo O è quello cosiddetto "ancestrale" (corrispondente alla varietà S). Il gruppo B è presente in Cina, Australia e Spagna. B1 è quello prevalente in Stati Uniti, Canada e Australia. Il gruppo A2a è presente negli Stati Uniti e prevalente in Regno Unito, Europa, Taiwan e India.

Esiste inoltre una marcata differenza tra il ceppo mite di tipo O, il ceppo B intermedio, il ceppo A1a diffuso nel Nord America e il ceppo A2a molto aggressivo.

Il gruppo di ricercatori indiani fa riferimento ad un particolare sottotipo con una mutazione non-silente (Aspartato per Glycina) in posizione 614 della proteina *spike* – D614G, che rapidamente prende il sopravvento sugli altri ceppi, compreso quello cosiddetto ancestrale.

In Figura 5 è raffigurata la distribuzione delle 11 cladi nel periodo 15 gennaio - 31 marzo 2020[11].

---

[10] NIDHAN K. BISWAS – PARTHA P. MAJUMDER, *Analysis of RNA Sequences of 3636 SARS-CoV-2 Collected from 55 Countries Reveals Selective Sweep of One Virus Type*, in «The Indian Journal of Medical Research» (may 2020) [doi. org/10.4103/ijmr.IJMR_1125_20].

[11] CHANDRIKA BHATTACHARYYA – CHITRARPITA DAS – ARNAB GHOSH – ANIMESH K. SINGH, et al, *Global Spread of SARS-CoV-2 Subtype with Spike Protein Mutation D614G is Shaped by Human Genomic Variations that Regulate Expression of TMPRSS2 and MX1 Genes*, in «BioRxiv - The Preprint Server For Biology», (may 5, 2020) [doi.org/10.1101/2020.05.04.075911].

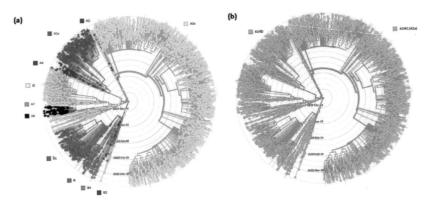

Figura 5 [fonte: doi.org/10.1101/2020.05.04.075911].

Nella Figura 5 (a) osserviamo la distribuzione delle diverse cladi, basate sulle sequenze nucleotidiche, dove si evince che il ceppo O si è evoluto in B e B2 nelle prime due settimane di gennaio, lasciando poi progressivamente terreno al ceppo A2a, che mostra la mutazione di D614G e successivamente della TMPRSS2[12].

Nella Figura 5 (b) si evidenzia la netta ripartizione dei due ceppi: quello con D614 e quello con D614G che appare prevalente e che investe Europa, Regno Unito, Stati Uniti e ora anche l'India, mentre la Cina risulta praticamente indenne da A2a.

Lo *shift* progressivo, con le aggregazioni geografiche Asia orientale, Europa, Nord America, da gennaio a marzo, indica chiaramente la prevalenza del ceppo A2a, che si concentra in Europa e Nord America (Figura 6).

---

[12] La TMPRSS2 è il tipo 2 della proteasi serina transmembrana che "taglia" la proteina *spike* al punto di giunzione S1-S2, aiutata da un sito di clivaggio furinico trans membrane.

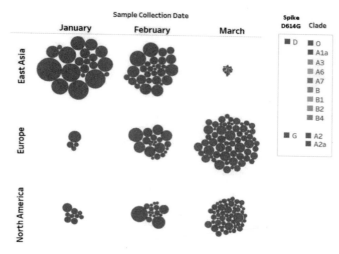

Figura 6 [fonte: doi.org/10.1101/2020.05.04.075911].

In Figura 7 si può osservare invece come inizia ad apparire la variante B1 nel Nord America.

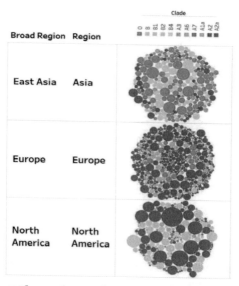

Figura 7 [fonte: doi.org/10.1101/2020.05.04.075911]

Una recente analisi di singole cellule che esprimono sia ACE2 che TMPRSS2 ha identificato un "programma di espressione genica" nei tessuti nasali, polmonari e di altro tipo che probabilmente facilita, attraverso la regolazione dell'interferone modulante, l'ingresso virale assistito dalle proteasi dell'ospite.

Riguardo l'espressione delle diverse varianti, l'analisi sull'espressione della TMPRSS2 a livello polmonare mostra una correlazione inversa fra Europa e Nord America da un lato, ed Asia dall'altro, rispetto all'incidenza del sottotipo A2a.

Attraverso la procedura di mappatura QTL, gli autori hanno identificato 136 eQTLs che regolano l'espressione di TMPRSS2 nel polmone, tutti localizzati nella regione regolatoria 3 di TMPRSS2.

L'eQTL rs35074065 è altamente polimorfico ed esibisce un'ampia variazione nelle frequenze alleliche nelle popolazioni continentali.

L'allele "Del C" è raro nei pazienti dell'Asia orientale (frequenza dell'allele: 0,0124), mentre si presenta con un'alta frequenza fra gli europei (~0,4), e con una frequenza intermedia nei nordamericani (0,26). La frequenza di "Del C" è fortemente correlata (r2= 0,91) con la frequenza del sottotipo A2a attraverso le regioni geografiche [Figura 8 (a)].

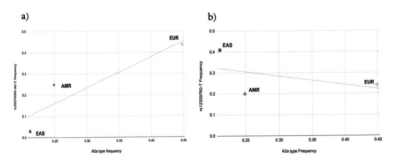

Figura 8 (a) e (b): Correlazione fra la frequenza del tipo A2a
e la frequenza degli alleli "Del C" (a) e "TT" (b)
[fonte: doi.org/10.1101/2020.05.04.075911].

I pazienti dell'Asia orientale, persone con genotipo TT ($\sim$ 19%), possono avere un vantaggio genetico che protegge contro il virus tipo A2a, rispetto ai nordamericani (TT=$\sim$ 4%) ed agli europei (TT =$\sim$7%) [Figura 8 (b)].

Tuttavia le analisi realizzate ed esposte sul portale Nextstrain[13], che fornisce in tempo reale aggiornamenti sulle mutazioni virali in corso e sull'influenza che esse possono avere per l'evoluzione della pandemia, tendono stranamente a sminuire l'importanza delle mutazioni di cui abbiamo parlato per ciò che riguarda l'infettività e la virulenza, attribuendole a problemi geografici. Ma le evidenze scientifiche smentiscono clamorosamente i dati forniti da Nextstrain. Dall'analisi che abbiamo fatto risulta evidente che fin dall'inizio dell'epidemia a Wuhan sono presenti due ceppi: uno mite dal punto di vista clinico ed un uno più aggressivo.

Si riscontra inoltre che i due ceppi si alternano nel tempo in modo insolito, perché la forma più contagiosa e virulenta, che compare per prima, dopo due sole settimane dalle procedure di contenimento messe in atto dalle autorità cinesi, cede il passo progressivamente alla forma meno aggressiva. I due ceppi entrano in competizione e sviluppano nuove varianti, A e B.

La propagazione geografica del virus fa sì che emergano due distinte "comunità" virali, che esprimono delle variazioni specifiche sulla proteina *spike* e sulle modalità di endocitosi di mem-

---

[13] Cfr. SIDNEY M. BELL – EMMA HODCROFT – NICOLA MÜLLER – CASSIA WAGNER – JAMES HADFIELD – RICHARD NEHER – TREVOR BEDFORD, *Analisi genomica della diffusione del COVID-19. Rapporto sulla situazione aggiornato al 15 maggio 2020*: «Questo rapporto usa sequenze genomiche virali pubblicamente condivise per tracciare la diffusione e l'evoluzione del virus SARS CoV2. Questa settimana, diamo una panoramica delle mutazioni virali e di quello che vogliono (e non vogliono) dire per la pandemia di Covid-19» [https://nextstrain.org/narratives/ncov/sit-rep/it/2020-05-15].

brana cellulare; probabilmente altre varianti saranno visibili nello studio del clivaggio proteasico endocellulare e nel meccanismo di replicazione virale come pure in quello di quiescenza intracellulare.

Mentre la Cina e l'Asia sembrano mantenere il ceppo cosiddetto "ancestrale", l'Europa è colonizzata dal ceppo A2a, molto presente nel Regno Unito, e in Stati Uniti, Taiwan e India.

L'inizio dell'epidemia a Wuhan può far pensare al meccanismo *"odd-twins"* (gemelli diversi o dispari) dei ceppi chimerici ricombinanti, uno a basso potenziale patogeno, l'altro ad alto potenziale patogeno, con la possibilità che si sia verificato un *leakage* contemporaneo, che vi sia stata cioè una fuga dei due ceppi dal laboratorio nella stessa occasione. Se i sospetti di ciò che è stato definito un «*hazardous event*», indicato dai satelliti dell'intelligence americana ad ottobre presso il laboratorio di Wuhan, saranno confermati, come pure le insolite epidemie di Harbin, nel Nord della Cina, e di Pechino, questa tesi potrebbe essere fondata.

Il mondo occidentale e il mondo asiatico sono stati duramente colpiti dal virus e ciò è stato fondamentale per la diffusione dei due ceppi e dei loro sottotipi. L'epigenetica gioca un ruolo fondamentale nella selezione dei ceppi virali, che devono fare i conti con la risposta e l'adattamento immunologico dell'ospite, anche in una possibile pandemia di ritorno.

L'industria farmaceutica, per rispondere in modo adeguato alla pandemia, ha focalizzato troppo la sua attenzione sullo sviluppo di un vaccino, mentre il ruolo della medicina clinica è passato in secondo piano. Non sono stati correlati i dati genetici ed epidemiologici con i dati clinici, e ciò avrebbe permesso agli operatori sanitari di gestire ed affrontare meglio questo "nemico invisibile". Fossilizzarsi sulla ricerca di un vaccino, a mio parere, è stato e continua ad essere un grave errore.

Esempio lampante di quanto accennavo poco sopra è quello della nave da crociera Diamond Princess, messa in quarantena nel porto di Yokohama, in Giappone, il 4 febbraio 2020 per diversi giorni. Uno studio pubblicato sul *Journal of Travel Medicine*[14] da un team di ricercatori della Umea University (Svezia), guidato dall'epidemiologo Joacim Rocklöv, ha dimostrato che "se la nave fosse stata immediatamente evacuata il numero dei contagiati sarebbe stato all'incirca di 70 persone", impedendo così al virus di compiere varie mutazioni. Le persone che invece sono entrate in contatto con il virus sono state ben 705, "un tasso di contagio 4 volte superiore a quello osservato nello stesso periodo in Cina" e i morti a bordo della nave sono stati 5. Evidentemente se si fosse tenuto conto dei dati epidemiologici e clinici e la nave fosse stata evacuata si sarebbe potuto evitare un disastro simile.

Vale la pena, infine, soffermarsi sul meccanismo di replicazione del virus, che nel caso del Covid-19 – due ceppi prevalenti ed in competizione biologica – è molto importante per ciò che riguarda la generazione di nuovi ricombinanti nello stesso ospite.

Sin dall'inizio dell'epidemia, il virus Covid-19 ha mostrato una grande capacità di mutazione e di ricombinazione. Il prof. Huiguang Yi, in un articolo pubblicato il 4 marzo su *Clinical Infectious Diseases*[15], spiega in modo molto chiaro il meccanismo di ricombinazione di questo virus.

---

[14] J. ROCKLÖV – H SJÖDIN – A. WILDER-SMITH, *COVID-19 outbreak on the Diamond Princess cruise ship: estimating the epidemic potential and effectiveness of public health countermeasures*, in «Journal of Travel Medicine», vol. 27, n. 3 (april 2020) [doi.org/10.1093/jtm/taaa030].

[15] HUIGUANG YI, *2019 Novel Coronavirus Is Undergoing Active Recombination*, in «Clinical Infectious Diseases» (march 4, 2020) [doi.org/10.1093/cid/ciaa219].

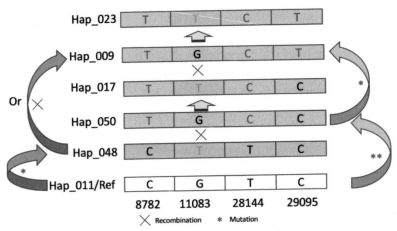

Figura 9 [fonte: doi.org/10.1093/cid/ciaa219].

Questo studio non solo fornisce le prime prove della ricombinazione genetica, ma anche la capacità di SARS-CoV-2 di ricombinarsi nuovamente e di compiere altre mutazioni. Accertare che esiste la ricombinazione genetica del virus significa che è necessario considerare le seguenti implicazioni:

- 2 diversi ceppi SARS-CoV-2 (hap_048 e hap_050 che discendono dal ceppo originario hap_011) hanno co-infettato la stessa cellula; uno dei due ceppi potrebbe aver acquisito nuove caratteristiche di virulenza e di resistenza ai farmaci, assumendole direttamente dall'altro ceppo (Figura 9);

- l'adattabilità del SARS-CoV-2 al sistema immunitario dell'uomo potrebbe essere significativamente rafforzata attraverso la ricombinazione genetica;

- l'accuratezza della diagnosi basata sui test sierologici e molecolari potrebbe essere compromessa;

- il tracciamento della trasmissione basato sull'albero filogenetico potrebbe essere fuorviante poiché la tipologia del percorso di mutazione è una rete più che un albero filogenetico.

Questo scenario biologico di genetica evolutiva dei ceppi in essere del SARS-CoV-2 ci pone davanti a una seria riflessione. Innanzitutto sulla reale possibilità di sviluppare un vaccino universale efficace, dal momento che, come dimostrano vari studi, SARS-CoV-2 possiede un'elevata capacità e velocità di mutazione. Urge altresì un'attenta analisi sulle misure diagnostiche, di screening, di sorveglianza epidemiologica e di contenimento di cui dovremmo tenere conto nella ripresa delle attività, e sulla necessità di poter disporre di una piattaforma operativa di monitoraggio, sorveglianza, diagnosi e terapia profilattica e/o preventiva per i prossimi mesi, al fine di prevenire, o per lo meno mitigare, una seconda ondata epidemica.

Proprio su tale rischio, l'OMS ha allertato a prepararsi a una possibile seconda ondata in autunno, dopo la pausa estiva.

Riguardo alla resistenza del virus SARS-CoV-2 alle alte temperature – sulla quale oggi in tanti si interrogano – rimando a uno studio di N. Bryan, sulla base del quale il Dipartimento della Sicurezza Interna degli Stati Uniti, sezione scienza e tecnologia, ha potuto sviluppare un calcolatore virtuale[16] grazie al quale è possibile osservare, al variare della temperatura e dell'umidità, per quanto tempo il virus riesce a sopravvivere. Considerando, ad esempio, una temperatura costante di 25° e un'umidità del 60%, il virus sopravvive ben 150,50 ore equivalenti a 6 giorni; invece ad una temperatura costante di 28° (immaginate 1 giorno intero a 28° gradi, quindi anche di notte) con un'umidità del 60%, il virus sopravvive 111,50 ore, cioè 4,60 giorni. Naturalmente, in queste condizioni, il virus non deve essere esposto alla luce solare diretta perché il decadimento, in questo caso, sarebbe molto più precoce considerando l'effetto dei raggi ultravioletti.

---

[16] Cfr. [https://www.dhs.gov/science-and-technology/sars-calculator].

Capitolo VII

VACCINI, DIAGNOSTICA E PROTOCOLLI

Il santo Graal dei vaccini

L'osservazione epidemiologica dei pazienti affetti da Covid-19 inizialmente è stata condotta soprattutto sulle persone anziane, le quali spesso non sono sottoposte ai richiami vaccinali classici, a differenza dei bambini, che fanno vaccinazioni multiple, degli adulti, che spesso fanno richiami vaccinali, o degli emigrati, che fanno vaccinazioni preventive, come il vaccino antitubercolare. Tale osservazione, considerando il tasso di mortalità, è stata poi estesa anche alle popolazioni che hanno fatto obbligatoriamente la vaccinazione antitubercolare con BCG, come accade in Portogallo e in Irlanda, ma anche quei Paesi dove questa vaccinazione non è obbligatoria come Italia, Spagna, Regno Unito, Olanda. Dai dati rilevati sembra che il tasso di moralità, per chi ha fatto il vaccino antitubercolare, sia inferiore.

Al contrario, sembra che l'alto tasso di mortalità del bergamasco, soprattutto nelle persone anziane, non sia legato alle vaccinazioni preventive quadrivalenti per l'influenza e per il meningococco, anche se ciò meriterebbe un'indagine più approfondita.

Questi dati epidemiologici sono necessari per tracciare il profilo immunologico delle popolazioni, che può essere innato o indotto attraverso i vaccini, ed è fondamentale per avere informazioni e dati dai quali attingere per migliorare la medicina preventiva e per valutare se è insorta un'immunità di gregge.

Inoltre, queste informazioni potrebbero essere utili per lo sviluppo di vaccini che stimolino il sistema immunitario.

La nuova frontiera delle vaccinazioni presuppone che vengano attentamente esaminati i dati epidemiologici perché essi permetto di sviluppare vaccini non solo specie-specifici ma anche *"age-specific"*, cioè calibrati sull'età delle persone.

Il prof. Ofer Levy, direttore dell'Ospedale pediatrico di Boston e professore di pediatria presso l'Harvard Medical School, una delle massime autorità mondiali nel campo dei vaccini, sottolinea l'importanza delle vaccinazioni di precisione, comprese quelle *"age-specific"*, alle quali lavora, insieme ad altri ricercatori, nel programma di ricerca Precision Vaccines Program (PVP). Il prof. Levy sostiene che sviluppando un vaccino, nella maggior parte dei casi, si ignora la specificità della specie o la specificità dell'aiuto che si vuole ottenere nella fase preclinica. Poiché sono gli anziani ad essere maggiormente colpiti dal virus, il team del prof. Levy ha deciso di testarne i globuli bianchi, stimolandoli con delle molecole chiamate adiuvanti, che vengono cioè aggiunte a un vaccino per aumentare la risposta immunitaria, per osservare in modo particolare quale funziona meglio nelle persone anziane[1].

I media e la politica hanno insistito molto sull'importanza del lockdown, imposto in molti Paesi come misura necessaria e obbligatoria, giustificando i sacrifici che esso comporta con la promessa di un futuro vaccino. Il vaccino è l'unica panacea del male che ha colpito il mondo, lo abbiamo sentito ripetere più volte da epidemiologi, infettivologi ed esperti di vario genere. L'enfasi che è stata usata in Italia per annunciare l'imminente arrivo di una "pozione magica", che puntualmente ogni settimana veniva

---

[1] Cfr. JUAN SILIEZAR, *Global race to a COVID-19 vaccine*, in «The Harvard Gazette», 13 aprile 2020 [https://news.harvard.edu/gazette/story/2020/04/harvards-coronavirus-vaccine-efforts/].

rimandata nel tempo e per sottolineare l'importanza delle misure di distanziamento sociale, ha raggiunto livelli irritanti, soprattutto in virtù del fatto che si è creata la falsa illusione di poter tornare alla vita normale solo grazie allo sviluppo di un vaccino.

Ma il vaccino, per ora, è come il santo Graal che tutti cercano e nessuno trova, perché, come abbiamo visto, la ricombinazione genetica, le mutazioni del Covid-19 insieme ad altre cause, come il rifiuto della Cina di consegnare la "matrice" del virus madre, rendono assolutamente difficile lo sviluppo in tempi brevi di un vaccino che sia in grado di proteggere da tutti i ceppi e le mutazioni del virus.

In Italia, purtroppo, l'assenza di una di ricerca all'avanguardia e competitiva ci obbliga a sperare negli sforzi di altri Paesi. Nell'attesa dell'"invenzione" che salverà l'umanità rischiamo però di tornare a dover fare i conti con l'incubo epidemico, poiché nella gestione della pandemia è mancata, e manca tuttora, una strategia nazionale e transnazionale di un coordinamento da parte di un network europeo che permetta lo scambio fecondo di dati e di informazioni.

Oggi i vaccini moderni sono sviluppati seguendo due strategie completamente diverse. La prima, facendo leva sulle biotecnologie sintetiche, ha come obiettivo quello di creare vaccini specifici (specie-specifici) per colpire un determinato target, cioè un virus particolare. Ciò presuppone che si abbia a disposizione una sequenza completa (in alcuni casi è sufficiente anche parziale) del genoma del virus e un'analisi approfondita delle componenti virulente che lo caratterizzano. Attraverso le *"libraries"* genetiche e le dissezioni in laboratorio delle componenti virali e patogene è possibile creare un vaccino e varianti dello stesso, per poi testarne l'efficacia. Se il virus è conosciuto, questa procedura è abbastanza rapida; ma se il virus non è conosciuto e, ad esempio, è una chimera ricombinante, non avendo a disposizione il virus madre e non conoscendo le procedure che sono state usate per crearlo e gli scopi che si intendeva ottenere, allora ci troviamo di fronte a un gravissimo problema. I virus *"stealth killers"*, creati nei laboratori militari, pongono dei seri problemi perché la loro fuga accidentale può causare conseguenze devastanti e imprevedibili, soprattutto quando non siano state approntate delle "contromisure" atte a neutralizzare il virus.

La seconda strategia vaccinale, invece, mira a migliorare le difese dell'ospite infettato dal virus; agendo sul suo sistema immunitario lo si rende capace di rispondere a minacce sconosciute. Questa frontiera della ricerca è molto promettente ed è lecito pensare a scenari futuri in cui sarà possibile, attraverso cellule staminali ingegnerizzate, risolvere il problema del decadimento del sistema immunitario legato all'età o alla depressione dello stesso causata da alcune malattie. In questa strategia vaccinale vanno annoverate anche le soluzioni di terapia genica sviluppate con l'uso delle tecniche CRISPR/Cas, per lo sviluppo di vaccini contro l'HIV.

Per il SARS-CoV-2 ci sono più di 100 vaccini in via di sviluppo. Solo un piccolo numero è attualmente sperimentato sull'uomo (trials clinici). L'OMS ha pubblicato un *draft landscape*, continuamente aggiornato (l'ultimo è del 15 luglio 2020), dei vaccini candidati a garantire una copertura per il Covid-19[2]. La ricerca clinica sui vaccini richiede tempo e si sviluppa in tre fasi. Tutte le fasi devono essere completate per l'approvazione, anche se possono essere sviluppate contemporaneamente, specialmente nel caso in cui sia necessario arginare un'epidemia. Le tre fasi della ricerca clinica prevedono:

---

[2] Cfr. World Health Organization, *Draft landscape of COVID-19 candidate vaccines* [https://www.who.int/publications/m/item/draft-landscape-of-covid-19-candidate-vaccines].

Fase I: vengono reclutate persone sane volontarie per stabilire se il vaccino è sicuro e qual è il dosaggio ottimale.

Fase II: per gruppi target che ricevono il vaccino, si stabilisce la dose più efficace e si verifica la risposta immunitaria.

Fase III: un gruppo più ampio di persone, qualche migliaio, viene incluso nel protocollo di sperimentazione del vaccino per stabilirne la reale efficacia. Le persone alle quali viene somministrato il vaccino sono comparate con soggetti non vaccinati.

Esistono poi 5 tipi differenti di vaccini, ognuno con il suo meccanismo d'azione:

1. Vaccini vivi ed attenuati.
2. Vaccini inattivati.
3. Subunità vacciniche.
4. Vaccini a DNA e/o RNA.
5. Vettori Virali.

Le attuali conoscenze biogenetiche e immunologiche consentono oggi di sviluppare modelli completamente nuovi e rivoluzionari che permetteranno di creare i vaccini del futuro, sovvertendo l'idea stessa di vaccinazione.

Per il Covid-19 sono allo studio diverse soluzioni vaccinali; alcuni trial clinici sono alla fase I e alla fase II e forse, con il tempo, riusciremo ad avere vaccini specifici per alcuni ceppi del virus, sempre che le mutazioni virali non rendano vani gli sforzi compiuti, come è accaduto per l'HIV. La vaccinazione che stimola il sistema immunitario per garantire una risposta dello stesso a largo spettro, oppure specifica, potrebbe portare a risultati positivi soprattutto se si riuscisse ad includere, a scopo protettivo, il genoma del ricombinate in quello umano. Una possibilità che tuttavia porrebbe interrogativi di carattere etico sull'uso di tali vaccini.

Diagnostica

Il National Institute of Allergy and Infectious Disease (NIAID) il 22 aprile 2020 ha pubblicato il Piano strategico 2020-2024 per la lotta al Covid-19, indicando, tra le priorità, quella di intensificare gli sforzi per trovare test diagnostici ed immunologici rapidi ed efficaci *Point-of-Care*, per fare screening accurati della popolazione, ma anche per valutare la reale efficacia delle misure di contenimento, delle misure profilattiche e dei protocolli terapeutici di prima linea.

Il Metodo di Diagnosi Standard suggerito dall'OMS è il *Real-Time Reverse Transciption Polymerase Chain Reaction* (rRT-PCR), effettuato prelevando campioni naso-faringei (*NP swabt*). Con questo test si rintraccia la presenza dell'agente patogeno nelle vie aeree attraverso tamponi oro-faringei, naso-faringei e salivari, da processare con tecnica PCR[3] e che può essere fluorescente (Real-Time PCR) o quantitativa (qPCR).

A fronte di un costo del tampone molto basso, in media 2,50 euro, il costo commerciale del test PCR è stato calcolato intorno ai 50 euro.

Il tempo necessario per processare il test in laboratorio è di circa 2 o 3 ore che, sommato al tempo necessario per il prelievo e il trasporto del campione, garantisce una risposta quasi immediata: da un minimo 48 ore, a una media tra i 2 e i 7 giorni.

La risposta del test è da considerarsi valida per il giorno in cui è stato eseguito il tampone, lasciando però uno iato sensibile di alcuni giorni.

---

[3] I campioni prelevati con il tampone vengono analizzati mediante esami di reazione a catena della polimerasi dopo trascrizione inversa per il rilevamento dell'RNA virale.

Alcuni ricercatori di Oxford hanno confrontato la sensibilità e la specificità dei due prelievi, naso-faringeo (NP) ed oro-faringeo (OF)[4] e la Yale School of Medicine ha sviluppato un test salivare, dimostrando come quest'ultimo sia superiore al tampone naso-farigeo[5].

La ricerca di un test rapido ha spinto i laboratori specializzati a studiare nuove soluzioni, alcune delle quali già disponibili. Un team di ricercatori coreani, ad esempio, ha sviluppato un nuovo test. Si tratta di un dispositivo di biosensing a transistor ad effetto campo (FET) per il rilevamento del SARS-CoV-2 in campioni clinici. Il sensore è stato prodotto rivestendo fogli di grafene, ad alta conducibilità elettrica, con un anticorpo specifico contro la proteina spike del SARS-CoV-2. Aggiungendo al sensore la proteina dell'antigene, il virus coltivato e il tampone nasofaringeo dei pazienti affetti da Covid-19, il legame con l'anticorpo ha prodotto una variazione nel flusso di corrente[6] (Figura 1).

---

[4] CATHERINE CARVER – NICK JONES, *Comparative accuracy of oropharyngeal and nasopharyngeal swabs for diagnosis of COVID-19*, in CEBM – The Centre for Evidence-Based Medicine develops, promotes and disseminates better evidence for healthcare (University of Oxford), 26 marzo 2020 [https://www.cebm.net/covid-19/comparative-accuracy-of-oropharyngeal-and-naso pharyngeal-swabs-for-diagnosis-of-covid-19/].

[5] Cfr. *SARS-CoV-2 Detection in Saliva Samples is Sensitive and Consistent*, in «GEN Magazine – Genetic Engineering and Biotechnology News», vol. 40, n. 6 (june 2020) [https://www.genengnews.com/news/sars-cov-2-detection-in-saliva-samples-is-sensitive-and-consistent/].

[6] GIWAN SEO – GEONHEE LEE – MI JEONG KIM – SEUNG-HWA BAEK – MINSUK CHOI, *et al.*, *Rapid Detection of COVID-19 Causative Virus (SARS-CoV-2) in Human Nasopharyngeal Swab Specimens Using Field-Effect Transistor-Based Biosensor*, in «ACS Nano», vol. 14, n. 4 (april 15, 2020), pp. 5135-5142 [doi. org/10.1021/acsnano.0c02823].

Figura 1: Un nuovo test rileva rapidamente la presenza del SARS-CoV-2 (sfere) attraverso il legame agli anticorpi (forme a Y) su un transistor a effetto campo [fonte doi.org/10.1021/acsnano.0c02823].

La diagnostica della "Fase 2": le misure di contenimento epidemico e le strategie dei trattamenti di prima linea

Le misure di contenimento epidemico *"Stay at Home"*, previste dal modello epidemiologico e statistico del prof. Peter Foster di Cambridge, adottate e suggerite dall'OMS, non solo non hanno favorito il raggiungimento della cosiddetta "immunità di gregge", ammesso e non concesso che essa potesse essere raggiunta in breve tempo e potesse influire sull'andamento della pandemia, ma hanno fatto insorgere nella popolazione la vana speranza che potesse essere trovato un vaccino in breve tempo, cosa che non è accaduta e che forse non accadrà mai, impedendo, inoltre, che in alcuni Paesi venisse eseguito uno screening diagnostico ed immunologico della popolazione tale da fornire una mappa precisa dell'andamento dell'epidemia.

È anche vero che le misure di contenimento si sono rese necessarie a causa della mancanza di strumenti idonei e indispensabili per fronteggiare la pandemia. In Italia la carenza di dispositivi di protezione individuale, come mascherine, guanti, camici, etc., per i quali ormai molti Paesi dipendono dalla Cina, la scarsa disponibilità di disinfettanti e la mancanza di laboratori e di strumenti adatti a processare i campioni con metodi PCR non hanno lasciato altra possibilità che imporre il lockdown.

Il tampone, necessario per rinvenire la presenza dell'RNA virale, è stato fatto a "macchia di leopardo" e solo su persone contagiate che già manifestavano serie patologie. Gran parte della popolazione, confinata in casa, non è mai stata testata, ignorando così uno dei presupposti principali per eseguire una corretta analisi epidemiologica, cioè un'analisi a campione random sulla popolazione *"open"*, necessaria per cercare di capire quale possa essere il livello di rischio epidemico.

La cosiddetta "Fase 2", quella del de-confinamento, è iniziata con gli stessi problemi della "Fase 1". Non si sa se è stata raggiunta l'immunità di gregge, mancano i sussidi di protezione, mancano i prodotti antisettici; non c'è la validazione di kit diagnostici e immunologici, che fino a pochi giorni fa, a parte qualche eccezione, non venivano eseguiti sulla popolazione "open"; mancano protocolli terapeutici sicuri. A tutto questo si aggiunge una crisi del sistema sanitario, già duramente provato, causata dal fatto che altre patologie non sono state curate e le prestazioni mediche, chirurgiche e diagnostiche sono state sospese, con gravi danni al cittadino, soprattutto alla fascia più debole degli anziani.

Mi chiedo quindi quanto si è disposti oggi ad investire sulla Sanità e sulla ripresa economica di una Paese che non può attendere la chimera di un vaccino.

Una delle prime cose da fare, per avere un quadro epidemiologico esaustivo, anche nell'ottica di una possibile epidemia di ritorno, è risolvere una questione molto pratica: predisporre cioè l'utilizzo su vasta scala di test diagnostici e immunologici rapidi. Questi due strumenti sono assolutamente necessari, non occorrono grandi strategie per risolvere un problema che definirei banale.

Negli Stati Uniti sono già disponibili tamponi rapidi, processati con metodo PCR, che si avvalgono di un "apparecchio" portatile in grado di fornire un risultato nell'arco di 2 ore.

In Italia, il maggiore ostacolo all'utilizzo dei test diagnostici è soprattutto imputabile alla difficoltà di analizzare su larga scala i campioni prelevati con il metodo PCR. Nel nostro Paese, all'inizio dell'epidemia, solo pochi centri specializzati erano in grado di processare i tamponi. L'Istituto Spallanzani di Roma, struttura di riferimento nazionale per le malattie infettive, è dotato di un laboratorio di livello sicurezza P3-P4 con una capacità di analizzare circa 500 tamponi al giorno: molto pochi per una popolazione di 63 milioni di abitanti. Per farsi un'idea della situazione, vale la pena ricordare, ad esempio, che la Francia ha la possibilità di analizzare i tamponi con PCR in tutti i centri ospedalieri universitari, con 60 mila analisi al giorno; la Germania riesce a farne 500 mila.

È evidente quindi che in Italia il problema che non permette di fare un'accurata indagine epidemiologica è l'impossibilità di processare un numero adeguato di tamponi. A ciò si aggiunge il fatto che il solo tampone non è sufficiente, poiché ad esso andrebbe associato il test immunologico, necessario per trovare gli anticorpi IgM e IgG, che sono fondamentali per capire comunque se il virus ha infettato la persona testata.

Occorre far notare che questi problemi potrebbero essere risolti con l'utilizzo di kit di screening immunologici rapidi. Questi kit funzionano grosso modo come i test per la glicemia o per la gravidanza. Sono test qualitativi, o rapidi, che si basano sulla tecnica dell'immunocromatografia a flusso laterale, viene analizzato plasma o sangue ed il tempo per ottenere il risultato è di 10 minuti. Poiché si tratta comunque di test qualitativi devono sempre essere accompagnati da test immunologici quantitativi. Il test immunologico qualitativo indica infatti solo se il paziente è negativo o positivo. Il paziente positivo può essere non contagioso, perché ancora non ha sviluppato la malattia, o contagioso, perché sta sviluppando la malattia. Esiste attualmente un grande dibattito scientifico sulla potenziale contagiosità dei cosiddetti soggetti positivi asintomatici che sarebbe meglio definire "pre-sintomatici", poiché nella maggior parte dei casi, in un periodo di 7-10 giorni, manifesteranno i sintomi della malattia. A tal proposito la posizione dell'OMS è molto incerta. Maria Van Kerkhove, responsabile tecnico dell'OMS sulla pandemia del Covid-19, il 9 giugno 2020, ha affermato che nella maggior parte dei casi il virus si trasmette da persone che manifestano sintomi a persone sane attraverso le goccioline infettive. Esiste un sottoinsieme di persone che non sviluppano sintomi, ma non si ha ancora una risposta per capire effettivamente quante siano[7].

Quindi, la strategia più semplice ed efficace da seguire potrebbe essere la seguente:

- Eseguire test diagnostici e immunologici.

---

[7] «The majority of transmission that we know about is that people who have symptoms transmit the virus to other people through infectious droplets. But there are a subset of people who don't develop symptoms, and to truly understand how many people don't have symptoms, we don't actually have that answer yet», cit. dall'articolo di ANDREW JOSEPH, *"We don't actually have that answer yet": WHO clarifies comments on asymptomatic spread of Covid-19*, in «STAT», 9 giugno 2020 [https://www.statnews.com/2020/06/09/who-comments-asymptomatic-spread-covid-19/].

- Individuare le persone positive redigendo un quadro epidemiologico soddisfacente della popolazione.

- Le persone negative possono svolgere le loro attività ordinarie utilizzando i dispositivi di protezione individuale (mascherine, disinfettanti, lavaggio frequente delle mani, etc.) e nel caso in cui venga sviluppato un vaccino sicuro ed efficace si devono vaccinare.

- Le persone positive ma non contagiose – definiamole pre-sintomatiche – devono comunque essere isolate e non possono svolgere le loro attività ordinarie. A queste vanno somministrati farmaci che stimolano il sistema immunitario o che prevengono la malattia (come ad esempio l'idrossiclorochina) e vanno testate ogni 15 giorni per seguire l'andamento della situazione. Se il paziente ritorna negativo, potrà riprendere la sua attività ordinaria; se invece si ammala, andrà ricoverato in ospedale, qualora ve ne sia l'effettivo bisogno, o verrà curato presso il proprio domicilio.

- Le persone positive ed ammalate devono essere isolate e curate presso il proprio domicilio o, se necessario, in ospedale.

Si tratta di una strategia semplice che può apparire banale, ma in un'epidemia come questa è la procedura standard più adeguata. Tutti i virologi clinici lo sanno e non si capisce il motivo per cui non si proceda in questo modo.

Ripeto: la strategia funziona se si eseguono test diagnostici e immunologici. La popolazione che esce dal lockdown deve essere testata a campione se non si vuole ricadere in una seconda fase epidemica.

Questo approccio deve essere considerato in un quadro più generale di *Risk Management*, relativo ad epidemie causate da agenti patogeni noti e/o ignoti; dovrebbe altresì aprire una riflessione più ampia su quello che è stato fatto e si sta facendo in Europa in merito al rischio sanitario e, in particolare, al rischio epidemico.

Strategie di politica sanitaria e protocolli condivisi

Premessa

La ricerca sui virus potenzialmente patogeni per l'uomo si interseca con lo studio sui virus patogeni per gli animali. Negli ultimi anni questa ricerca ha assunto grande importanza soprattutto a seguito dello sviluppo di allevamenti intensivi, principalmente aviari e suini, e della sempre più diffusa loro delocalizzazione nei Paesi in via di sviluppo, in cui è più alto il pericolo di contaminazione e il crossover microbiologico.

Il crescente bisogno alimentare di carne ha aumentato a dismisura la domanda sul mercato. È stato necessario quindi creare allevamenti intensivi, in cui gli spazi a disposizione degli animali sono sempre più ridotti, il numero dei lavoratori preposti alla cura degli animali è sempre più basso, mentre l'utilizzo di antibatterici e antifungini è aumentato notevolmente. Queste condizioni hanno alimentato l'insorgere di infezioni virali soprattutto provocate da coronavirus. Per questo motivo è nata la necessità di sviluppare vaccini universali atti a garantire la salute degli animali contro questi virus.

Non è un caso, infatti, come abbiamo visto, che a Wuhan si sono "mischiati" studi su coronavirus di specie esotiche (pipistrelli, pangolini, etc.), per la ricerca su virus chimerici ricombinanti creati in laboratorio, a studi su vaccini zootecnici sviluppati per contrastare infezioni provocate dai coronavirus nei polli e nei suini[8]. Da questa "commistione" è nato così un gruppo inter-

---

[8] Un'ampia parentesi andrebbe aperta anche sul terrorismo agricolo, per il quale suggeriamo la lettura del contributo di Zygmunt F. Dembek – Edwin L. Anderson, *Food, Waterborne, and Agricultural Disease*, in *Medical Aspects of Biological Warfare*, senior editors: J. Bozue – C.K. Cote – P.J. Glass, Office of the Surgeon General, Borden Institute, US Army Medical Department Center and School, Health Readiness Center of Excellence, Fort Sam Houston, Texas 2018, pp. 21-38.

nazionale di ricerca anglo-cinese, il CERAD, che ha sancito un accordo con l'Istituto di Virologia di Wuhan per lo sviluppo di vaccini "anticoronavirus" per l'uomo e per gli animali, decretando così una sorta di simbiosi tra la ricerca sui coronavirus umani, solitamente effettuati in laboratori di sicurezza P3 e P4, e quelli animali, effettuata in laboratori di sicurezza P2.

Come vedremo in seguito in modo più approfondito, non esiste a livello internazionale una legislazione chiara che regoli l'attività svolta in questi laboratori, una legislazione necessaria per garantire alti livelli sicurezza anche nelle procedure attraverso le quali laboratori di tipo P2 entrano in rapporto con laboratori di sicurezza P3 e P4. Poiché ormai l'attività di ricerca sugli agenti patogeni degli animali è strettamente legata a quella degli agenti patogeni umani, è assolutamente necessario non solo un controllo di questo "mondo di mezzo", in cui si opera quasi senza regole, ma anche un'attenta vigilanza delle filiere alimentari per la tutela della salute dell'uomo[9] e dell'ambiente.

La mancanza di regole internazionali per la ricerca virologica umana e zootecnica, anche in virtù del loro stretto rapporto, e il non considerare la stretta relazione che esiste tra *Human Nutrition* e *Human Health* accrescono il pericolo che, in futuro, pandemie come quella causata dal Covid-19 non siano più eventi sporadici ma siano destinate a ripetersi.

Scenari come quello che stiamo vivendo o come quelli che si sono verificati ad esempio nei Paesi africani con le epidemie causate dall'AIDS o dall'Ebola potrebbero ripresentarsi periodi-

---

[9] Con la World Academy of Biomedical Sciences and Technologies, di cui sono presidente, abbiamo promosso la *Human Health Medicine* per la protezione della salute umana, considerandola come un asset economico fondamentale per i modelli economici attuali. Un Paese con su una popolazione in buona salute avrà un Pil più alto e una maggiore capacità di investimento.

camente, con gravi problemi di carattere sanitario, economico e sociale, che oggi stiamo subendo in maniera drammatica.

Protocolli

La tecnologia biologica oggi ci permette di disporre di strumenti all'avanguardia, sia per i farmaci, che per le vaccinazioni, ma manca purtroppo la soluzione e/o la risposta ad un grave problema che è emerso in modo drammatico nella pandemia in corso. La mancanza cioè di protocolli condivisi a livello internazionale che permettano di adottare strategie comuni, con procedure collaudate, adatte a gestire le emergenze sanitarie. Protocolli internazionali, transnazionali (ad esempio europei) e nazionali, utili a frenare e a controllare il contagio, ad evitare che il sistema sanitario collassi e a stabilire terapie di prima linea.

Da questo punto di vista, possiamo considerare la pandemia un'opportunità, perché essa ha mostrato tutti i limiti di una gestione non condivisa dell'emergenza. Sarebbe quindi auspicabile che a livello internazionale o transnazionale fossero studiate, promosse e condivise procedure atte ad affrontare emergenze di questo tipo limitando il più possibile i danni.

In concreto, cosa dovrebbero garantire queste procedure?

Considerando che non esiste nulla in materia e che la condivisione nella gestione dell'emergenza potrebbe costituire un'opportunità di coesione – per l'Europa, ad esempio, sarebbe l'occasione per superare i limiti di un'unione solo monetaria ed economica –, occorre dire che è assolutamente necessario armonizzare e collegare tra di loro i sistemi sanitari nazionali, stabilire a livello centrale strategie di controllo e prevenzione delle pandemie e delle emergenze e istituire a livello transnazionale e internazionale organi di controllo e direzione. Eppure qualcosa in materia si sta muovendo: Stati Uniti, Francia, Regno Unito e Giappone, ad esempio, hanno elaborato piani per il quadriennio

2020-2024 per l'organizzazione sanitaria e le politiche di finanziamento del sistema sanitario, presi in considerazione dall'OMS per stabilire le proprie linee guida.

La pandemia ci ha insegnato che in uno stato di emergenza non ci si può più limitare solo alla prevenzione e alla cura, considerando come priorità assoluta quella di evitare che il sistema sanitario vada in tilt. Le politiche sanitarie devono avere come obiettivo primario la tutela della salute delle persone e ciò va considerato anche nella prospettiva che si verifichi un'emergenza. Occorre evitare in futuro gli errori commessi in questa occasione, soprattutto quello di trovarci impreparati e carenti di strumenti indispensabili per far fronte all'emergenza. È necessario inoltre mettere in atto una politica di investimenti al fine di garantire la disponibilità dei sussidi medici necessari, di strutture ospedaliere adeguate allo scopo, di un numero sufficiente di operatori sanitari, una politica insomma volta a tutelare la salute delle persone.

In Italia, ma anche in altri Paesi, è stato sufficiente che un numero maggiore di pazienti, rispetto alla gestione ordinaria, venisse ricoverato in terapia intensiva per mettere in crisi il sistema sanitario. La mancanza di kit di protezione ha causato la morte di molti operatori sanitari in prima linea. Non si può pensare che la soluzione dell'emergenza possa essere ottenuta solo con il confinamento sociale, avendo come obiettivo principale solo quello di evitare il default del sistema sanitario. Questa strategia, assolutamente inadeguata come misura sociale, non è neppure una soluzione di carattere medico per la sanità pubblica; serve solo a ridurre il danno, ma non risolve il problema. Occorre un controllo capillare della popolazione; occorre, insomma, considerare la salute dei cittadini come bene assoluto.

Un'efficace protezione della salute della popolazione si può ottenere solo con la diagnostica e, quando necessario, con la terapia. Per questo virus, nonostante siano in molti a negarlo, esiste già una terapia di primo livello per prevenire efficacemente l'insorgere della malattia – l'idrossiclorochina, ad esempio –, o per curarla – il plasma convalescente, o farmaci classici come il desametazone che attenua lo storm citochinico, oppure vaccini che aumentano la difese immunitarie. Questi prodotti, è bene ribadirlo, non hanno costi elevati, non sono pericolosi e hanno pochi effetti collaterali.

Trovo sconcertante come, nella gestione della pandemia, non sia stato considerato, anzi addirittura in molti casi avversato, ad esempio in Europa, l'utilizzo di "vecchie" terapie[10]; come sia stata creata un gran confusione sulle misure di contenimento sociale, in molti casi ambigue e contraddittorie (sul distanziamento sociale, l'uso ora confermato ora smentito di guanti e mascherine); infine l'assenza quasi totale di misure atte alla decontaminazione ambientale, come, ad esempio, l'uso delle lampade UV[11].

La catena degli errori o degli orrori

La malattia provocata dal Covid-19 si manifesta con una patologia polmonare, che inizia con sintomi simili a quelli dell'influenza. Nelle fasi iniziali l'infezione può essere curata come una polmonite, considerando però che in molti casi insorgono complicazioni serie, soprattutto nelle persone anziane e in pazienti con patologie pregresse.

---

[10] CHRIS DE SAVI – DAVID L. HUGHES – LISBET KVAERNO, *Quest for a COVID-19 Cure by Repurposing Small-Molecule Drugs: Mechanism of Action, Clinical Development, Synthesis at Scale, and Outlook for Supply*, in «Organic Process Research & Development», vol. 24, n. 6 (june 2, 2020), pp. 940-976 [doi. org/10.1021/acs.oprd.0c00233].

[11] ANDREA BIANCO – MARA BIASIN – GIOVANNI PARESCHI – ADALBERTO CAVALLERI – CLAUDIA CAVATORTA, *et al.*, *UV-C irradiation is highly effective in inactivating and inhibiting SARS-CoV-2 replication*, in «MedRxiv – The Preprint Server for Health Sciences», june 23, 2020 [doi.org/10.1101/2020.06.05.20123463].

Tralasciando i ritardi, dolosi o colposi, dell'OMS che ha comunicato troppo tardi l'inizio della epidemia, è necessario sottolineare un altro importante aspetto che riguarda questa Agenzia. Il modello statistico epidemiologico adottato dall'OMS per monitorare la pandemia è quello del prof. Foster di Cambridge. Questo modello, a mio avviso, non è adeguato perché basato su parametri sbagliati e perché il suo livello è elementare, direi da studenti universitari, sicuramente non adatto a gestire un'emergenza come questa.

Questo strumento statistico, con tutti i suoi difetti, è stato proposto dall'OMS e dai i suoi esperti come un vangelo ed è stato accettato acriticamente come tale da tutti i Paesi. Il primo errore commesso è quello di non aver considerato la malattia per quello che è, cioè una patologia virale polmonare con sintomi iniziali parainfluenzali, trasmissibile da persona a persona per via aerea attraverso aerosol delle goccioline presenti nel respiro, meccanismo di trasmissione inizialmente negato dall'OMS[12] e solo oggi ipoteticamente ammesso, pur a denti stretti[13] dopo l'invio di una lettera scritta da 239 esperti di fama mondiale[14].

Come tutte le patologie polmonari, essa ha una fase iniziale di incubazione asintomatica; successivamente si manifestano

---

[12] Benedetta Allegranzi, a capo del team tecnico dell'Oms per la prevenzione e il controllo delle infezioni, il 29 giugno ha affermato che la possibilità di trasmissione aerea del virus "non è supportata da prove solide". Cfr. APOORVA MANDAVILLI, *239 Experts With One Big Claim: The Coronavirus Is Airborne*, in «The New York Times», 4 luglio 2020 [https://www.nytimes.com/2020/07/04/health/239-experts-with-one-big-claim-the-coronavirus-is-airborne.html].

[13] Cfr. APOORVA MANDAVILLI, *WHO to review evidence of airborne transmission of coronavirus*, in «The New York Times», 7 luglio 2020 [https://www.seattletimes.com/nation-world/who-to-review-evidence-of-airborne-transmission-of-coronavirus/].

[14] Cfr. APOORVA MANDAVILLI, *239 Experts With One Big Claim: The Coronavirus Is Airborne*, cit.

piccole irritazioni alle vie respiratorie e febbre[15], quindi tosse secretiva e in alcuni casi polmonite[16] che può essere complicata da infezioni batteriche, con aggravamento del quadro clinico generale ed eventuale setticemia[17].

La malattia quindi andava curata come una polmonite virale: i pazienti lievi da casa seguiti da un medico; i pazienti più gravi ricoverati in ospedale. Poiché, infatti, era nota la carenza di posti letto in ospedale, soprattutto quelli di terapia intensiva e semi intensiva, così come il pericolo di contagio negli ambienti ospedalieri, veri e propri serbatoi di infezioni anche in condizioni normali, sarebbe stato meglio, ad esempio, come suggerisce il protocollo del prof. Raoult, ridurre da una parte il pericolo di contagio, isolando e curando a casa le persone con pochi sintomi; dall'altra, diminuire, grazie alle cure ricevute, il numero dei pazienti gravi che necessariamente devono essere ricoverati.

Nella prima fase è mancata proprio questa consapevolezza, quella cioè di trovarsi di fronte non ad una semplice influenza ma ad una malattia polmonare con tutte le complicazioni che essa può causare, come ad esempio l'ipossiemia nel sangue.

Il secondo errore è stato quello di non valutare l'esperienza della Cina, Paese che per primo è stato colpito dal virus, ma di orientarsi sul modello di contenimento dell'epidemia adottato dalla Corea del Sud e da Taiwan, tagliando fuori dalla battaglia

---

[15] Nell'infezione provocata dal Covid-19 si sono manifestate, in questo stadio della malattia, anche congiuntivite, anosmia e ageusia, encefaliti e meningoencefaliti.

[16] Con la possibilità di versamenti con compromissione pleurica e di miocardite e pericardite virale.

[17] In questa fase la malattia può produrre ipossiemia con successiva evoluzione del quadro clinico in sindromi di coagulazione intravascolare disseminata, di endotelite diffusa con miocardite, di enteriti batteriche.

contro il virus i medici di base, che avrebbero invece potuto curare i pazienti lievi con le terapie conosciute già usate in Cina.

Il terzo errore è stato quello di indurre le persone a credere che con il lockdown l'epidemia si sarebbe spenta spontaneamente e in breve tempo.

La gestione asimmetrica e caotica delle zone rosse e la ridda di pareri, voci e competenze di vario genere hanno fatto tutto il resto.

Strategie di politica internazionale: una proposta dagli Stati Uniti

Una recente analisi sugli attuali sviluppi della pandemia Covid-19, pubblicata su *Defense One* del 10 luglio 2020, condotta da due eminenti personalità statunitensi esperte nel campo militare, il generale Joseph Votel[18] e l'ammiraglio Samuel J. Locklear[19], indica la necessità di adottare, tramite uno sforzo internazionale, una soluzione condivisa per far fronte a questa minaccia che non ha precedenti, allo scopo di arginare l'espandersi dell'epidemia e l'insorgenza di varianti del virus sempre più contagiose, soprattutto nei Paesi che hanno un'alta densità di popolazione.

A mio avviso questo documento rappresenta un'importante base di partenza per costruire una collaborazione internazionale destinata ad arginare la pandemia causata dal Covid-19 ma anche altre emergenze simili che potranno presentasi in futuro. Il

---

[18] Il generale Joseph Votel, US Army (Ret.) è presidente e amministratore delegato della Business Executives for National Security. Fino allo scorso anno è stato a capo del Comando Centrale degli Stati Uniti, supervisionando tutte le operazioni militari in Medio Oriente e nell'Asia centrale e meridionale.

[19] L'ammiraglio Samuel J. Locklear, III, US Navy (Ret.) è presidente di SJL Global Insights LLC. Fino al 2015 è stato a capo del Comando statunitense del Pacifico, supervisionando tutte le operazioni militari in Asia e nel Pacifico.

documento è degno di attenzione anche perché attribuisce agli Stati Uniti un ruolo che ha già assunto nella storia recente sottolineando, pur con l'enfasi propria della cultura statunitense, soprattutto militare, la possibilità di dare inizio ad una nuova era, ad una alleanza tra le nazioni necessaria per correre ai ripari di fronte a minacce che mettono a repentaglio non solo la sicurezza nazionale o transnazionale, ma globale.

I due autori evidenziano la necessità di affrontare urgentemente la crisi, arginando gli effetti dirompenti che ha causato la pandemia a livello umano, sociale ed economico e prevenendo ulteriori gravi rischi per la sicurezza globale e per le singole nazioni.

Per far ciò, essi affermano, occorre lungimiranza e una forte leadership che, in questo momento, può essere assunta solo dagli Stati Uniti, l'unico Paese all'avanguardia nella ricerca biotecnologica, al fine di mobilitare gli alleati e altri partner per preparare una risposta adeguata ad una malattia che non conosce confini e mette a repentaglio la salute dell'umanità. Se questo sforzo sarà portato a termine, molte vite saranno risparmiate sia negli Stati Uniti che negli altri Paesi; saranno tutelati e difesi gli interessi nazionali e, in ultima istanza, sarà preservato lo stile di vita, l'assetto socio economico e quello politico dell'Occidente.

In questo particolare momento della storia umana, in una fase di connessione globale, non si può pensare che l'isolamento sia la soluzione, né che si possa prescindere da strategie condivise a livello internazionale. Se gli Stati Uniti in questa crisi non assumeranno la leadership, altri Paesi o realtà che hanno una diversa visione della vita, che non si identificano nei valori dell'Occidente e non ne tutelano gli interessi, occuperanno il vuoto che è stato lasciato. Affrontare il Covid-19, garantendo la salute globale, è fondamentale per la sicurezza nazionale perché ciò che accade in alcuni Paesi ha importanti ripercussioni anche su altri.

Dopo gli attacchi terroristici dell'11 settembre, gli Stati Uniti hanno guidato la lotta contro il terrorismo, formando una coalizione internazionale e coordinando un'azione di intelligence che si è rivelata risolutiva. Sono state create nuove alleanze, anche con Paesi che non condividono gli obiettivi e i valori occidentali, e consolidate quelle vecchie. La leadership degli Stati Uniti ha dato un notevole contributo alla lotta globale contro il terrorismo.

Un impegno simile è quindi necessario per affrontare le sfide della pandemia in corso, per combattere un nemico che mette in pericolo la sicurezza mondiale, non solo quella di alcuni Paesi.

È quindi necessaria una strategia e una risposta globale che mobiliti molti Paesi e che preveda lo stanziamento di ingenti risorse destinate a rafforzare il sistema sanitario dei Paesi economicamente più fragili, mettendo da parte la competizione globale. Occorre porre in essere tutte quelle azioni necessarie, nessuna esclusa, per sviluppare prima possibile un vaccino, e distribuirlo prima alle nazioni in difficoltà.

Secondo i due autori è questa l'unica cosa strategicamente intelligente da fare. Il Covid-19 è una bomba a orologeria pronta a deflagrare in quei Paesi che hanno un forte incremento della popolazione, che soffrono la fame e la sete, che non dispongono di sistemi sanitari adeguati, che hanno dei governi inefficienti assolutamente non all'altezza della situazione[20].

Gli effetti che il virus può avere nei Paesi del Terzo mondo possono rapidamente causare crisi umanitarie devastanti, destabilizzando intere zone del pianeta e danneggiando irrimediabilmente gli interessi degli Stati Uniti e del mondo occidentale. Nello Yemen, ad esempio, che ha sofferto per oltre cinque anni

---

[20] Secondo un rapporto dell'International Rescue Committee, 34 Paesi, cosiddetti fragili, che subiscono conflitti locali potrebbero avere fino a 1 miliardo di infezioni e un numero di morti compreso tra 1,7 e 3,2 milioni.

una guerra terribile, solo la metà delle strutture sanitarie sono pienamente operative e solo poche centinaia di ventilatori sono disponibili per una popolazione di 30 milioni di abitanti che già subisce il riemergere di malattie come il colera. In Siria, in Grecia e nel Bangladesh i campi rifugiati sono un rischio terribile per l'espandersi della pandemia. La diffusione del virus in questi Paesi è, con molta probabilità, sottostimata, considerando il fatto che non vengono fatti test di alcun genere. Il Bangladesh è un Paese molto fragile, con sistemi sanitari appena sufficienti e un totale di 160 milioni di abitanti che vivono in un'area che ha le dimensioni dell'Iowa, considerando che attualmente ospita anche 1,1 milioni di Rohingya fuggiti dalle persecuzioni subite in Myanmar, che vivono in campi profughi senza alcuna possibilità di distanziamento sociale o di praticare le più elementari norme igieniche.

Votel e Locklear concludono il loro contributo con un accorato appello a tutte le nazioni affermando che come leaders delle forze armate statunitensi hanno avuto il compito di difendere gli interessi e i cittadini degli Stati Uniti in Medio Oriente e in Asia ed hanno avuto la possibilità di conoscere, da osservatori privilegiati, quali sono i punti di forza e di debolezza dell'umanità. Essi hanno visto e combattuto varie minacce che, se non fossero state arginate ed eliminate, avrebbero seriamente compromesso gli interessi americani e la sicurezza nazionale. Per quasi un secolo, sia in tempo di pace che di guerra, la leadership degli Stati Uniti ha contribuito alla sicurezza e alla prosperità mondiale. "Dopo la Seconda guerra mondiale abbiamo contribuito a disegnare un nuovo ordine internazionale intriso di valori occidentali, in grado di far fronte a molti pericoli, incluso quello di una guerra nucleare. Abbiamo promosso lo stato di diritto e i diritti umani fondamentali. Lo abbiamo fatto tessendo alleanze e trovando partners che condividono i nostri valori. Ebbene il Covid-19 è una fucina e un moltiplicatore di minacce nuove, un elemento che turba il fragile equilibrio che è stato raggiunto; per questo motivo oggi come ieri occorre che gli Stati Uniti, i suoi alleati e le altre nazioni del mondo condividano e decidano una risposta adeguata a questa terribile minaccia"[21].

---

[21] Cfr. JOSEPH VOTEL – SAMUEL J. LOCKLEAR, *The US Needs a Global Coalition to Defeat COVID*, in «Defense One», 10 luglio 2020 [https://www.defense one.com/ideas/2020/07/us-needs-global-coalition-defeat-covid/166811/?oref=defenseone_today_nl.].

CAPITOLO VIII

FARMACI PER IL TRATTAMENTO DELLA MALATTIA DA COVID-19

Idrossiclorochina e Remdesivir: un dibattito sterile, un dibattito drogato

Sin dall'inizio dell'epidemia da Covid-19, il team di ricercatori cinesi guidati dal prof. Guo Deyin, impegnati nella definizione genetica e molecolare del virus HCoV-19, hanno indicato, come intervento di prima emergenza, alcune possibili soluzioni terapeutiche per la pandemia in corso. Nel gennaio 2020 Guo Deyin suggerisce l'utilizzo di "vecchi" farmaci per la cura di una "nuova" malattia virale[1]. Nel lavoro in questione si confronta l'efficacia, sperimentata in vitro, di due "vecchie armi" contro l'infezione causata dal Covid-19, e cioè l'idrossiclorochina[2] e il Remdesivir[3].

---

[1] DEYIN GUO, *Old Weapon for New Enemy: Drug Repurposing for Treatment of Newly Emerging Viral Diseases*, in «Virologica Sinica» (2020) [doi.org/10.1007/s12250-020-00204-7]. È interessante sottolineare l'utilizzo del termine *"weapon"* che ha un significato squisitamente militare più che scientifico.

[2] L'idrossiclorochina è classificato come farmaco antimalarico appartenente alla famiglia dei farmaci antireumatici che hanno il potenziale di modificare l'andamento della malattia. È efficace anche contro l'artrite reumatoide e il lupus eritematoso sistemico. Il marchio commerciale più noto è Plaquenil, nome con cui il farmaco viene commercializzato da Sanofi.

[3] Il Remdesivir è un antivirale appartenente alla famiglia dei farmaci analoghi nucleotidici. È stato creato e sviluppato dalla Gilead Sciences come

Contestualmente allo studio di Guo Deyin, viene pubblicato anche un articolo del prof. Zhihong Hu e coll., dello State Key Laboratory of Virology dell'Istituto di Virologia di Wuhan, in cui viene descritto il ruolo inibitorio del Remdesivir e dell'idrossiclorochina sul virus HCoV-19[4] in vitro.

Entrambi i farmaci erano stati testati su altre precedenti infezioni virali, come la SARS, la MERS e l'Ebola, con risultati e specificità differenti. Già nel 2003, all'epoca della SARS, Andrea Savarino, dell'Istituto Superiore di Sanità, evoca l'uso della clorochina nelle emergenti infezioni virali epidemiche[5].

Per questi due farmaci è importante aprire una parentesi per spiegare alcuni aspetti poco conosciuti, che hanno dato adito a molte indiscrezioni e polemiche e che coinvolgono in parte due grandi industrie farmaceutiche, la Sanofi e la Gilead Sciences.

In piena epidemia da Covid-19, con un aumento improvviso ed esponenziale di casi gravi con sintomi di insufficienza respiratoria acuta, in Cina l'utilizzo del Remdesivir attira l'attenzione di investitori e speculatori internazionali sulle azioni della Gilead Sciences, produttore del farmaco. È così che la Gilead ha un'improvvisa ascesa sul mercato azionario, a scapito della Sanofi. Sanofi per rilanciare l'idrossiclorochina, non più in produzione,

---

farmaco per l'Ebola e per le infezioni da virus Marburg. Ha una efficacia antivirale anche contro altri virus a RNA a singolo filamento come il virus respiratorio sinciziale umano, il virus Argentinian mammarenavirus, il virus della febbre da virus Lassa, e i coronavirus che causano la MERS e la SARS.

[4] MANLI WANG – RUIYUAN CAO – LEIKE ZHANG, et al., *Remdesivir and chloroquine effectively inhibit the recently emerged novel coronavirus (2019-nCoV) in vitro*, in «Cell Reserch», 30 (2020), pp. 269–271 [doi.org/10.1038/s41422-020-0282-0].

[5] ANDREA SAVARINO – JOHAN R. BOELAERT – ANTONIO CASSONE – GIANCARLO MAJORI – ROBERTO CAUDA, *Effects of chloroquine on viral infections: an old drug against today's diseases*, in «The Lancet Infectious Deseases», vol. 3, n. 11, (november 1, 2003), pp. 722-727 [doi.org/10.1016/S1473-3099(03)00806-5].

avrebbe dovuto rivedere le sue strategie operative e produttive, avendo già una linea di produzione piena di nuovi prodotti. Così mentre le azioni della Gilead salgono in borsa, quelle della Sanofi scendono.

Al presidente americano Trump, che sostiene l'utilizzo dell'idrossiclorochina, farmaco molto noto anche perché *low cost*, viene attribuito, da una parte della stampa americana, un interesse speculativo in virtù di una sua minima partecipazione a un fondo, il *Dodge & Cox's international stock fund*, che nel suo portafoglio contiene azioni di diverse importanti industrie farmaceutiche, come la Novartis e la Sanofi, produttori di clorochina[6].

Le cose, in realtà, sono andate in modo diverso da quello che si è voluto far credere. L'amministratore delegato della Sanofi, l'americano Paul Hudson, ha deciso sin da subito di seguire una strategia diversa rispetto a quella di rimettere in produzione l'idrossiclorochina. La sua scelta è stata quella di studiare, sviluppare e produrre un nuovo vaccino contro HCoV-19, creando in poco tempo un accordo strategico con la GSK.

L'India, attualmente il più grosso produttore al mondo di idrossiclorochina, ha così offerto la disponibilità del farmaco agli Stati Uniti, compatibilmente alla sue necessità interne.

Inoltre, è giusto dire che in Cina i risultati clinici sul Remdesivir sono stati deludenti, ma la Gilead ha continuato a riproporre il prodotto negli Stati Uniti come in altri Paesi.

Antony Fauci, a capo del National Institute of Allergy and Infectious Diseases (NIAID)[7], il 29 aprile 2020, durante un briefing sul Covid-19 tenuto alla Casa Bianca, annuncia un primo, incoraggiante risultato del protocollo clinico sul Remdesivir: "I dati

---

6 SEAN COLLINS, *Trump's promotion of unproven drugs is cause for alarm, but not because he's making money off it*, in «Vox», 7 aprile 2020.

7 Uno dei 27 fra istituti e centri di ricerca che compongono il National Institutes of Health (NIH).

mostrano che Remdesivir ha un effetto evidente, significativo e positivo per ridurre i tempi di recupero [dalla malattia – NdT]"[8]. Un mese dopo però, all'inizio di maggio, il protocollo viene sospeso dalla Food and Drug Administration (FDA), a causa delle implicazioni negative di carattere etico relative al braccio placebo del *trial* su pazienti con sindrome respiratoria acuta grave[9].

Nel frattempo in Europa, in Italia e in Francia, quest'ultima patria di origine della Sanofi, ogni prescrizione "off-label"[10] ed utilizzazione dell'idrossiclorochina da parte dei medici di base viene interdetta e così il prodotto non è più disponibile in commercio. Solo l'"uso compassionevole" sul paziente ospedalizzato, e quindi grave, è autorizzato.

In Francia, il prof. Didier Raoult, direttore del reparto di Malattie Infettive presso il Centro Ospedaliero Universitario (CHU) di Marsiglia, grande esperto di malattie infettive tropicali (come l'Ebola, la SARS, la MERS) e grande sostenitore dell'idrossiclorochina, lancia il suo protocollo per l'utilizzo del prodotto in associazione con un antibiotico, l'azitromicina, dimostrandone l'efficacia "preventiva" prima su un numero ridotto di pazienti, poi su un numero più elevato di persone affette da HCoV-19. Diversi pazienti illustri, come Christian Estrosi, sindaco di Nizza ed ex presidente della Regione PACA (Provenza, Alpi e Costa Azzurra), ex ministro dell'Industria nel governo Sarkozy e membro del partito dei Repubblicani, ne hanno testimoniato l'efficacia.

---

[8] «The data shows that remdesivir has a clear-cut, significant, positive effect in diminishing the time to recovery».

[9] Cfr. MATTHEW HERPER, *Inside the NIH's controversial decision to stop its big remdesivir study*, in «STAT», 11 maggio 2020 [https://www.statnews.com/2020/05/11/inside-the-nihs-controversial-decision-to-stop-its-big-remdesivir-study/].

[10] Prescrizioni di medicinali regolarmente in commercio per indicazioni terapeutiche non approvate nel relativo decreto di Autorizzazione e quindi non indicate nel foglietto illustrativo.

Il prof. Raoult ha avuto anche il sostegno di numerosi medici e di eminenti professori di medicina, impegnati anche sul fronte politico, come Philippe Douste-Blazy, ex ministro della Cultura, della Sanità e degli Affari Esteri, ed ex presidente del consiglio di amministrazione di UNITAID presso le Nazioni Unite. In virtù di un appoggio così forte, anche l'opinione pubblica chiede alle autorità governative francesi un uso esteso e generalizzato del protocollo Raoult. Il presidente Macron, il 10 aprile 2020, visita il laboratorio del prof. Raoult, che in questo modo è incoraggiato e legittimato a proseguire il suo *trial* clinico, in ottemperanza alle norme previste dal Ministero della Sanità francese per i centri ospedalieri universitari.

Il prof. Raoult precisa sin dal primo *essay* clinico quali sono le indicazioni per il suo protocollo "idrossiclorochina - azitromicina", sottolineando che la combinazione dei due principi attivi ha un effetto migliore rispetto all'utilizzo non abbinato dei due farmaci. I pazienti positivi ai tamponi, nello stadio iniziale, quindi non evoluto, della malattia, traggono notevole beneficio dall'utilizzo dei due farmaci. Inoltre, il prof. Raoult, indicando la necessità di eseguire un'esplorazione della situazione polmonare tramite Tac a basso dosaggio, prima di adottare il suo protocollo clinico, dimostra che, anche in casi in cui la malattia manifesta pochi sintomi, possono essere presenti lesioni polmonari.

Inaspettatamente in Francia si assiste però a una dura contrapposizione, posta in essere dall'élite medica parigina e dell'entourage del Ministero della Sanità, all'utilizzo generalizzato del protocollo Raoult come prima scelta clinica da adottare su pazienti al primo stadio dell'infezione. Viene così assegnato all'Associazione Farmacologica Francese un ruolo decisivo, che prevede l'utilizzo del protocollo anche in casi gravi, ospedalizzati ed assistiti da ventilazione forzata, contraddicendo di fatto le indicazioni del protocollo Raoult, che non prevede l'utilizzo di idrossiclorochina ed azitromicina per casi gravi. Tale decisione solleva dubbi sulla sicurezza del farmaco, in particolar modo sugli effetti collaterali di tipo cardiaco, paventando la possibilità di un rischio elevato di mortalità. L'eco di quello che è accaduto in Francia con il protocollo Raoult è arrivato anche oltre oceano, trasformando una contrapposizione medico/scientifica in un confronto tra fazioni politiche.

Sulla stampa europea ed americana in cui si è parlato dell'uso dell'idrossiclorochina, che nel protocollo Raoult è abbinato all'uso dell'azitromicina, nessuno ha sottolineato un aspetto fondamentale legato ad un problema di carattere etico/medico, e cioè il diritto che ha ogni medico, facendo affidamento sulle sue conoscenze, di utilizzare, ad esempio, farmaci antimalarici, come l'idrossiclorochina, anche per indicazioni terapeutiche non previste dal Decreto di Autorizzazione, previa corretta informazione e autorizzazione del paziente e stante il pericolo di morte che esso corre. Questo principio, fondamentale per l'esercizio dell'arte medica, in alcuni Paesi europei, come la Francia e l'Italia, nel caso dell'uso dell'idrossiclorochina, è stato abrogato d'autorità, relegando di fatto la classe medica ai margini della lotta clinica contro il Covid-19, ed esautorandola da ogni possibilità di decidere la cura.

Negli Stati Uniti, invece, anche grazie alle parole del presidente Trump che già a partire dal 19 marzo 2020 approva il trattamento con l'idrossiclorochina, il protocollo Raoult è stato adottato in alcuni Stati. A New York, Vladimir Zelenko, medico ebreo ortodosso, scrive una lettera al presidente Trump, spiegando la sua esperienza clinica su 350 pazienti affetti da Covid-19 e chiedendo un aiuto per un *open trial* di *clinical-evidence based medicine* (medicina basata sulle prove di efficacia clinica) sotto l'egida del St. Francis Hospital di New York, in merito all'uso dell'idrossiclorochina e dell'azitromicina associate allo zinco biodisponibile, noto per la sua azione di contrasto rispetto alla replicazione virale intracellulare. Il dr. Zelenko, non avendo alcuna pubblicazione di supporto, viene travolto dall'onda mediatica sull'uso ed il misuso dell'idrossiclorochina, ma il gruppo di Joseph Rahimian e Philip Carlucci del MD-NYU Grossman School of Medicine, Department of Medicine, di New York, a maggio presenta i risultati di uno studio, regolarmente autorizzato, sull'efficacia della combinazione "idrossiclorochina - azitromicina - zinco biodisponibile"[11].

Vorrei ricordare, anche a coloro che non conoscono o fingono di non conoscerne l'azione, che l'idrossiclorochina è anche

---

[11] 411 pazienti trattati con combinazione "idrossiclorochina - azitromicina - zinco biodisponibile" *versus* 521 trattati con combinazione "idrossiclorochina - azitromicina". Cfr. PHILIP M. CARLUCCI – TANIA AHUJA – CHRISTOPHER PETRILLI – HARISH RAJAGOPALAN – SIMON JONES – JOSEPH RAHIMIAN, *Hydroxychloroquine and azithromycin plus zinc vs hydroxychloroquine and azithromycin alone: outcomes in hospitalized COVID-19 patients*, in «MedRxiv – The Preprint Server for Health Sciences» (may 8, 2020) [doi.org/10.1101/2020.05.02.20080036]: «The addition of zinc sulfate did not impact the length of hospitalization, duration of ventilation, or ICU duration. In univariate analyses, zinc sulfate increased the frequency of patients being discharged home, and decreased the need for ventilation, admission to the ICU, and mortality or transfer to hospice for patients who were never admitted to the ICU. After adjusting for the time at which zinc sulfate was added to our protocol, an increased frequency of being discharged home (OR 1.53, 95% CI 1.12-2.09) reduction in mortality or transfer to hospice remained significant (OR 0.449, 95% CI 0.271-0.744)» [L'aggiunta di solfato di zinco non influisce sulla durata del ricovero, sulla durata della ventilazione o sulla durata della terapia intensiva. Nelle analisi univariate, il solfato di zinco ha aumentato la frequenza dei pazienti dimessi, ha ridotto la necessità di ventilazione, del ricovero in terapia intensiva, la mortalità o il trasferimento in ospedale dei pazienti che non sono mai stati ricoverati in terapia intensiva. Nel protocollo, dopo aver calibrato il giusto timing per l'aggiunta dello zinco solfato, è risultata significativa la maggiore frequenza di dimissioni dall'ospedale (OR 1,53, IC 95% 1,12-2,09) come pure la riduzione della mortalità o del trasferimento in ospedale (OR 0,449, IC 95% 0,271 -0,744)].

uno ionoforo[12] di zinco, che da lungo tempo è studiato per le sue proprietà; per cui, da un lato, la clorochina, come ionoforo di zinco, blocca la replicazione del virus in coltura, e, dall'altro, con l'aggiunta dello zinco solfato aumenta *l'uptake* della clorochina nella cellula[13].

Il 29 aprile 2020 l'Association of American Physicians and Surgeons (AAPS), in una lettera scritta al governatore dell'Arizona, Doug Ducey, presenta un *"frequently updated table"* – un prospetto in costante aggiornamento – con studi internazionali sui risultati ottenuti contro il Covid-19 con il farmaco antimalarico clorochina (CQ) e idrossiclorochina (HCQ, Plaquenil). L'AAPS ha dichiarato che *"ad oggi il numero totale di pazienti segnalati e trattati con HCQ, con o senza zinco, e l'azitromicina antibiotico, ampiamente utilizzato, è di 2.333. I dati clinici, presi in esame, provengono da Cina, Francia, Corea del Sud, Algeria e Stati Uniti. 2.137, cioè il 91,6%, sono clinicamente migliorati, 63 sono morti; tranne 11, gli altri 52 decessi risultano tutti da un report della Veterans Administration nel quale è evidente che i pazienti erano gravemente malati".*

---

[12] Uno ionoforo è una specie chimica che si lega in modo reversibile agli ioni. Molti ionofori sono entità liposolubili che trasportano ioni attraverso una membrana cellulare. Ionoforo significa "portatore di ioni", poiché questi composti catalizzano il trasporto di ioni attraverso membrane idrofobiche come membrane polimeriche liquide (elettrodi selettivi agli ioni basati sul trasportatore) o doppi strati lipidici presenti nelle cellule viventi o vescicole sintetiche (liposomi).

[13] Cfr. JING XUE – AMANDA MOYER – BING PENG – JINCHANG WU – BETHANY N. HANNAFON – WEI-QUN DING, Chloroquine Is a Zinc Ionophore, in «PLoS One», october 1, 2014 [doi.org/10.1371/journal.pone.0109180]; AARTJAN J. W. TE VELTHUIS – SJOERD H. E. VAN DEN WORM – AMY C. SIMS – RALPH S. BARIC – ERIC J. SNIJDER – MARTIJN J. VAN HEMERT, Zn^{2+} Inhibits Coronavirus and Arterivirus RNA Polymerase Activity In Vitro and Zinc Ionophores Block the Replication of These Viruses in Cell Culture, in «PLoS Pathogens», november 4, 2010 [doi.org/10.1371/journal.ppat.1001176].

Gli studi sulle proprietà antivirali di questi farmaci sono iniziati nel 2003. Quando essi vengono usati insieme allo zinco risulta evidente la loro efficacia nell'ostacolare l'ingresso e la replicazione virale. Essi sono utili anche per evitare la reazione eccessiva del sistema immunitario, spesso causata dalla tempesta di citochine, responsabile di danni gravi nei casi più seri di infezioni causate dal Covid-19. L'HCQ è spesso molto utile per il trattamento di malattie autoimmuni, come il lupus e l'artrite reumatoide. L'AAPS afferma inoltre che alcuni studi mostrano come l'HCQ riduca: i giorni in cui il paziente è contagioso; la necessità di ricorrere a ventilatori; i giorni necessari per un miglioramento del quadro clinico. Gli studi *peer-review* pubblicati tra gennaio e aprile 2020 forniscono prove chiare e convincenti che l'HCQ può essere utile contro il Covid-19, specialmente se usato come farmaco preventivo. Sfortunatamente, sebbene sia legale prescrivere farmaci anche per patologie non indicate sul foglietto illustrativo, la Food and Drug Administration (FDA) ha raccomandato di usare il CQ e l'HCQ contro il Covid-19 solo su pazienti ospedalizzati e solo sulla base di studi clinici pregressi. L'AAPS conclude dicendo che la maggior parte degli Stati hanno reso difficile ai medici prescrivere questi farmaci e ai farmacisti distribuirli. "Molte nazioni, tra cui la Turchia e l'India, stanno usando questi farmaci a scopo preventivo per tutelare gli operatori sanitari e le persone che sono entrate in contatto con i contagiati. Secondo il Worldometer, i decessi per milione di persone al 27 aprile sono 167 negli Stati Uniti, 33 in Turchia e 0,6 in India. Dopo che il Marocco e l'Algeria hanno iniziato a utilizzare HCQ, si è verificata un'inversione di tendenza con una forte riduzione del tasso di mortalità per Covid-19. I vaccini e i risultati di studi randomizzati su nuovi farmaci saranno disponibili nella migliore delle ipotesi fra diversi mesi, ma i pazienti stanno morendo ora, quando sarebbero disponibili farmaci a lungo termine e a prezzi accessibili, al di fuori delle restrizioni governative"[14].

Il 14 maggio 2020, il National Institutes of Health annuncia l'attivazione di un *trial* clinico su 2000 pazienti adulti affetti da Covid-19, che dal punto di vista clinico sono nello stadio iniziale o moderato della malattia, con l'uso di idrossiclorochina - azitromicina. "Utilizzare i farmaci esistenti è un'opzione importante perché tali farmaci sono stati sottoposti a test approfonditi e consentono di passare rapidamente agli studi clinici, accelerando così la proceduta necessaria per l'approvazione del loro utilizzo contro il Covid-19". Il direttore del NIAID, Anthony Fauci, afferma: "Sebbene ci siano prove aneddotiche che l'idrossiclorochina e l'azitromicina possano essere utili ai pazienti affetti da Covid-19, abbiamo bisogno di dati solidi, forniti da un ampio studio clinico randomizzato e controllato, per sapere se questo trattamento sperimentale è sicuro e può migliorare i risultati clinici"[15].

Evidentemente per Fauci il *"repurposing"* di farmaci classici per un uso *"off-label"* dovrebbe essere considerato "aned-

---

[14] ASSOCIATION OF AMERICAN PHYSICIANS AND SURGEONS, *Hydroxychloroquine Has about 90 Percent Chance of Helping COVID-19 Patients*, comunicato stampa del 28 aprile 2020 [https://aapsonline.org/hcq-90-percent-chance/].

[15] Cfr. NATIONAL INSTITUTES OF HEALTH, *NIH begins clinical trial of hydroxychloroquine and azithromycin to treat COVID-19*, 14 maggio 2020 [https://www.nih.gov/news-events/news-releases/nih-begins-clinical-trial-hydroxychloroquine-azithromycin-treat-covid-19]: «"Repurposing existing drugs is an attractive option because these medications have undergone extensive testing, allowing them to move quickly into clinical trials and accelerating their potential approval for COVID-19 treatment," said NIAID Director Anthony S. Fauci, M.D. "Although there is anecdotal evidence that hydroxychloroquine and azithromycin may benefit people with COVID-19, we need solid data from a large randomized, controlled clinical trial to determine whether this experimental treatment is safe and can improve clinical outcomes"».

dotico e sperimentale" prima di un *trial* clinico validato farmaco-contro-placebo.

Il 25 maggio 2020, l'OMS, citando uno studio pubblicato su *The Lancet* che evidenzia forti rischi per la salute dei pazienti, sospende i *trials* sull'idrossiclorochina e la clorochina. Questo studio si è rivelato una gigantesca accozzaglia di dati imprecisi, non corretti, scaturiti da fonti non valide, commissionato dalla Surgisphere, una società di analisi dati fondata nel 2008 da uno degli autori, Sapan Desai. Il gruppo editoriale del *Lancet*, subendo forti pressioni da parte della comunità scientifica internazionale, prima pubblica l'articolo, ma poi lo ritira[16].

The Lancet afferma che: "Tre degli autori dell'articolo hanno ritirato il loro studio. Non sono stati in grado infatti di garantire un controllo indipendente dei dati che sono alla base della loro analisi. Di conseguenza, hanno concluso che non possono più garantire la veridicità delle fonti che fanno riferimento ai dati principali". *Lancet* solleva forti dubbi sull'integrità scientifica degli autori e afferma che ci sono molte domande, su Surgisphere e sui dati che sono stati usati per fare questa ricerca, che attendono una risposta.

La stessa sorte ha subito un altro studio, eseguito dallo stesso gruppo che fa capo a Sepan Desai, pubblicato sul *The New England Journal of Medicine*[17].

---

[16] Cfr. *RETRACTED:* Mandeep R. Mehra – Sapan S. Desai – Frank Ruschitzka – Amit N. Patel, *Hydroxychloroquine or chloroquine with or without a macrolide for treatment of COVID-19: a multinational registry analysis*, in «The Lancet», may 22, 2020 [doi.org/10.1016/S0140-6736(20)31180-6]

[17] *Retraction: Cardiovascular Disease, Drug Therapy, and Mortality in Covid-19. N Engl J Med. DOI: 10.1056/NEJMoa2007621* [doi.org/10.1056/ NEJMc2021225]: «To the editor: Because all the authors were not granted access to the raw data and the raw data could not be made available to a third-party auditor, we are unable to validate the primary data sources underlying our article, "Cardiovascular Disease, Drug Therapy, and Mortality in

Ovviamente il mondo giornalistico scientifico non ha dato risalto a questo scandalo che ha turbato l'opinione pubblica e ha minato la fiducia delle persone nei confronti degli "esperti" che seguono la pandemia.

Per concludere mi preme sottolineare che il 24 giugno 2020, la Commissione parlamentare d'inchiesta francese sulla gestione della crisi del coronavirus ha ascoltato in audizione pubblica il professor Didier Raoult, che – lo ricordiamo – ha sviluppato il protocollo di cura "idrossiclorichina - azitromicina", chiedendo di illustrare i risultati sull'uso dell'idrossiclorochina nel trattamento del Covid-19. La Commissione ha chiesto altresì al prof. Raoult quali sarebbero le misure necessarie per affrontare in futuro crisi epidemiche simili[18].

Il trattamento della tempesta citochinica

La scoperta della tempesta citochinica, che causa una reazione anormale del sistema immunitario nello stadio avanzato e grave della malattia, ha suggerito l'utilizzo di antinfiammatori come il Tocilizumab, un farmaco immunosoppressore usato per la prima volta dai giapponesi.

Il Tocilizumab è stato sviluppato dalle case farmaceutiche Hoffmann-La Roche e Chugai Pharmaceutical e posto in vendita

---

Covid-19." We therefore request that the article be retracted. We apologize to the editors and to readers of the Journal for the difficulties that this has caused (Mandeep R. Mehra, Sapan S. Desai, SreyRam Kuy, Timothy D. Henry, Amit N. Patel)». Cfr. anche LEONID SCHNEIDER, *Would Lancet and NEJM retractions happen if not for COVID-19 and chloroquine?*, in «For Better Science», 5 giugno 2020 [https://forbetterscience.com/2020/06/05/would-lancet-and-nejm-retractions-happen-if-not-for-covid-19-and-chloroquine/].

[18] RT FRANCE (canale YouTube), *Audition de Didier Raoult par la commission d'enquête de l'Assemblée nationale*, 24 giugno 2020 [https://www.youtube.com/watch?v=HKwTKwjhkoA&feature=youtu.be].

con i nomi commerciali di Tocilizumab, Actemra e RoActemra per il trattamento di pazienti con artrite idiopatica giovanile sistemica (AIG) e artrite reumatoide (AR). Il ClinicalTrials.gov del NIH ha elencato 20 studi che riguardano l'uso del Tocilizumab contro l'infezione causata dal Covid-19. Uno studio pubblicato nell'aprile 2020 spiega che in Cina 21 pazienti affetti da Covid-19, gravi o critici, sono stati trattati con il Tocilizumab: 20 pazienti sono stati recuperati, mentre 1 è in fase di recupero (ma ancora in terapia intensiva). A seguito degli incoraggianti risultati ottenuti con l'utilizzo del Tocilizumab è stato avviato uno studio clinico più ampio[19].

Infine, gli inglesi annunciano che l'uso esteso del desametasone, altro farmaco antinfiammatorio classico a basso costo è in grado di controllare la risposta iperinfiammatoria dell'organismo all'infezione causata dal Covid-19[20].

---

[19] RENYI WU – LUJING WANG – HSIAO-CHEN DINA KUO – AHMAD SHANNAR – REBECCA PETER, *et. al.*, *An Update on Current Therapeutic Drugs Treating COVID-19*, in «Current Pharmacology Reports», n. 6 (may 11, 2020), pp. 56-70 [doi.org/10.1007/s40495-020-00216-7]: «Tocilizumab (branded as Actemra) is a humanized mAb developed by Roche and Chugai Pharmaceutical for treating RA and systemic juvenile idiopathic arthritis patients. At the time of publishing this article, ClinicalTrials.gov listed 20 planned studies that included tocilizumab treatment arm, all of them at the recruiting stage or earlier. A study published in April 2020 reported that 21 severe or critical COVID-19 patients in China were treated with the compound, with 20 of them recovered at the time of publication and 1 on the way to recovery (but still in ICU). Encouraged by these results, a larger multicenter clinical trial was launched (ChiCTR2000029765) and had about 500 patients treated with tocilizumab already enrolled».

[20] WORLD HEALTH ORGANIZATION, *WHO welcomes preliminary results about dexamethasone use in treating critically ill COVID-19 patients*, 16 giugno 2020 [https://www.who.int/news-room/detail/16-06-2020-who-welcomes-preliminary-results-about-dexamethasone-use-in-treating-critically-ill-covid-19-patients].

Plasma convalescente

Negli Stati Uniti, diversi Stati hanno introdotto l'"uso compassionevole" del "plasma convalescente", metodica vecchia ma efficace, già sperimentata dai cinesi con successo sui casi gravi ospedalizzati a Wuhan. Il 14 febbraio 2020 il sito di informazione *Xinhua.net* annuncia che in Cina il National Biotec Group ha sviluppato il protocollo *"convalescent plasma"*, usato con un riscontro positivo su pazienti gravi. I risultati di questa sperimentazione vengono inviati alle riviste scientifiche all'inizio di marzo, ma saranno pubblicati sulle riviste occidentali solo a partire da aprile 2020[21].

I reports positivi sull'utilizzo del plasma convalescente su pazienti gravi si succedono, confermando l'utilità di tale terapia, già appurata con le epidemie di SARS e MERS[22].

Anche il presidente Trump, il 29 marzo 2020, promuove il trattamento con plasma convalescente per i pazienti gravi. Il *Texas Tribune* annuncia che in Texas i medici iniziano ad usare il plasma dei pazienti convalescenti per i casi gravi[23]. Finalmente, il 7 maggio 2020 su *Nature* il plasma convalescente viene dichiarato trattamento di prima scelta[24].

---

[21] Mingxiang Ye – Dian Fu – Yi Ren – Faxiang Wang – Dong Wang, *et al.*, *Treatment With Convalescent Plasma for COVID-19 Patients in Wuhan, China*, in «Journal of Medical Virology» (april 15, 2020) [doi.org/10.1002/jmv.25882].

[22] Kai Duan – Bende Liu – Cesheng Li – Huajun Zhang – Ting Yu, *et al.*, *Effectiveness of convalescent plasma therapy in severe COVID-19 patients*, in «PNAS», 117 (17) (april 28, 2020), pp. 9490-9496; first published april 6, 2020 [doi.org/10.1073/pnas.2004168117].

[23] Clare Proctor, *Texas doctors are using plasma from recovered COVID-19 patients to treat others. They're not yet sure if it will work*, «The Texas Tribune», 11 aprile 2020.

[24] Cormac Sheridan, *Convalescent serum lines up as first-choice treatment for coronavirus*, in «Nature Biotechnology», vol. 38 (june 2020) pp. 655-664, pubblicato online il 7 maggio 2020 [doi.org/10.1038/d41587-020-00011-1].

Anche in Italia, seppur tardivamente, per iniziativa di pochi specialisti coraggiosi, viene introdotto con notevole successo l'uso della trasfusione di plasma convalescente per la cura di casi clinici gravi. L'utilizzo del plasma convalescente, purtroppo, ha generato molte polemiche incomprensibili e immotivate perché, come abbiamo visto, questa cura è stata utilizzata con successo dai cinesi, dagli americani ed è stata "sdoganata" anche da una rivista scientifica di prestigio come *Nature*.

Altri strumenti proposti per la terapia o la prevenzione della malattia

Tra gli altri strumenti terapeutici o di prevenzione dell'infezione da Covid-19, vale la pena menzionare anche alcuni vaccini sviluppati per altre malattie.

Il vaccino antitubercolare BCG (*Bacille Calmette-Guerin*), realizzato in Francia negli anni '20 e ormai fuori produzione da tempo, è stato utilizzato in Australia grazie a una collaborazione tra ricercatori europei ed australiani, di cui ancora non sono stati pubblicati i *reports*, per stimolare le difese immunitarie degli operatori sanitari e delle persone ad alto rischio come gli anziani.

Il prof. Robert Gallo, al cui nome è legata la scoperta dell'HIV, negli Stati Uniti ha proposto di usare il "vecchio" vaccino anti-poliomelite, sempre al fine di stimolare le difese immunitarie e prevenire l'insorgenza dell'infezione.

L'uso dell'ivermectina, farmaco antielmintico approvato dalla statunitense FDA e che ha dimostrato proprietà antivirali negli studi in vitro ad ampio spettro, sembra essere anche un inibitore del Covid-19[25].

---

[25] LEON CALY – JULIAN D. DRUCE – MIKE G. CATTON – DAVID A. JANS – KYLIE M. WAGSTAFF, *The FDA-approved drug ivermectin inhibits the replication of SARS-CoV-2 in vitro*, in «Antiviral Research», vol. 178 (june 2020) [doi.org/10.1016/j.antiviral.2020.104787].

I farmaci antivirali

In Cina, alcuni esperimenti fatti in vitro con farmaci antivirali[26] usati anche contro l'AIDS, la SARS e la MERS hanno confermato la scarsa efficacia di questi farmaci, anche di vecchia generazione, sia per il controllo dell'infezione, sia per la cura dei pazienti e la riduzione della mortalità. Questi farmaci, purtroppo, sono stati somministrati in ambito clinico a scopo compassionevole o con il principio della "equivalenza", con protocolli che non sono stati ancora perfettamente messi a punto. Quindi, di fatto, non esistono studi comparativi sull'efficacia, mentre si conoscono molto bene gli effetti collaterali.

La strada dei "farmaci antivirali", perseguita dal gruppo di Fauci insieme con la Gilead Sciences, punto di riferimento dell'industria farmaceutica nel settore e produttore/promotore del Remdesivir, si è rivelata finora un insuccesso, nonostante la tolleranza dimostrata dal presidente Trump che ne ha autorizzato il *trial* preliminare. A mo' di esempio, in nota, indico un trial combinato realizzato in Asia, che prende in esame l'utilizzo di questi farmaci nelle fasi iniziali e medie della malattia, dal quale risulta un'efficacia parziale[27].

Mi preme sottolineare come negli Stati Uniti, Anthony Fauci promuova la strategia dei vaccini e della ricerca sui farmaci antivirali specifici con il sostegno quasi unanime della comunità scientifica, delle grandi compagnie farmaceutiche specializzate,

---

[26] Lopinavir-Ritonavir, Umifenovir (Arbidol) utilizzato soprattutto in Russia ed in Cina, Favipiravir (Avigan) soprattutto in Giappone, Oseltamivir (Tamiflu).

[27] IVAN FAN-NGAI HUNG – KWOK-CHEUNG LUNG – EUGENE YUK-KEUNG TSO – RAYMOND LIU – TOM WAI-HIN CHUNG, et. al., *Triple combination of interferon beta-1b, lopinavir–ritonavir, and ribavirin in the treatment of patients admitted to hospital with COVID-19: an open-label, randomised, phase 2 trial*, in «The Lancet», vol. 395 (may 30, 2020) [doi.org/10.1016/S0140-6736(20)31042-4].

adottando la strategia che è già stata utilizzata anche per l'AIDS. Tutto questo però in una situazione di emergenza, dove l'unico presidio "terapeutico" è stato l'invito "a rimanere a casa".

L'ipossiemia e l'ipossia secondaria

Per concludere, si può accennare all'uso degli anticoagulanti, nello stadio intermedio e grave della malattia o in casi di emergenza, per evitare la coagulazione intravascolare disseminata e la microembolia polmonare, nella ipossiemia e nella ipossia secondaria, non accompagnata da una crescita dell'anidride carbonica presente nel sangue.

Riflessioni sui giorni peggiori della pandemia e sulle cure

È ancora vivo in noi il ricordo delle immagini dei camion militari che a Bergamo trasportavano le bare dei morti per la cremazione; abbiamo tutti ancora impresso nella memoria il ricordo delle persone in terapia intensiva, morte senza il conforto dei propri cari.

Abbiamo visto le fosse scavate a New York in Hart Island, o quelle di Manaus in Brasile dove sono state sepolte tantissime persone che vivevano ai margini della società, dimenticate e abbandonate da tutti. Abbiamo visto i morti di Wuhan e la sofferenza che il Covid-19 ha inflitto in tutto il mondo.

Assistendo, impotente, a questo triste spettacolo mi venivano in mente alcuni versi dei *Sepolcri* del Foscolo. Com'è possibile cadere così in basso, mostrare senza pudore il dolore umano, la morte di persone come se non avessero un'identità, una storia. Uomini e donne anonimi che esalano l'ultimo respiro nelle terapie intensive o negli ospizi, senza il conforto di un ultimo abbraccio e della persona amata? Com'è possibile rimanere indifferenti di fronte alla morte di medici e operatori sanitari che hanno combattuto una battaglia senza poter disporre degli strumenti indispensabili per difendersi da un nemico subdolo e terribile? Volti scavati dalla sofferenza, cuori stretti dall'ansia che provoca il non sapere cosa fare, il non comprendere la patologia causata da un "nemico" sconosciuto, parametri clinici incomprensibili, protocolli che andavano velocemente riadattati all'emergenza. Lo spettacolo pornografico dei bollettini serali in cui le migliaia di persone malate, sofferenti, in molti casi morte, erano ridotte a numeri, statistiche, percentuali incomprensibili, erano parte del rituale quotidiano, di una liturgia che ostenta cinicamente solo dolore e morte. Il mantra "restate a casa", "non uscite" era l'unica speranza propinata a chi viveva nella paura quotidiana di essere colpito da un nemico silenzioso e subdolo. È una società civile quella che non protegge i suoi cittadini con un progetto di tutela della salute pubblica e che adotta strumenti così arcaici e rudimentali?

Nelle grandi catastrofi umanitarie, come le epidemie e le pandemie, occorre pagare il dazio all'impreparazione e all'inadeguatezza dei mezzi, alla mancanza di investimenti sanitari e all'insufficienza di piani di emergenza per la salvaguardia della salute pubblica. La governance che si trova a fare i conti con queste gravi carenze paga il dazio, mettendo a nudo tutta la sua fragilità, prima fra tutte la disuguaglianza sociale. Non è possibile tuttavia tollerare il venir meno della coscienza morale e dei valori di riferimento che dovrebbero intridere la società e la coscienza dei suoi dirigenti.

Mi rammarica costatarlo, ma tutto quello che è accaduto chiede a gran voce verità e giustizia. Calpestare i valori morali su cui si fonda una società libera non rende onore ai Padri della patria e dell'Europa. La spettacolarizzazione dei mass media è irrispettosa e non considera il dramma causato dal Covid-19, non considera le privazioni a cui sono stati sottoposti i cittadini confinati in casa per mesi, il disagio e la sofferenza, la difficile situazione socio economica, l'allarme sociale. Per cui ritengo siano assolutamente necessarie, superata la crisi, delle considerazioni di carattere etico e sociale per rifondare la coscienza civile dell'Europa, per riconoscere come valore fondamentale il diritto alla protezione della persona garantendone l'integrità fisica e psicologica. Occorre individuare e preparare per il futuro una classe dirigente europea che sia all'altezza della situazione.

Ma cosa ha prodotto il caos e il disordine?

La curva epidemica ha mostrato un pattern classico con dei picchi in alcuni focolai e una fase discendente più lenta in altri, con un tasso di mortalità abbastanza coerente a quello previsto. Ovviamente il ricovero massivo e in breve tempo di pazienti affetti da sindrome respiratoria acuta grave ha ingolfato gli ospedali, in particolar modo i reparti di terapia intensiva e di rianimazione, già carenti di posti letto, di sistemi di ventilazione forzata e di personale. La preoccupazione quasi isterica istillata dagli organi d'informazione e il collasso della classe politica hanno intensificato la paura nei cittadini, evidenziando in molte occasioni una gestione emotiva e scriteriata di un evento che era stato preannunciato con largo anticipo: le immagini di quello che era accaduto a Wuhan sono entrate nelle nostre case due mesi prima che il virus contagiasse l'Italia e l'Europa e il presidente del Consiglio Giuseppe Conte il 31 gennaio 2020 ha dichiarato con decreto lo stato di emergenza. Eppure, come dicevo, l'epidemia ci ha colti di sorpresa. La globalizzazione avrebbe potuto giocare a nostro favore, avendo permesso di sapere quello che stava accadendo in Cina e favorendo la predisposizione di analisi preliminari, protocolli d'intervento, monitoraggi puntuali dello stato epidemico.

D'altronde erano già stati scritti i *reports* clinici e le comunicazioni scientifiche, senza *peer review*, dai medici cinesi. Gran parte delle informazioni necessarie dal punto di vista clinico e biologico per intervenire erano già state descritte, classificate, catalogate. Nell'era della comunicazione digitale globale, la Cina che poteva essere dietro l'angolo di casa paradossalmente era lontanissima.

In Italia sono state fatte molte polemiche su alcuni strumenti di cura, in particolare, come già detto, sul "plasma convalescente", che nonostante tutto ha contribuito a salvare tante vite, mettendo a nudo uno scontro "ideologico" causato dal non saper riconoscere gli errori quando la posta in gioco è la vita umana.

Finita l'emergenza occorrerà avviare un'attenta riflessione e compiere uno sforzo considerevole per ricostruire la nostra società civile, investendo nell'educazione dei giovani, intervenendo sulla denatalità, sulla ricerca, sulle start-up innovative, sulla disuguaglianza sociale, sulla sanità e su molto altro, sempre tenendo in considerazione quello che è accaduto e il bene comune.

Le epidemie purtroppo si ripresenteranno; il ciclo vitale dei patogeni naturali e di laboratorio non sfugge alle regole biologiche dell'interazione immunologica fra germe patogeno ed ospite umano: i microrganismi sono come alieni. Il nostro corpo ha in dotazione armi biologiche di difesa immunitaria che si modificano e si adattano nel tempo, anche inglobando il DNA dei virus (i virus endogeni) che hanno colpito l'umanità in un'epoca molto remota. I virus, l'ultima frontiera dei patogeni terrestri, stanno giocando un ruolo importante e vitale, sono i predatori dei batteri e di esseri pluricellulari e tutto ciò accade perché devono replicarsi e moltiplicarsi. È quindi fondamentale apprendere la lezione inferta dal Covid-19 e da altre epidemie per evitare di compiere gli stessi errori e per comprendere meglio come gestire il microbioma del pianeta ed il microbioma del corpo umano.

Vale la pena fare alcuni esempi pratici di come sia stata gestita l'emergenza in modo corretto dal punto di vista clinico, considerando il fatto che si è dovuto fare i conti con un virus sconosciuto e con una emergenza improvvisa.

Ad esempio, il protocollo del prof. Raoult a Marsiglia ha mostrato che di fronte ad un'epidemia virale sconosciuta che si trasmette via aerosol una pratica medica corretta consiste nell'eseguire la diagnosi, la stadiazione (prognosi e scelta del trattamento più adeguato) e decidere una terapia sintomatica e curativa adeguata agli stadi della malattia. In Francia tale approccio ha permesso di contenere, specialmente nell'ambito di competenza del prof. Raoult, la mortalità a livelli molto bassi, una delle più basse al mondo (419 morti per 1 milione di abitanti nell'intero Paese, 759 morti per 1 milione di abitanti a Parigi, 160 a Marsiglia, appena 35 nei casi seguiti dallo staff del prof. Raoult). Tutto ciò è stato fatto studiando e stadiando l'infezione senza troppi clamori e contenendo la propagazione territoriale dell'infezione[28].

Come è stato razionale per il prof. Raoult utilizzare un prodotto antimalarico contro un'infezione virale, così e stato logico per i cinesi pensare di utilizzare la tecnica del plasma convalescente per curare i pazienti affetti da Covid-19, facendo affidamento sulle esperienze precedenti della SARS, della MERS e dell'influenza A (H5N1), tutte infezioni virali che provocano un'insufficienza respiratoria acuta grave[29].

---

[28] DIDIER RAOULT, *Comparaison des courbes épidémiques selon villes et pays* [https://youtu.be/Sc1-JBX2y70].

[29] Y. CHENG – R. WONG – Y.O.Y. SOO, W.S. WONG – C.K. LEE, *et al.*, *Use of convalescent plasma therapy in SARS patients in Hong Kong*, in «European Journal of Clinical Microbiology and Infectious Diseases» 24 (2005), pp. 44-46 [doi.org/10.1007/s10096-004-1271-9]; BOPING ZHOU – NANSHAN ZHONG – YI GUAN, *Treatment with Convalescent Plasma for Influenza A (H5N1) Infection*, in «The New England Journal of Medicine», 357 (2007) [doi.org/10.1056/NE-JMc070359]; WEI LIU – ARNAUD FONTANET – PAN-HE ZHANG – LIN ZHAN – ZHONG-TAO XIN, *et al.*, *Two-Year Prospective Study of the Humoral Immune Response of Patients with Severe Acute Respiratory Syndrome*, in «The Journal of Infectious Diseases», vol. 193, n. 6 (march 15, 2006), pp. 792-795 [doi.org/10.1086/500469]; IVAN FN HUNG – KELVIN KW TO – CHEUK-KWONG

Altro esempio è quello degli Stati Uniti, dove il presidente Trump ha adottato una strategia di pronto intervento per arginare lo sviluppo dell'epidemia facendo affidamento sulle esperienze positive dei cinesi con plasma convalescente e sui *reports* di alcuni gruppi francesi, facenti riferimento al prof. Didier Raoult in merito all'uso dell'idrossiclorochina associata all'azitromicina. Due soluzioni "pronto uso", una per i malati in stadio iniziale (la maggioranza), l'altra per i pazienti più gravi che necessitano della terapia intensiva.

Trump, inoltre, ha promosso da un lato lo sviluppo di un vaccino – che chiaramente richiede tempi molto lunghi – coinvolgendo la Johnson & Johnson e la Sanofi, ed ultimamente con l'operazione WARP Speed, con l'obiettivo di trovare sia un vaccino specifico per il ceppo virale isolato negli Stati Uniti (diciamo monoclonale), sia a largo spettro per stimolare le difese immunitarie; dall'altro lato ha favorito la ricerca di nuovi farmaci antivirali, necessari in attesa di un vaccino, ma anche nel caso in cui un vaccino non venga mai sviluppato.

I medici francesi[30] hanno dimostrato sin dall'inizio la capacità di esplorare altre soluzioni, rispetto all'utilizzo degli antivirali

---

LEE – KAR-LUNG LEE – KENNY CHAN, et al., *Convalescent plasma treatment reduced mortality in patients with severe pandemic influenza A (H1N1) 2009 virus infection*, in «Clinical Infectious Diseases», vol. 52, n. 4 (february 15, 2011), pp. 447-456 [doi.org/10.1093/cid/ciq106]; JAE-HOON KO – HYERI SEOK – SUN YOUNG CHO – YOUNG EUN HA – JIN YANG BAEK, et al., *Challenges of convalescent plasma infusion therapy in Middle East respiratory coronavirus infection: A single centre experience*, in «Antiviral Therapy», 23 (2018), pp. 617-622 [doi. org/10.3851/IMP3243].

[30] Come Didier Raoult; Violaine Guérin, immunologa e membro del collettivo *"Laissons les médecins prescrire"*; Antoine Monsel, anestestista alla Pitié-Salpêtrière, che ha pilotato il progetto Stroma-CoV2, per l'uso delle cellule staminali mesenchimali del cordone ombelicale, che hanno importanti proprietà antiinfiammatorie; i virologi e immunologi Karine Lacombe, a capo del

tipici e dei potenziali vaccini, sondando la possibilità di usare dei farmaci di prima linea già conosciuti ed impiegati con successo in altri tipi di epidemie, che stimolano le difese immunitarie. Tutte queste esperienze dimostrano che solo la comprensione clinica dei vari stadi della malattia può aiutare a trovare approcci di cura intelligenti e positivi, usando l'arsenale terapeutico già esistente.

Per concludere, occorre sottolineare che, laddove l'approccio terapeutico in fase di emergenza pandemica è stato quello di imporre moduli di intervento clinico precisi e standardizzati e tempi di *trials* sperimentali e clinici, facendo a meno della pratica clinica emergenziale e dello screening della popolazione (tamponi e test sierologici), è stato necessario adottare, dal punto di vista clinico, strumenti adatti alla criticità, come la terapia intensiva con la ventilazione forzata.

Non comprendendo fino in fondo perché nella dinamica clinica del paziente colpito dalla sindrome respiratoria acuta grave si sia proceduto all'intubazione sistematica dei pazienti gravi secondo le indicazioni dei protocolli di routine, senza alcuna riflessione critica sui parametri biologici e clinici dei pazienti. Mi dispiace osservare che questa strategia, a mio avviso, ha causato gravi problemi in termini di perdita di vite umane. Non sono solo i ventilatori che salvano il paziente, ma i medici che utilizzano strategie cognitive ed interpretative (*Point of Care*), che permettono un processo decisionale più rapido, riducendo i tempi operativi, quelli necessari alla cura, ed altro ancora. La strategia del *Point of Care* è mancata completamente nelle fasi iniziali dell'epidemia, sia in Europa che negli Stati Uniti, insistendo su

---

reparto di malattie infettive e tropicali dell'ospedale Saint-Antoine di Parigi, Frédéric Altare, immunologo e direttore di ricerca presso l'Institut national de la santé et de la recherche médicale (Inserm), Pascal Morel, direttore medico dell'EFS - Etablissement Francais du Sang, che hanno promosso il progetto Coviplasm, che permette di utilizzare il plasma convalescente.

errori strategici di approccio e di assistenza terapeutica disarticolati dall'interpretazione delle condizioni cliniche, specialmente di quelle dei malati critici.

È interessante infine constatare che ancora oggi, mentre negli Stati Uniti la curva epidemica continua a crescere, e in Europa e Cina dove i contagi sembrano addirittura nuovamente in crescita si parla di nuovi allarmi causati da mutazioni del virus che lo rendono ancora più virulento, abbiamo ancora gli stessi presidi terapeutici di 6 mesi fa (presidi che gli specialisti hanno imparato a gestire meglio e ad adattare alle differenti fasi della malattia).

I grandi annunci sulle "meraviglie terapeutiche", relative a nuovi farmaci antivirali e a straordinari vaccini, ancora oggi rimangono solo parole. La frattura che si è creata tra la medicina clinica, che fa esperienza sul campo, e il baraccone mediatico delle soluzioni avveniristiche rappresenta oggi un grande problema etico e sociale di infodemiologia[31].

---

[31] Termine coniato da Gunther Eysenbach nel 2002, che ha dato origine alla scienza infodemiologica. L'infodemiologia studia la distribuzione delle informazioni e i fattori determinanti che sono all'origine delle informazioni stesse in un mezzo elettronico, in particolar modo Internet, o in una popolazione, col fine ultimo di supportare la sanità pubblica e la politica. Basandosi sul concetto di domanda e offerta di informazioni, si sottolinea la necessità di una educazione del paziente (*Patient Education Information*) che consideri una gestione esaustiva e responsabile delle informazioni che vengono fornite.

IL DILEMMA DEL VIRUS MADRE, LA MATRICE CHE PUÒ SALVARE IL MONDO

La Cina ha sicuramente il virus madre, la matrice e i suoi cloni. Il mondo occidentale esercita pressioni affinché la Cina consegni i campioni originali del virus, al fine di poter sviluppare e produrre un vaccino che abbia una copertura quanto più ampia possibile. Questo è il vero problema dal punto di vista politico, questa è la vera chiave di lettura per capire quello che sta accadendo a livello internazionale. Per consegnare il virus madre la Cina dovrebbe innanzitutto riconoscere che c'è stata una fuga o, addirittura, un furto in uno dei suoi laboratori; quindi dovrebbe ammettere che stava studiando il virus e dimostrare alla comunità scientifica e politica internazionale che lo scopo delle sue ricerche era solo quello di tutelare la salute pubblica; insomma, che non aveva scopi di carattere militare legati al bioterrorismo o al biowarfare.

Inoltre, supponendo anche l'ipotesi che il governo cinese ammetta le sue colpe per aver taciuto un fatto così grave e non aver garantito la sicurezza del suo laboratorio, la Cina si troverebbe in un'imbarazzante situazione, poiché molti Paesi potrebbero avanzare pretese risarcitorie per i gravi danni subiti.

La Cina deve quindi decidere se cooperare, riparando in parte al danno che ha causato, oppure no. Per ora siamo solo all'inizio di un braccio di ferro che vede coinvolti Stati Uniti, Inghilterra, Australia Giappone, Francia (*The five eyes*) ed altri che sanno e che vorrebbero una volta per tutte un chiarimento da parte della Cina: perché i suoi scienziati lavoravano sul virus? Si è verificato un incidente? O forse un furto? Quale altro tipo di evento ne ha causato la diffusione?

I cinesi sicuramente stanno sviluppando un vaccino per il Co-vid-19, ma è chiaro che occorre tempo per prepararlo, sperimen-tarlo e infine produrlo. Il Paese asiatico ha a disposizione tutti gli strumenti per poter fare un vaccino senza l'aiuto di altri Paesi[1], consegnandolo magari all'Organizzazione Mondiale della Sanità che poi provvederebbe a distribuirlo per la produzione. Questo naturalmente se gli altri Stati non creeranno disagi o problemi avanzando richieste di chiarimenti sull'origine, la diffusione del virus e sul motivo dei ritardi che ci sono stati nel comunicare l'inizio dell'epidemia. In gioco ci sono interessi economici, finan-ziari e geopolitici molto importanti e al momento non è possibi-le capire quale possa essere la soluzione del problema.

La Cina, quindi, se non fornisce alla comunità internazionale il virus madre è la sola in grado di sviluppare un vaccino "univer-sale". Gli altri Paesi possono sviluppare dei vaccini "locali", atti a prevenire l'infezione causata dal ceppo "locale", o al massimo

---

[1] Nel 2014 il professor Guo Deyin, dell'Università di Wuhan, ha realiz-zato il primo vaccino HIV-1 vivo attenuato con la tecnica di espansione del codice genetico, sviluppando una nuova strategia per migliorare l'efficacia e la sicurezza dei vaccini. Nel 2016, il professor Xueying Zhou, dell'Università di Pechino, l'ha messa a punto, usando la tecnica di espansione dei codici genetici (*expanded genetic codes*) con i vaccini contro l'influenza A: cfr. GUO DEYIN, *A novel strategy to generate virus vaccines with expanded genetic codes*, in «Science China Life Sciences», 60 (2017), pp. 555-557 [doi.org/10.1007/s11427-016-9010-y]; LONGLONG SI – HUAN XU – XUEYING ZHOU – ZIWEI ZHANG – ZHENYU TIAN, et al., *Generation of influenza A viruses as live but re-plication-incompetent virus vaccines*, in «Science», vol. 354, n. 6316 (2 december 2016), pp. 1170-1173 [doi.org/10.1126/science.aah5869].

possono creare un vaccino polivalente che copra l'infezione causata dai ceppi che fino a oggi sono stati isolati.

È evidente che lo scenario e gli equilibri geopolitici uniti al forte interesse di Big Pharma per i vaccini costituiscono un groviglio di tensioni al momento difficilmente districabile e a ben poco servirà un intervento dell'ONU e dell'Europa già politicamente molto debole.

Un'alternativa per i Paesi occidentali potrebbe essere quella di riprodurre il virus madre in laboratorio, cosa che ha già provato a fare, come abbiamo detto, il prof. Volker Thiel e il suo team, presso l'Istituto di Virologia e Immunologia (IVI) dell'Università di Berna, anche se per farlo occorre comunque conoscere il genoma completo del virus. Ma anche percorrendo questa strada, il problema rimane difficilmente risolvibile. La Cina quasi sicuramente non fornirà il virus madre, per i motivi sopra espressi ed in particolar modo per nascondere al mondo il fatto che esso potrebbe essere stato creato nel quadro del programma di sviluppo militare che il Paese ha intrapreso. In questa fase storica non c'è un'istituzione o uno Stato in grado di mediare fra i colossi USA e Cina. Una questione così importante riamane per ora impantanata in una palude pericolosissima.

Bill Gates e la sua Fondazione

Gli Stati e le organizzazioni internazionali non sono gli unici attori di questo gioco a scacchi. Della partita sono anche i grandi *tycoons* internazionali che già da alcuni anni investono finanziariamente e tecnologicamente nel campo farmaceutico. È in atto, infatti, una saldatura della finanza mondiale, che spesso svolge un'attività speculativa, e Big Pharma, che ha come obbiettivo quello di creare un business molto fruttuoso favorendo un consumismo compulsivo e una dipendenza farmacologica nella popolazione.

Il binomio finanza/innovazione tecnologica ha generato nuove realtà di *Finance & Investments Makers*, che ormai dominano il mondo finanziario, indirizzando le scelte tecnologiche in settori chiave come le telecomunicazioni, le tecnologie satellitari e spaziali, la digitalizzazione massiva, le energie alternative, le nanotecnologie, le biotecnologie ed altro ancora.

L'interesse di alcuni *players*, mascherato da attenzione umanitaria verso la povertà e lo sviluppo sostenibile nei Paesi del Terzo mondo, si è focalizzato sulla salute planetaria.

Il fondatore di Microsoft, Bill Gates, ha investito molto nel settore, considerando il notevole impatto sociale prodotto dall'innovazione tecnologica. L'area che suscita più interesse è quella della salute umana, perché su di essa gli Stati e le organizzazioni internazionali sono obbligati ad investire molte risorse. Per questo motivo la Fondazione Bill & Melinda Gates ha fatto propri gli 8 obiettivi indicati dal *Millennium Development Goals* (MDG) delle Nazioni Unite, che dal 2015 al 2030 proseguono con i 17 obiettivi per lo Sviluppo Sostenibile (*Sustainable Development Goals*).

Una delle priorità che persegue l'OMS, per conseguire gli scopi del *Sustainable Development Goals*, è quella di produrre vaccini per patologie virali e batteriologiche conosciute, con un'attenzione particolare ai Paesi del Terzo mondo e incentivando la ricerca per quelle sconosciute.

La Fondazione Bill & Melinda Gates ha adottato questa strategia investendo sulla ricerca e sulla distribuzione di prodotti e servizi destinati alla salute umana. Come Gates ha rivoluzionato il mondo dell'informatica, realizzando un software operativo per tutti, così l'idea di una vaccinazione globale è destinata a cambiare per sempre il settore della salute mondiale e della società. Non va sottovalutato, infatti, il potere sociale che i governanti possono esercitare sulle popolazioni, ottenendo fiducia e affidamento, garantendo la salute pubblica.

La Fondazione di Bill Gates è diventata quindi un interlocutore privilegiato dell'OMS e dei Paesi in via di sviluppo con economie emergenti, come l'India e i Paesi africani emergenti, che hanno bisogno di un *leverage* sanitario per entrare efficacemente nella competizione mondiale. D'altro canto, anche nei Paesi sviluppati, ove il numero di persone anziane è in continuo aumento, sono necessari programmi e strumenti sempre più complessi per garantire la salute e sviluppare vaccini polivalenti ad alto contenuto tecnologico che favoriscano la riduzione del carico fiscale e il costo sanitario.

La Fondazione di Gates, principale sponsor privato dell'OMS, supporta anche il National Institute of Allergy and Infectious Diseases (NIAID) attraverso alcune Ong e consorzi internazionali come EcoHealth Alliance[2] e Gavi Alliance[3], che esercitano anche forti pressioni sull'OMS per la promozione dei vaccini.

Bill Gates è così diventato, a tutti gli effetti, un arbitro e un player internazionale nelle strategie di cooperazione internazionale e nella competizione tra Cina e Stati Uniti per vari motivi:

1. Innanzitutto, per il suo impegno nello sviluppo di nuovi vaccini, progetto condiviso con il consorzio internazionale Gavi Alliance, che nel 2012 ha stretto un'alleanza con il NIAID diretto da Anthony Fauci.

---

[2] La EcoHealth Alliance è un'organizzazione non governativa che utilizza un approccio "One Health": ha cioè come scopo principale quello di proteggere la salute dell'uomo, degli animali e dell'ambiente dalle malattie infettive emergenti. La sua azione non-profit la caratterizza come un'organizzazione che focalizza i suoi sforzi sulla ricerca scientifica, con l'obbiettivo di prevenire le pandemie e promuovere la conservazione delle nicchie ecologiche negli hotspot regionali di tutto il mondo.

[3] Lanciata nel 2000, la Gavi Alliance (Gavi, The Vaccine Alliance) è una cooperazione di soggetti pubblici e privati con lo scopo di migliorare l'accesso all'immunizzazione per la popolazione umana nei Paesi poveri.

Fauci e l'ex direttore dell'OMS, la cinese Margaret Chan, sono membri del Consiglio direttivo del piano decennale Global Health Leaders Launch Decade of Vaccines Collaboration, lanciato nel 2010 dalla Fondazione Bill & Melinda Gates allo scopo di sviluppare e distribuire vaccini salvavita alle popolazioni più povere del mondo.

La missione di Gavi Alliance, legata a quella della Fondazione Gates, è estremamente ambiziosa ed ha come scopo quello di portare a termine una grande impresa umanitaria: "il suo obiettivo è quello di salvare vite umane, riducendo la povertà e proteggendo il mondo dalla minaccia di epidemie. Gavi ha contribuito a vaccinare più di 760 milioni di bambini nei Paesi più poveri del mondo, evitando più di 13 milioni di morti". Gavi, inoltre, ha un grande impatto internazionale avendo come partner l'Organizzazione Mondiale della Sanità, l'UNICEF, la Banca Mondiale e, come già detto, la Fondazione Gates. Essa svolge un ruolo fondamentale nel rafforzamento dell'assistenza sanitaria di base, la *Primary Health Care* (PHC), intervenendo sull'assistenza sanitaria universale, la *Universal Health Coverage* (HUC), uno dei 17 obiettivi del *Sustainable Development Goals* (SDGs). Tra i principali finanziatori figurano Regno Unito, Stati Uniti e la Fondazione Bill & Melinda Gates[4].

2. Bill Gates è inoltre il principale finanziatore privato dell'OMS nella lotta alle malattie trasmissibili[5].

---

[4] DYLAN MATTHEWS, *The surprising strategy behind the Gates Foundation's success*, in «Vox», 11 febbraio 2020 [https://www.vox.com/future-perfect/2020/2/11/21133298/bill-gates-melinda-gates-money-foundation].

[5] Il principale contributore nel bilancio 2018 sono gli Stati Uniti, seguiti dalla Fondazione Bill & Melinda Gates, Regno Unito, Germania, Gavi Alliance ed altri, per un totale di 2.160 milioni di dollari.

3. È sponsor di progetti strategici per la ricerca nel settore dei vaccini umani, insieme a diversi partner, incluso la EcoHealth Alliance.

4. Tramite il Pirbright Institute, Gates partecipa anche alla ricerca per lo sviluppo di vaccini in campo zootecnico.

La Fondazione Gates, player finanziario internazionale nel campo dei vaccini, ha naturalmente anche interessi in Cina, soprattutto a Wuhan. La Fondazione ha destinato, ad esempio, un finanziamento di 500.000 dollari all'Università di Wuhan e, indirettamente, attraverso la EcoHealth Alliance, ha finanziato i progetti "Predict" e "Predict-2" avviati nell'ambito del programma "Emerging Pandemic Threats" (EPT) istituito nel 2009 dall'Agenzia statunitense per lo sviluppo internazionale (USAID)[6]. Il presidente di EcoHealth Alliance, Peter Daszak, ha collaborato direttamente con la Shi Zheng-Li durante l'epidemia di SARS e nel febbraio 2008.

La Fondazione Gates ha inoltre finanziato il Pirbright Institute che opera anche a Wuhan nel campo della ricerca dei vaccini zootecnici.

Anthony Fauci: la nuova frontiera degli scienziati manager

Anthony Fauci fa parte della seconda generazione di ricercatori che dedicano i loro sforzi principalmente allo sviluppo di

---

[6] Molte delle collaborazioni internazionali di EcoHealth Alliance con organizzazioni e istituzioni locali rientrano nell'ambito di competenza del progetto "Predict". In pratica gli scienziati sul campo raccolgono campioni di fauna locale per tracciare la diffusione di potenziali agenti patogeni dannosi e impedire loro di diventare focolai. Gli scienziati inoltre hanno il compito di formare tecnici e veterinari locali nel campionamento degli animali e nella raccolta delle informazioni. Una delle iniziative di EcoHealth Alliance è la protezione e la conservazione dei pipistrelli nel loro habitat naturale (*Bat Conservation*).

un vaccino contro l'AIDS. I padri della ricerca sull'HIV, come Robert Gallo, Luc Montagnier, Giulio Tarro, Abraham Karpas, Gerald Edelman, hanno lasciato la loro eredità e il testimone a una generazione di scienziati "manager". La nuova frontiera della ricerca vede, infatti, come principali attori studiosi che non si limitano a fare ricerca, ma svolgono anche un'intensa attività di reperimento fondi da parte di diversi players, tra i quali l'industria farmaceutica, impegnata nello sviluppo di farmaci sempre più sofisticati e costosi e nella ricerca sui vaccini.

Anthony Fauci è un perfetto esempio di questa nuova generazione di ricercatori e un player scientifico e tecnico che opera nel campo della ricerca sui vaccini e sui farmaci antivirali di ultima generazione. In questa sua attività, con un evidente conflitto d'interessi, secondo una sensibilità tipicamente europea, è supportato e sostenuto dalla Fondazione Bill & Melinda Gates[7].

Per Fauci la svolta avviene nel 2006, quando negli Stati Uniti si aprono le porte alla cooperazione pubblico-privato per sviluppare un vaccino contro l'AIDS, di cui Fauci è un importante sostenitore. Nel 2006, infatti, si esauriscono i finanziamenti pubblici statunitensi destinati alla ricerca di cure e vaccini contro l'AIDS e gli scienziati sono costretti a cooperare tra di loro e con il settore privato.

Anche se negli Stati Uniti una commistione tra interessi pubblici e privati è maggiormente tollerata (ricordiamo che Fauci è a capo del NIAID dal 1984) occorre sottolineare che, come abbiamo detto, il conflitto di interessi di Fauci risale a molti anni fa.

---

[7] Cfr. PATRICK HOWLEY, *Fauci and Birx BOTH Have Big-Money Bill Gates Conflicts of Interest. Faces of coronavirus pandemic response connected to globalists*, in «Info Wars», 4 aprile 2020 [https://www.infowars.com/fauci-and-birx-both-have-big-money-bill-gates-conflicts-of-interest/]; JANICE HOPKINS TANNE, *Royalty payments to staff researchers cause new NIH troubles*, in «British Medical Journal», 330 (2005), p. 162 [doi.org/10.1136/bmj.330.7484.162-a].

Nulla di nuovo o di particolarmente grave se il conflitto di interesse non portasse ad una situazione di monopolio commerciale e di supremazia nel settore della ricerca che riguarda la salute umana e quella del pianeta.

È accettabile e umanamente giustificabile che aspetti così delicati, che hanno un'importanza fondamentale per l'umanità, possano essere delegati, da un punto di vista finanziario, ad un player privato come Bill Gates, e da un punto di vista tecnico scientifico ad un player unico come Anthony Fauci? È giusto che questo monopolio operi all'ombra dell'OMS e non dell'ONU? È forse tollerabile il fatto che strategie globali sanitarie e terapeutiche siano influenzate e in alcuni casi decise senza un mandato e un dibattito in seno alle Nazioni Unite che coinvolga tutti gli Stati?

I programmi che decidono strategie di tutela della salute umana necessitano di un dibattito aperto e libero, senza interferenze da parte di nessuno né, tanto meno, da parte delle grandi case farmaceutiche. Concentrarsi solo sullo sviluppo di vaccini, senza considerare i grandi passi in avanti che ha fatto la ricerca genomica e la ricerca sugli agenti patogeni, significa percorrere una strada vecchia per trovare soluzioni a problemi nuovi, una strada che, ad esempio, nel caso dell'AIDS non ha portato da nessuna parte.

Conclusione

Nel laboratorio di Wuhan si sono saldati interessi e strategie nazionali ed internazionali, grazie ad un disegno cinese diretto ad incentivare la crescita e lo sviluppo nel settore delle biotecnologie per uso civile e militare, che ha come scopo l'espansione globale della Cina.

I ricercatori cinesi, afferenti ad un gruppo di scienziati nazionali impegnati nei programmi di sviluppo delle biotecnologie, sono stati mandati presso i più importanti laboratori di ricerca internazionali (francesi, inglesi, olandesi, finlandesi, americani, canadesi, australiani) per affinare le loro conoscenze nel campo delle biotecnologie d'avanguardia e con il compito di importare queste conoscenze in patria (non escluderei la possibilità che possa essere stato fatto anche spionaggio biotecnologico). Questo *Knowledge and Technology Trasfer* attuato dai cinesi ha permesso così di sviluppare un programma che ha coinvolto personalità scientifiche internazionali e ha rastrellato fondi per finanziare ricerche in Cina. Sono stati creati programmi di cooperazione internazionale sotto l'ombrello protettivo Nazioni Unite e delle Ong che operano a livello internazionale nel settore della salute e della biosfera ed è stato promosso un programma di cooperazione internazionale per sviluppare vaccini di ultima generazione.

Questo in sintesi è quello che è stato fatto in Cina, in particolar modo a Wuhan, un'operazione premeditata, iniziata alcuni anni fa, che nascondeva però i veri scopi che si intendeva perseguire.

Visto quello che è accaduto in Cina e considerando il principio fondamentale che non è possibile interferire con i programmi governativi nazionali e che essi rispondono a logiche legate allo sviluppo socio-economico nazionale, a questioni attinenti alla sicurezza e alla biosicurezza nazionale, occorre sottolineare che:

- I programmi nazionali di tutti i Paesi dovrebbero stabilire con fermezza quali sono le linee guida e gli scopi della collaborazione internazionale che si intende istaurare con altri Paesi.

- L'endorsement e il sostegno delle Agenzie delle Nazioni Unite dovrebbe favorire programmi di cooperazione internazionale indirizzati al perseguimento degli obiettivi individuati dal *Millennium Development Goals* e dal *Sustainable Development Goals* per lo sviluppo sostenibile, la pace e la lotta alla povertà.

- Molto più complessa è invece la questione dei partenariati internazionali e dei consorzi industriali cosiddetti ibridi, che rispondono per certi versi alle leggi e alle lobbies del mercato e, per altri invece, alle politiche finanziarie e di espansione dei Paesi a cui appartengono i soggetti che vi partecipano. In questo settore esiste una vasta zona d'ombra, legata alle reali attività svolte dalle Ong che spesso, purtroppo, funzionano come dei veri e propri brokers degli interventi "umanitari".

La Cina naturalmente è responsabile di quello che è accaduto sul suo territorio, ma è altrettanto evidente la responsabilità internazionale di chi conosceva o ha ignorato colpevolmente le criticità sopra elencate senza porvi rimedio.

Per evitare in futuro che tutto questo si ripeta sarebbe necessario e auspicabile un attento esame dei fatti, affidato, ad esempio, a una commissione internazionale che operi sotto l'egida delle Nazioni Unite e che potrebbe essere utile per modificare i programmi di cooperazione sulle biotecnologie ancora in vigore tra la Cina, ormai un grande Paese tecnologicamente avanzato, e altri Paesi attori sullo stesso fronte. Ciò permetterebbe, tra l'altro, di creare un cordone internazionale di controllo e vigilanza su queste ricerche, favorendo la creazione di unità internazionali di pronto intervento in grado di far fronte in qualsiasi momento a minacce biologiche.

La Cina, come più volte affermato, investe molto sulla ricerca biotecnologica e ciò potrebbe anche essere utile, considerando il fatto che le conoscenze e le esperienze acquisite sono un importante strumento per la crescita e lo sviluppo socio-economico dei popoli.

Occorre però chiedersi a cosa intendano rinunciare i principali attori internazionali per diventare ciascuno un *primus inter pares* a servizio dell'umanità. In quest'ottica sicuramente non giova l'attuale situazione internazionale che vede all'orizzonte minacciose nubi che evocano una guerra fredda tra Cina e Stati Uniti.

L'esperienza di Wuhan ha mostrato tutti i limiti di una gestione non oculata, precaria e troppo ambiziosa a livello internazionale. Ciò dovrebbe servire per iniziare una riflessione destinata a ripensare i vecchi schemi e modelli che andrebbero sostituiti considerando il principio del *Gain for One - Gain for the Others* (guadagno per uno – guadagno per molti), e il consolidamento e/o la rifondazione delle organizzazioni internazionali.

Un'attenta riflessione andrebbe fatta anche sulle regole del *Knowlwdge and Technology Transfer Processes*, ma soprattutto sui *players* della ricerca biotecnologica che riveste un'importanza strategica per la protezione della salute umana. Questo tipo di ricerca ormai è affidata nelle mani di biologi, bioinformatici, generatori tecnologici di biologia sintetica, di epidemiologi che vengono ascoltati acriticamente dai *decision-makers*. I medici e gli operatori sanitari che possono definirsi a ragione gli utenti finali, coloro che sono tenuti ad osservare il giuramento di Ippocrate e preservano sempre e comunque la vita umana, coloro che devono attenersi a regole etiche e giuridiche sancite anche a livello internazionale, gli eroi della guerra contro il Covid-19, sono esclusi. Il vero problema della ricerca biotecnologica è aver escluso i medici perché senza di essi nessuno può garantire che vengano compiuti abusi o usi impropri dei risultati della ricerca.

È necessaria una forte iniziativa internazionale affinché venga ristabilito una volta per tutte l'ordine delle cose, riconoscendo il ruolo fondamentale delle scienze mediche.

LA RICERCA SUI VIRUS PATOGENI O POTENZIALMENTE PATOGENI: LEGITTIMITÀ E REGOLAMENTAZIONE

Introduzione

A mio avviso è evidente che l'HCoV-19 (SARS-CoV-2) sia il frutto di una manipolazione di laboratorio, non c'è da sorprendersi troppo per questo, semmai occorre stupirsi di chi nega tale evidenza facendo finta di non saperlo. Ogni nazione ha tutto il diritto di fare ricerca duale, anche di sviluppare virus ricombinanti, manipolando agenti potenzialmente dannosi per la specie umana. Da un punto di vista squisitamente scientifico queste ricerche sono assolutamente legittime. Non c'è da scandalizzarsi per l'uso sempre più frequente dell'ingegneria genetica, lo fanno tutti i Paesi che hanno a disposizione centri di ricerca e laboratori di sicurezza. Occorre considerare, infatti, che la creazione di chimere ricombinanti può essere utile per la cura delle malattie virali o di altre malattie, come il cancro, così anche per lo sviluppo dei vaccini.

Ovviamente queste ricerche devono essere condotte in luoghi di massima sicurezza, in laboratori con un livello di sicurezza alto. In molti Paesi, come Cina, India, Brasile, Canada, Stati Uniti, Inghilterra, Russia, le due Coree, Giappone, Israele, Iran, da tempo ormai viene portata avanti questa tipologia di studi. Quando però accadono degli incidenti, quando si verifica un *leakage*, cioè la perdita di controllo del virus, una "fuga", allora sorgono gravi problemi, specialmente se si mantiene segreto l'incidente o lo si comunica in ritardo, perché viene messa in grave pericolo la salute umana (*Human Safety*). Spesso, infatti, se accade un incidente, purtroppo non si hanno conoscenze approfondite del virus, non si sa come si propaga, qual è la sua reale contagiosità e virulenza. Gli effetti prodotti da un virus vengono studiati in vitro, in laboratorio, ma quando un virus si trova in un ambiente aperto, non è possibile prevedere con certezza quale sia la contagiosità, la virulenza, la sua capacità di mutare nel tempo e la sua invasività inter-specie, perché non sempre quello che si è osservato in laboratorio si riproduce poi in un ambiente selvaggio.

Il problema legato alla sicurezza dei laboratori dove si fa ricerca sui microorganismi è amplificato dalla scoperta di agenti sempre più "strani", appartenenti a nicchie ecologiche inesplorate, come quelle di virus e batteri che si trovano in insetti, animali, organismi, o di retrovirus endogeni presenti nel genoma umano o addirittura in forme primordiali di vita extraterrestre[1].

Considerata la pericolosità di queste ricerche per la salute umana, occorre chiedersi se e in che modo sono regolate e disciplinate, anche a livello internazionale, perché il pericolo possa essere ridotto al minimo.

Purtroppo, come vedremo, l'analisi del quadro giuridico internazionale è piuttosto sconfortante.

---

[1] Come ad esempio la scoperta dei Pandora virus, fatta da un team francese, guidato dai coniugi Jean Michel Claverie e Chantal Abergel e pubblicata sul «Journal Science» (luglio 2013). I Pandora virus sono virus giganti, apparentemente non patogeni per l'uomo, che colonizzano le amebe. O ancora la "riesumazione" di virus patogeni per l'uomo, che hanno provocato gravi malattie nella storia recente e remota dell'umanità; o la scoperta dei cosiddetti Retrovirus Endogeni (ERVs) presenti nel genoma umano; o lo studio, soprattutto da parte dei cinesi e degli americani, dei Coronavirus, classificati nel 2008 nella classe 1 (quella più pericolosa per l'uomo).

Prima di approfondire questo aspetto, vorrei anzitutto chiarire cosa si intende per *Biosafety* e per *Biosecurity*, due concetti fondamentali per comprendere come il quadro legislativo, che regola la ricerca scientifica, sia insufficiente. I due termini potrebbero sembrare due modi diversi per parlare della stessa cosa, ma in realtà ci sono differenze importanti che occorre sottolineare.

Quando di parla di biosicurezza, intesa come *Biosafety*, ci si riferisce a tutte quelle misure e ai processi atti a prevenire l'esposizione accidentale delle persone (in particolare quelle che lavorano in un laboratorio) ad agenti patogeni o a tossine. La protezione di queste persone si ottiene con dispositivi di protezione individuale (DPI), come guanti, maschere, camici da laboratorio, etc.

Quando si parla invece di biosicurezza, intesa come *Biosecurity*, ci si riferisce a tutte quelle misure atte ad evitare un accesso non autorizzato ad agenti patogeni e a tossine (agenti biologici) e il loro uso intenzionale che comporta l'esposizione dell'uomo e dell'ambiente a questi agenti.

Per ciò che concerne la disciplina dei laboratori dove si fa ricerca su agenti patogeni virali per l'uomo, occorre dire che l'OMS offre delle linee guida solo per la realizzazione di questi laboratori nei Paesi in via di sviluppo, indicando come modello di riferimento il *"Safety and Security"* adottato nei Paesi che dispongono di biotecnologie avanzate. L'OMS dopo le verifiche procedurali, rilascia la certificazione al laboratorio per ciò che concerne la *Biosafety*, ma occorre sottolineare che la *Biosecurity* non è considerata, né certificata in modo specifico[2]

Nel 2004 l'Ufficio regionale dell'OMS per il Sud-Est Asiatico ha incaricato il Dipartimento di Virologia dell'Istituto Nazio-

---

[2] Cfr. WORLD HEALTH ORGANIZATION, REGIONAL OFFICE FOR SOUTH-EAST ASIA, *Guidelines on establishment of virology laboratory in developing countries*, 2008 [https://apps.who.int/iris/handle/10665/205181].

nale di Salute Mentale e Neuro Scienze, di Bangalore in India (NIMHANS) di sviluppare la prima bozza relativa alle linee guida che occorre seguire per la *Biosafety*. Il laboratorio deve essere progettato considerando una valutazione del rischio riferita ad agenti patogeni specifici.

I 4 livelli di *BioSafety* previsti in questa bozza sono:

1. **Livello Biosafety di base 1**: insegnamento di base, ricerca, buone tecniche microbiologiche (GMT); lavoro a banco aperto.

2. **Livello Biosafety di base 2**: servizi sanitari primari; servizi diagnostici, ricerca, GMT più indumenti protettivi, segnale di rischio biologico, banco aperto più armadio di sicurezza biologico (BSC) per potenziali aerosol.

3. **Contenimento in Biosafety livello 3**: servizi diagnostici speciali, ricerca, livello 2 più indumenti speciali, accesso controllato, flusso d'aria direzionale, BSC e/o altri dispositivi primari per tutte le attività.

4. **Massimo contenimento in livello di Biosafety 4**: unità patogene pericolose, livello 3 più ingresso *airlock*, uscita doccia, smaltimento rifiuti speciali, Classe III BSC o tute a pressione positiva in combinazione con Classe II BSC, autoclave a doppia estremità (attraverso il muro), aria filtrata.

I laboratori di virologia diagnostica devono essere progettati per il livello di biosicurezza 2. Il concetto di "contenimento" lega alla *Biosafety* la prassi adottata per la *Biosecurity*.

Non mi dilungherò nei particolari per spiegare quanto è ampiamente descritto in questa bozza, ma mi preme sottolineare come le linee guida indicate dall'OMS, purtroppo, vengono considerate solo in alcuni casi; in molti altri esse vengono "liberamente interpretate". Riporto brevemente alcuni esempi di "libera interpretazione" adottata da alcuni Paesi.

L'**India**, che su incarico dell'ufficio regionale dell'OMS è stata incaricata di redigere la prima bozza, nel 2017 stabilisce delle proprie linee guida[3].

La **Cina**, principale competitor asiatico dell'India, con il laboratorio P4 di Wuhan, inizialmente ha cercato di seguire il meccanismo sancito dalle linee guida indicate dall'OMS, ma, nel febbraio 2019, il Chinese Center for Disease Control and Prevention, in occasione dell'annuncio della fondazione della rivista *Biosecurity and Health*[4], ha usato parole come *"Biological threat"* (minacce biologiche), *"Public health"* (sanità pubblica), *"Infectious diseases"* (malattie infettive), *"Bioterrorism"* (bioterrorismo), *"Biosafety management"* (gestione della *Biosafety*), *"International collaboration"* (collaborazione internazionale): parole molto importanti per comprendere come la strategia seguita dalla Cina, per la costruzione dei propri laboratori, si discosti fortemente dalle linee guida indicate dall'OMS.

Appare evidente come il termine *Biosecurity* sia del tutto assente, come l'articolo sia incentrato solo sulla *Biosafety* e come sia molto frequente l'uso del termine *"mitigare"*[5].

---

[3] Cfr. *Guidelines for the Implementation of the Scheme Regarding "Setting Up of Nation-Wide Network of Laboratories for Managing Epidemics and National Calamities"* [https://dhr.gov.in/sites/default/files/Guidelines%20final.pdf]. Nell'aprile del 2020 il Ministro della Difesa indiano inaugura i primi *"mobile shelters"* di ricerca virologica e diagnostica di laboratorio: cfr. *DRDO develops mobile virology research lab*, in «The Indu», 24 aprile 2020 [https://www.thehindu.com/news/national/drdo-develops-mobile-virology-research-lab/article31417752.ece].

[4] Cfr. GEORGE F. GAO, *For a better world: Biosafety strategies to protect global health*, in «Biosafety and Health», vol. 1, n. 1, (june 2019), pp. 1-3 [doi.org/10.1016/j.bsheal.2019.03.001].

[5] «Many global communities, international programs, and governmental organizations have been established **to mitigate** these risks and challenges» (in *ibid.*). Lo stesso termine è stato più volte utilizzato da Anthony Fauci, a capo della Task Force per il Covid-19 della Casa Bianca.

È interessante anche un'altra frase, molto eloquente, usata per parlare dei pericoli connessi ai laboratori: *"In molti Paesi esistono minacce biologiche create dall'uomo"* («*Man-made biological threats exist in many countries*).

Solo recentemente la Cina ha iniziato a parlare di *Biosecurity* in riferimento alla Global Health Security Agenda (GSHA) e al Global Virome Project (GVP)[6].

Gli **Stati Uniti**, invece, hanno da tempo ormai stabilito delle proprie linee guida. È loro la classificazione, adottata a livello internazionale, "BioSafety Level Laboratory (BSL 1-2-3-4)"[7]. Attraverso lo United States Army Medical Research Institute of Infectious Diseases (USAMRIID)[8], le forze armate statunitensi hanno stabilito delle linee guida di *Containment Laboratories* che si armonizzano con quelle civili ed accademiche[9]. Nello stabilire questi protocolli, sia in campo militare che civile, hanno posto molta attenzione ad assicurare un alto livello di *BioSafety*, attraverso regole precise, una monitorizzazione costante di tutte le

---

[6] La GSHA è un'iniziativa promossa dagli Stati Uniti, e alla quale hanno aderito molti Stati, che ha lo scopo di aumentare l'efficacia della lotta globale contro le malattie trasmissibili, quali l'Ebola, la poliomielite o il Coronavirus della MERS. Il GVP è un'iniziativa scientifica di collaborazione internazionale per la ricerca sulle minacce virali zoonotiche e la prevenzione di future pandemie.

[7] Cfr. *Biosafety Level Requirements* [https://www.phe.gov/s3/Biorisk Management/biocontainment/Pages/BSL-Requirements.aspx].

[8] L'Istituto di Ricerca Medica sulle Malattie Infettive dell'Esercito degli Stati Uniti è il principale centro americano per la ricerca sulle contromisure da adottare in caso di guerra biologica. Si trova a Fort Detrick, Maryland. Appartiene alla U.S. Army Medical Command (USAMEDCOM) ed è sotto il controllo della U.S. Army.

[9] Cfr. U.S. Army Medical Research Institute on Infectious Diseases, *Biological Safety at USAMRIID* [https://www.usamriid.army.mil/biosafety/index.htm].

procedure e una formazione del personale molto accurata ed ispirata al modello militare.

Da una statistica elaborata dall'USAMRIID che monitorizza incidenti accaduti nei laboratori tra il 2016 e il 2018, è interessante notare come il rischio di incidenti si abbassi al diminuire del numero delle persone che lavorano nei laboratori e che livelli bassi di contaminazione biologica possono essere garantiti soltanto dai livelli di sicurezza di un laboratorio militare, di tipo P4, difficilmente da laboratori di tipo P3 (Figura 1).

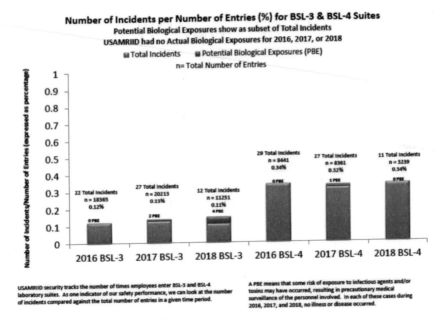

Figura 1 [fonte: U.S. Army Medical Research Institute on Infectious Diseases].

Ovviamente, poiché il rischio zero non esiste, quello militare si propone come modello di riferimento anche per i laboratori civili.

Nel 2017 il DARPA BTO (Defense Advanced Research Projects Agency Biological Technologies Office) ha promosso un programma per l'impiego dell'ingegneria e dell'informatica al fine di migliorare la biotecnologia nel campo della sicurezza nazionale[10].

In **Europa**, invece, una legislazione condivisa non esiste. Il parlamento europeo non ha provveduto ad affrontare il problema della *Biosafety* e della *Biosecurity*, indicando delle linee guida.

Tuttavia, la Direttiva UE 2000/54 / EC7 classifica i microrganismi in 4 gruppi di rischio, usando i criteri dell'OMS, e afferma che l'applicazione della Direttiva deve seguire una valutazione del rischio (*Risk Assessment*) adeguata al tipo di laboratorio che si vuole realizzare.

Inoltre il Piano dell'Unione europea del 24 giugno 2009, per rafforzare la sicurezza chimica, biologica, radiologica e nucleare indica l'obiettivo generale che occorre perseguire e che deve considerare tutti i pericoli, al fine di ridurre la minaccia e il danno derivanti da incidenti CBRN di origine accidentale, naturale o dolosa, compresi gli atti di terrorismo. Il piano d'azione ha fissato degli obiettivi considerando tre aree: prevenzione, individuazione, reazione alla minaccia.

L'evidente impreparazione e la discrepanza degli strumenti posti in essere dai Paesi europei per la pandemia in corso evidenziano come la strategia europea sia assolutamente inadegua-

---

[10] Cfr. [https://globalbiodefense.com/2017/11/07/darpa-biotechnolo gies-ez-baa/]: «The Defense Advanced Research Projects Agency Biological Technologies Office (DARPA BTO) is currently accepting proposals under its streamlined funding process, the Biological Technologies EZ Broad Agency Announcement (EZ BAA). DARPA BTO seeks to leverage advances in engineering and computer science to drive and reshape biotechnology for national security. This includes a range of emerging technical areas such as human-machine interfaces, human performance, infectious disease, and synthetic biology».

ta a fronteggiare una minaccia biologica come quella causata da agenti patogeni emergenti.

Certo non sono mancate iniziative atte a migliorare la biosicurezza europea. Una tra tutte, quella intrapresa dal Consortium Project Biosafety-Europe, che ha incaricato Ingegerd Kallings e Kathrin Summermatter (rispettivamente dello Swedish Institute for Communicable Disease Control di Stoccolma e dell'Institute for Virology and Immunoprophylaxis, di Mittelhaeusernin in Svizzera) di preparare una ricerca per coordinare, armonizzare e attivare una collaborazione tra i Paesi europei nel campo della *Biosafety* e *Biosecurity*. È un lavoro che affronta con lucidità i problemi e propone possibili soluzioni ai Paesi membri. Purtroppo, però, il questionario che doveva servire come base preparatoria per lo sviluppo del lavoro, inviato a 319 laboratori a sicurezza livello 3 e 4, è stato rispedito compilato solo dal 30% dei laboratori interpellati!

Un'altra criticità è rappresentata dal numero eccesivo di agenzie europee che si interfacciano sulla regolamentazione e sulla stesura di linee guida su *Biosafety* e *Biosecurity* che non semplifica di certo il quadro operativo[11].

---

[11] European Agency for Safety and Health at Work (EU-OHSA); European Centre for Disease Control and Prevention (ECDC); European Food Safety Authority (EFSA); European Food Information Council (EUFIC); European Commission's Joint Research Centre (JRC); European Medicines Agency/European Agency for the Evaluation of Medicinal Products (EMEA); European Molecular Biology Laboratory (EMBL). Inoltre sono coinvolte anche diverse organizzazioni non governative: European Federation of Biotechnology (EFB); Federation of European Microbiological Societies (FEMS); Confederation of the Food and Drink Industries of the EU (CIIA); International Centre for Genetic Engineering and Biotechnology (ICGEB); European Association for Bio Industries (EuropaBio); EU News, Policy Positions & EU Actors online [EurActiv.com]; European Society of Gene Therapy (ESGT).

C'è da segnalare infine che la definizione di linee guida sulla biosicurezza nei laboratori, mentre trova la convergenza dei Paesi europei per l'ambito veterinario, non riesce invece a giungere a un accordo nell'ambito delle ricerche su agenti patogeni per l'uomo.

Una modesta proposta

Come abbiamo visto, i virus sono parte tanto del bioma terrestre quanto del bioma umano e sono in grado di causare malattie contagiose, talora mortali. Nuovi virus e nuovi batteri vengono scoperti ed isolati nella biosfera e nuovi virus vengono individuati nel bioma umano. I virus stanno prendendo il sopravvento sui batteri nella biosfera. Si assiste al ritorno di batteri patogeni che hanno prodotto morte e sofferenza e che spesso hanno sviluppato una resistenza agli antibiotici.

Diventa quindi di primaria importanza conoscere questi potenziali nemici della salute umana e per far ciò sono necessari strumenti adeguati: laboratori di ricerca di livello 3 e 4, laboratori di virologia ed immunologia e biobanche di stoccaggio.

La necessità di combattere questi temibili nemici della salute umana va però considerata in un quadro più ampio che comprende anche pericoli che non sono strettamente connessi all'attività svolta in un laboratorio. Il pericolo del bioterrorismo e delle attività connesse alla guerra biologica hanno spinto molti Paesi a formulare una regolamentazione internazionale sull'uso degli agenti patogeni, stabilendo regole che sono necessarie per l'attività nei laboratori. Non tutti i Paesi però, come abbiamo visto, hanno sottoscritto le convenzioni internazionali in materia di armi biologiche, attribuendo in modo univoco lo stesso significato a *Biosafety* e a *Biosecurity* e limitandosi ad adottare le sommarie linee guida indicate dall'OMS.

Considerando che lo studio di agenti anche potenzialmente patogeni dovrebbe essere svolto solo in laboratori di sicurezza

P3 o P4, che il livello di sicurezza non è uguale per tutti i laboratori del mondo, ma dipende dalla legislazione interna dei vari Stati e che la stessa cosa accade nelle procedure che stabiliscono un'implementazione tra laboratori di livello 3 e 4 e tra quelli civili e militari, è necessario garantire a livello internazionale una normativa e un continuo monitoraggio delle attività che vengono svolte nei laboratori, naturalmente assicurando la compatibilità, della normativa e del monitoraggio, con le leggi dei Paesi che eventualmente accettano un controllo di questo tipo.

È inoltre necessaria una definizione univoca di *Biosafety* e *Biosecurity*, armonizzando gli standard necessari a garantire l'una e l'altra, richiamando l'attenzione degli Stati anche sull'*Occupational Safety and Health* (la salute e la sicurezza sul lavoro) e un controllo efficace della *Biosecurity*.

L'introduzione delle tecniche di ricombinazione virale rende questo lavoro ancora più difficile, poiché il rapporto tra biologia sintetica e tecniche biogenomiche di ricombinazione virale non è ancora stato inquadrato dal punto di vista legislativo, così come la materia della proprietà intellettuale e dell'utilizzo per scopi commerciali.

Un importante input, per una riflessione che coinvolga tutti gli Stati membri dell'Onu su questa materia, è arrivato dall'ambasciatrice indiana Lakshmi Puri la quale recentemente ha sottolineato che le organizzazioni internazionali dovrebbero creare nuovi scenari legislativi affinché si possa compiere un'azione multilaterale atta a prevenire e a contrastare efficacemente la minaccia del bioterrorismo[12].

---

[12] Cfr. LAKSHMI PURI, *Biological Weapons and Biosecurity. Lessons from the Covid-19 war*, in «Observer Research Foundation», may 10, 2020 [https://www.orfonline.org/expert-speak/biological-weapons-and-biosecurity-lessons-from-the-covid19-war-65923/].

Conclusione

Riassumendo quanto detto finora, possiamo affermare che:

1. Seppur esistano delle linee guida internazionali stabilite dall'OMS per la creazione di laboratori per la ricerca su agenti patogeni in Paesi in via di sviluppo, rileviamo una "libera interpretazione" di tali norme da parte di alcuni Stati in cui viene svolta una ricerca importante in laboratori di livello di sicurezza P3 e P4.

2. Attualmente non esiste un accordo tra gli Stati per attribuire un significato univoco ai concetti di *Biosafety* and *Biosecurity*.

3. Le garanzie di controllo per la *Biosafety* nei laboratori ad alto contenimento è demandata alla normativa stabilita dalle linee guida dell'OMS e dalle norme previste per la salute sul lavoro.

4. Non esiste un quadro legislativo relativo alla *Biosecurity*.

Inoltre, i laboratori ad alto contenimento possono essere sia civili che militari:

1. Quelli civili compiono attività di ricerca correlata all'attività di enti pubblici e delle università o accademie, anche private.

2. Quelli militari svolgono un'attività di ricerca gestita dalle forze armate ed è destinata alla preparazione o alla disattivazione di armi biologiche.

La commistione tra attività di ricerca pubblica e privata e tra civile e militare, purtroppo, non è disciplinata a livello internazionale da un corpus di norme che dovrebbe, a mio avviso, far capo alle Nazioni Unite.

La mancanza assoluta di un quadro giuridico che regoli i rapporti tra la ricerca pubblica e quella privata e quella civile e militare dipende, da un lato, dalla continua evoluzione della ricerca sul genoma umano e sugli agenti patogeni (*Dual Use – DURC, Gain of Function, Synthetic Biology*); dall'altro, dal pericolo del bioterrorismo che richiede continui aggiornamenti delle procedure di *Biosecurity* che variano tra un Paese e l'altro.

Il processo transazionale sulla ricerca biotecnologica eviden-zia una competizione, che coinvolge il pubblico e il privato, per ciò che concerne i brevetti sui vaccini e i farmaci (e ciò comporta anche un'attività di spionaggio tecnologico e biotecnologico), e una pericolosa industrializzazione del settore Salute e di quello Zootecnico. Tutto ciò è in evidente e netto contrasto con i pro-blemi legati alla sicurezza nazionale e transnazionale.

In questo scenario occorre quindi individuare un nuovo ruolo per le Nazioni Unite, così anche per i Servizi di Intelligence dei di-versi Paesi che dovrebbero stabilire uno scambio continuo di infor-mazioni, al fine di prevenire, in un quadro di lotta al bioterrorismo e di controllo della "commistione" pubblico privato, eventuali pan-demie mortali e garantire livelli massimi di *Biosafety* e *Biosecurity*.

Vorrei chiudere quest'opera in costruzione con un grafico de-rivato dal mio recente contributo *Eutanasia della Vita – Eutanasia dei Popoli: L'Etica come Mediazione*[13].

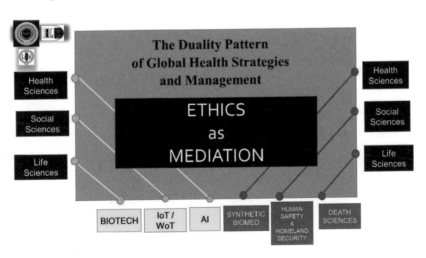

[13] Congresso AIEMPP, in collaborazione con l'Università Paris Descartes, *La personne au 21e siècle. Interculturalités et progrès des sciences et techniques appliquées au corps*, Parigi, 7-9 gennaio 2019.

È una proposta di riflessione umana e personale, sulle tracce del prof. Alain Pompidou[14], medico, anatomo-patologo e ricercatore, che mi ha introdotto all'Etica delle Biotecnologie di applicazione umana all'UNESCO, a Parigi al mio ritorno da New York.

---

[14] Rimando alla lettura del suo *Souviens-toi de l'homme: l'éthique, la vie, la mort*, Payot, Parigi 1990.

POSTFAZIONE

SCIENZA E SALVEZZA NEL TEMPO DEL VIRUS

di Luigi Frigerio[*]

La pandemia provocata dal nuovo coronavirus si è diffusa nel mondo generando in pochi mesi paura, sofferenze e morti. L'OMS ha fatto un bilancio della pandemia a poco meno di sei mesi dalla identificazione ufficiale in Cina, dopo che Covid-19 ha colpito tutti i continenti, con oltre 500 mila morti e 9 milioni di casi nel mondo. L'Italia è stata il primo Paese europeo colpito dal contagio virale a partire dal 20 febbraio 2020. Da allora fino a luglio 2020 sono stati segnalati 239 mila casi con oltre 35 mila decessi. Nelle Regioni del Centro-Sud e nelle isole la diffusione dell'infezione è stata più contenuta, mentre in quelle del Nord la circolazione del virus è stata molto elevata. Il totale complessivo dei lombardi positivi al virus, a fine giugno 2020, è risultato superiore a 93 mila con numero di morti superiore a 16 mila e 500. Dall'inizio del contagio, in Italia hanno perso la vita 163 medici e 40 infermieri. La città di Bergamo ha registrato il più alto indice di infezioni e decessi in Italia, il che ha reso la provincia bergamasca un contesto in cui il contagio è comparso precocemente, provocando quasi 200 morti al giorno nel mese di marzo, con un totale di oltre 6.238 decessi fra febbraio e maggio.

---

[*] Luigi Frigerio, direttore Dipartimento Materno Infantile Pediatrico, Ospedale di Bergamo; docente Università di Milano Bicocca.

Durante la fase acuta dell'epidemia, io sono stato paziente all'ospedale di Bergamo dove lavoro da anni come medico. In quei giorni, ricevendo un messaggio dell'amico David, editore di questo libro, replicai: *"Che dire di fronte a questo flagello inatteso? Anch'io sono stato colpito dalla polmonite che mi ha portato dall'altra parte della barricata. La vicinanza di tanti amici, la bravura di quelli che mi curano e la fiducia di una Presenza amica mi hanno impedito di cadere nello spavento. In questo letto, mentre scorre l'ossigeno che mi fa respirare, penso a tanti medici ed amici che in ospedale lottano per la vita e prego per loro. A causa dell'epidemia abbiamo inaugurato un percorso per assistere le mamme e i bambini che vengono in ospedale. Il dipartimento materno infantile, dove io lavoro, regge l'onda d'urto e questo ci rende fiduciosi. Durante la fase critica ho avuto il tempo di riflettere. Sì, la fede che i genitori mi hanno dato è come il coraggio. Mica uno se lo dà da sé! Da soli noi siamo timidi, invece la presenza di qualcuno allontana la solitudine e questo ci rende più coraggiosi. Il 19 marzo, giorno del mio compleanno e festa di San Giuseppe, le condizioni respiratorie erano assai critiche. Così, dopo la visita del cappellano dell'ospedale, ero pronto a consegnarmi in altre mani, indipendentemente da ogni possibile esito. In quella circostanza non ho provato l'angoscia del nulla che genera spavento. Non ero solo. Ora mi è chiaro che il virus è una prova, l'occasione per ripensare alle certezze che ci hanno fatto credere di essere noi i padroni del mondo. Ma davvero non è così!"*.

Nonostante l'immobilità nel letto per cinque lunghe settimane, le giornate nello scafandro dell'ossigeno erano piene di avvenimenti e la mente, sempre vigile, cercava una spiegazione.

Mentre infuriava la polemica sul virus killer arrivato dalla Cina, nella memoria ritornò il discorso che Bill Gates tenne al mondo nel 2015 per chiedere di prepararsi alla prossima epidemia dopo Ebola. *"Non siamo pronti!* – dichiarò il fondatore di Microsoft – *Ci sarà un virus in cui le persone, mentre sono contagiose, si sentiranno abbastanza bene da salire su un aereo o andare al mercato. La fonte del virus potrà essere un'epidemia naturale oppure il bioterrorismo".* Gates concluse il discorso con questa esortazione: *"Iniziamo ora, per essere pronti durante la prossima epidemia!".* Non sappiamo se questa dichiarazione fosse una profezia oppure l'annuncio di un programma di ricerca internazionale per finanziare diversi centri nel mondo, compreso il laboratorio di Wuhan. È chiaro che, se crediamo all'eventualità di un conflitto batteriologico, prenderemo misure adeguate per prepararci ad uno scontro decisivo con tutti i rischi immaginabili. Quando si temono i conflitti, le profezie talvolta si autorealizzano.

Durante la degenza ospedaliera fui raggiunto al telefono dall'amico Giuseppe Tritto, presidente dell'Accademia Mondiale di Tecnologia Biomedica ed esperto di conoscenze tecnologiche di Cina e India. Il professor Tritto si interessò al mio stato di salute, allora molto incerto, e mi segnalò alcune notizie sull'origine del virus di cui non ero a conoscenza. La dottoressa Shi Zheng-Li, virologa specializzata nello studio del genoma dei pipistrelli, era stata responsabile del Centro malattie infettive dell'Istituto di Wuhan fino all'autunno 2019, quando l'immunologa Wang Yanyi all'improvviso la sostituì nell'incarico. Il segretario di Stato americano Mike Pompeo e il presidente Trump avevano subito espresso il dubbio che il nuovo coronavirus fosse uscito dal centro di Wuhan. Ma il nuovo direttore del laboratorio aveva subito dichiarato: *"Non esistono prove che il virus sia uscito dall'Istituto".* Nel febbraio 2020, il *New York Times* riferì che il team guidato da Shi Zheng-Li, trasferitasi intanto a Pechino, aveva identificato la sequenza genetica del nuovo coronavirus, caricandolo su un database disponibile per tutti gli scienziati.

A quel tempo la scienza che indagava sul Covid era già diventata punto di riferimento e nuova religione in tutto il mondo. Il filosofo Giorgio Agamben ricordò allora acutamente che in Occidente ci sono almeno tre religioni: il cristianesimo, il capitalismo e la scienza. Anche la scienza, come ogni altra fede, ha regole definite per stabilire i comportamenti in tempo di crisi. Protagonista di questa epidemia è divenuta la medicina, una scienza senza verità assolute dove prevale certamente l'aspetto pratico per curare il corpo dei malati. Il sapere medico utilizza regole assunte dalla biologia e dalla statistica. Nella guerra contro l'epidemia c'è il male della morte, dove germi e virus sono i nemici, e c'è il bene della guarigione, dove gli amici sono medici e infermieri che offrono le cure per salvarsi. Come in ogni religione, i due principi sono separati, ma in pratica si incontrano e si scontrano continuamente. A volte chi fornisce le cure, senza saperlo, può fare il gioco dell'avversario come in battaglia, quando capita di cadere sotto l'attacco del fuoco amico. In tempo di epidemia, quelli che decidono le strategie sono innanzitutto gli esperti nell'ambito della virologia. Una disciplina a metà strada fra biologia e medicina dove errori e malintesi sono sempre possibili. La Scienza, nuovo dogma moderno, ha fornito in questo tempo risposte contraddittorie attraverso la voce degli esperti. La maggior parte degli scienziati ha avvalorato l'ipotesi del vaccino come unico antidoto dell'epidemia. Ma sono stati battuti da clinici e patologi che hanno ottenuto informazioni decisive eseguendo esami ed autopsie che erano state addirittura vietate.

Proprio grazie alle prime autopsie predisposte a Bergamo, medici perspicaci come Andrea Gianatti e Aurelio Sonzogni hanno capito che la polmonite era l'ultimo effetto della trombosi dei microvasi polmonari. Intervenendo per tempo, gli usuali anticoagulanti (insieme ai farmaci antinfiammatori) si sono rivelati in grado di rallentare il flusso dei ricoveri ospedalieri, riducendo quello verso le terapie intensive e consentendo di curare l'infezione da Covid-19. Ancora grazie alla collaborazione fra anestesisti si sono diffuse rapidamente le osservazioni di Luciano Gattinoni (già presidente della Società Mondiale di Terapia Intensiva) sui vantaggi della posizione prona dei pazienti intubati con gravi difficoltà respiratorie, oltre che la raccomandazione di ridurre la pressione dell'ossigeno nei respiratori, che stava provocando danni letali a polmoni già gravemente lesionati. Grazie all'Ecmo, una macchina che si sostituisce alle funzioni di cuore e polmoni, Luca Lorini, primario anestesista di Bergamo, ha recuperato l'acidità del sangue che era salita a valori inquietanti e i polmoni di malati molto gravi hanno pian piano ricominciato a funzionare autonomamente.

Durante la pandemia, ogni esperto ha espresso una sua idea, sovente in contrasto con quella di altri colleghi. L'unica raccomandazione che tutti hanno condiviso è stata il confinamento e l'isolamento per combattere il virus. Sono state chiuse industrie, scuole, negozi e chiese per evitare il contagio. Contro la potenza del male, la religione propone la clausura, una sorta di distanziamento sociale dove ci si unisce in preghiera per sconfiggere il male nascosto. Per frenare la pandemia, la scienza ha proposto allora il rispetto della quarantena. Un rito da praticare insieme, utilizzando nuovi paramenti come guanti, camici e mascherine, mantenendosi a debita distanza. Lo stato vigila perché siano osservate le norme imposte dalla scienza e la paura è diventata padrona della vita pubblica e privata. Circa metà della popolazione mondiale e quasi la totalità degli italiani sono stati segregati in casa durante la pandemia. Anche gli utenti di Facebook si sono sentiti legittimati nel ruolo di informatori in questa guerra sociale al Covid-19. Sono stati attivi gruppi con migliaia di iscritti denominati *"Segnalazioni Coronavirus a piede libero"* per individuare i trasgressori. Le forze dell'ordine di tutti i Paesi colpiti dalla pandemia riferiscono che c'è stato un incremento sostanziale delle telefonate di cittadini che accusavano il proprio vicino di essere andato a fare una passeggiata di troppo col cane, di tenere una festa in casa o di sostare troppo a lungo seduto su una panchina.

Il fenomeno è ben noto, insomma persone che fanno le spie. La delazione si è diffusa come conseguenza della paura del virus, un nemico invisibile e feroce che si nasconde ovunque. Abbiamo imparato ad aver paura del vicino, del congiunto, degli oggetti e dei rapporti.

Viviamo ora sotto l'incubo della seconda ondata, di una pandemia inarrestabile che in ogni momento potrebbe tornare a colpire. Abbiamo rinunciato alla libertà di viaggiare, lavorare, frequentare amici e mantenere relazioni sociali. Anche la religione e l'economia hanno ceduto al primato assoluto della scienza medica. Il culto religioso ha stemperato i suoi principi intangibili, accettando di incontrare gli altri in modo virtuale per mantenere le distanze imposte dall'emergenza. Lorenzo D'Antiga, direttore della Pediatria di Bergamo, nei giorni tragici in cui più si moriva, ha scritto ai Vescovi: *"Con le Chiese chiuse, le figure di riferimento per la nostra fede rese invisibili dal necessario isolamento, alcuni si chiedono se l'uomo si stia dimenticando di Dio. Altri invece si chiedono se Dio si stia dimenticando dell'uomo ... le persone ammalate non hanno bisogno solo dei medici del corpo, c'è bisogno anche dei medici dell'anima ... quelle che non ce la fanno muoiono da sole, senza il conforto dei propri cari e senza un conforto spirituale ... nei nostri ospedali da campo la chiesa dov'è?"*.

Così il potere costituito ha ottenuto quanto chiedeva: un cristianesimo tremebondo, ridotto a mendicare un ruolo marginale nella nuova società, tollerato ma in fondo sminuito. Il mondo economico, a sua volta, ha dovuto accettare enormi perdite di rendimento, sperando di trovare poi un accordo con la nuova religione della scienza e della politica. La medicina intanto ha raccolto la domanda di salute e salvezza che in passato altri soggetti avevano recepito. Viviamo un tempo di crisi che mette in discussione i fondamenti economici, sociali e religiosi della nostra convivenza. La crisi è un concetto classico della medicina tradizionale, quando il medico decretava se il paziente era in grado di sopravvivere oppure doveva morire. La religione ha sempre indicato la crisi come il momento del giudizio, il discernimento fra bene e male. Durante la fase acuta dell'epidemia, negli ospedali non c'era tempo e spazio. Spesso si decideva come in guerra. Chi aveva fame d'aria e annaspava doveva essere mandato in terapia intensiva dove i posti erano pochi. Le decisioni assistenziali erano drammatiche. Si doveva valutare le probabilità che un paziente potesse sopravvivere per utilizzare le poche risorse disponibili, in presenza di una domanda esorbitante. Cento anni fa, il medico era un saggio o un clinico illuminato con farmaci insufficienti e mezzi inadeguati per curare i malati durante l'epidemia Spagnola. Oggi la medicina, con l'aiuto della tecnologia, ha acquisito il potere reale di curare e guarire, decidendo sulla vita dei pazienti. È un potere chiaramente limitato nel tempo. Quando la natura ha già emesso la sentenza, il medico è in grado al massimo di commutarla. In ogni caso la guarigione è sempre provvisoria poiché il virus della morte non può essere eliminato per sempre. La malattia cambia continuamente e può assumere nuove forme più difficili da curare. L'epidemia è un peso grave che opprime i popoli e favorisce l'avvento di un ordine sociale diverso. Il timore che i virus potessero diventare armi biologiche era stato da tempo immaginato. Durante la pandemia, il professor Montagnier, premio Nobel della medicina, ha dichiarato che il Covid-19 è un virus sintetico, creato artificialmente in laboratorio. A tale riguardo è singolare lo studio divulgato il 31 gennaio e pubblicato il 24 aprile 2020 da Prashant Pradhan coi ricercatori dell'Università di Delhi che sostiene: *"Abbiamo trovato 4 innesti nelle sporgenze glicoproteiche del Covid-19 presenti solo in questo virus e mai rilevate in altri coronavirus. C'è una corrispondenza inquietante di 4 aminoacidi inseriti nel Covid-19, identici ad aminoacidi presenti nel virus dell'HIV"*. Lo studio concluse: *"È improbabile che questi innesti siano di natura casuale"*.

Giuseppe Tritto, nel suo racconto, riprende le osservazioni che rafforzano l'ipotesi di un virus manipolato in un laboratorio cinese alla ricerca di nuovi vaccini ricombinanti. Alla scarsa trasparenza del governo cinese ha fatto eco la debolezza dell'OMS che non ha possibilità di indagare in maniera indipendente all'interno dei Paesi membri. La delusione dell'OMS era apparsa chiara nel mese di gennaio, prima dell'impennata di casi a Wuhan del 20 gennaio 2020. Il direttore delle emergenze dell'agenzia ONU, Michael Ryan, aveva lamentato che la Cina non stava collaborando come aveva fatto in passato in altri Paesi. Non si può escludere che l'epidemia rappresenti una nuova forma di conflitto civile mondiale che ha preso il posto delle guerre tradizionali. Il Covid-19, arrivato dalla Cina, è descritto come una chimera che in pochi mesi ha cambiato le sorti del mondo. Uno studio italiano, realizzato dall'Università Statale di Milano, ha dimostrato che *"la circolazione del Covid-19"* deve essere retrodata e *"può essere collocata tra la seconda metà di ottobre e la prima metà di novembre 2019, quindi alcune settimane prima rispetto ai primi casi di polmonite identificati"*. La diffusione di polmoniti anomale in Cina è iniziata molto prima di quanto si pensasse. È lo scenario che sembra emergere dalle testimonianze di alcuni atleti che dal 18 al 27 di ottobre parteciparono ai Giochi mondiali militari nella metropoli cinese di Wuhan. Lo schermitore Matteo Tagliarol raccontò che *"moltissimi nella delegazione italiana si ammalarono di influenza, tanto che c'erano problemi con le scorte di medicine. Quando rientrai ho avuto la tosse, la febbre, per tre settimane"*. Il 25 aprile 2020, l'astronauta Luca Parmitano, colonnello dell'Aviazione Militare Italiana in missione nello spazio, durante la trasmissione *Petrolio* di Rai 1 dichiarò: *"A bordo abbiamo un collegamento quotidiano con le realtà terrestri; abbiamo anche accesso alla rete internet;*

possiamo comunicare con i centri di controllo e già da novembre 2019 avevamo iniziato a seguire i primi contagi, inizialmente soltanto nei paesi asiatici, poi al mio rientro i primi contagi in Europa ... sulla stazione abbiamo seguito quello che stava succedendo sulla Terra: anche prima del mio rientro già da novembre eravamo al corrente di questo probabile contagio pandemico e soprattutto la gravità che si andava allargando a macchia d'olio proprio in Europa poco prima del mio rientro". Anche la ricerca condotta dal gruppo milanese del professor Massimo Galli, accettata per la pubblicazione sul *Journal of Medical Virology* e messa disposizione dell'OMS, indica un'origine precoce dell'epidemia. L'agente virale in Lombardia diede i suoi primi segni di vita come virus umano tra la fine di ottobre e i primi di novembre 2019, per poi avere un'esplosione a partire da dicembre. Ottanta medici di medicina generale presenti sul territorio di Bergamo, per un equivalente di oltre 109 mila assistiti, hanno segnalato 104 casi di polmoniti atipiche nel mese di dicembre e 124 nel mese di gennaio. In tutto 228 casi in due mesi e di questi malati 21 purtroppo sono deceduti. In 123 casi la conferma della polmonite atipica ha avuto un riscontro radiologico. Facendo una proporzione sulla totalità della popolazione della provincia bergamasca, rispetto al campione del sondaggio, oltre 2.000 persone tra dicembre scorso e gennaio 2020 potrebbero aver avuto polmoniti atipiche. Anche la ricerca realizzata da studiosi britannici e norvegesi, tra i cui il professor Angus Dalglish, dell'Ospedale St. Thomas di Londra, e il virologo norvegese Birgen Sørensen contesta quanto sostenuto dalla maggioranza degli opinion leaders: *"Il Covid-19 è stato creato in un laboratorio cinese".* La sua sequenza genetica ha frazioni che *"sono state inserite"* e probabilmente non si sono evolute naturalmente. La pandemia è frutto di un errore: *"il virus"* sarebbe *"sfuggito ai controlli di bio-sicurezza"*, spargendosi velocemente tra la popolazione. In un'intervista rilasciata l'11 marzo alla rivista *Scientific American*, Shi nuovo padrone del mondo, di sconfiggere e piegare l'Occidente profittando della debolezza di molte nazioni e dell'Europa stessa che sostiene apertamente il modello cinese. Questo modello incarna lo Stato autoritario che esalta lo sviluppo economico a discapito della libertà e può apparire affascinante per alcuni. Ma questo modello non può essere esportato in Paesi dove la cultura e la storia avanzano nel solco della democrazia. Dobbiamo scegliere fra un progetto collettivo di salute che nega la libertà in cambio di sicurezza, oppure una visione di salvezza che cerca il senso della vita accettandone gli inevitabili rischi. Il filosofo francese Fabrice Hadjadj, intervenendo sull'epidemia, ha spiegato bene: *"Il rapporto con l'avvenire implica la nostra responsabilità. Non è questione di assumere un rischio, ma di sobbarcarsi l'atto che cerca il bene in una situazione irripetibile, con circostanze e avvenimenti di cui non possiamo prevedere tutte le conseguenze"*.

È impossibile azzerare i rischi dell'esistenza. Di paura si muore e di rischio si vive! Possiamo affrontare il pericolo in modo intelligente per evitare il tracollo sociale e riprendere la vita in tutti i suoi aspetti. Ben venga allora il contagio della libertà contro la paura che nega ogni legame e spegne la vita di tutti!

29 luglio 2020

INDICE

EDIZIONI CANTAGALLI
Via Massetana Romana, 12
53100 Siena
Tel. 0577 42102 Fax 0577 45363
www.edizionicantagalli.com
e-mail: cantagalli@edizionicantagalli.com